인·적성검사

2024

전국수협
필기고사
대비

인적성검사
+
선택과목
(경영학, 수협법)

4+2회

고시넷 대기업

지역수협 인적성검사 경영학, 수협법 최신 기출유형 모의고사

Suhyup Aptitude Test

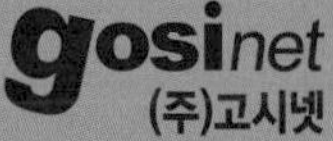

정오표 및 학습 질의 안내

고시넷은 오류 없는 책을 만들기 위해 최선을 다합니다. 그러나 편집에서 미처 잡지 못한 실수가 뒤늦게 나오는 경우가 있습니다. 고시넷은 이런 잘못을 바로잡기 위해 정오표를 실시간으로 제공합니다. 감사하는 마음으로 끝까지 책임을 다하겠습니다.

WWW.GOSINET.CO.KR

모바일폰에서 QR코드로 실시간 정오표를 확인할 수 있습니다.

학습 질의 안내

학습과 교재선택 관련 문의를 받습니다. 적절한 교재선택에 관한 조언이나 고시넷 교재 학습 중 의문 사항은 아래 주소로 메일을 주시면 성실히 답변드리겠습니다.

이메일주소

qna@gosinet.co.kr

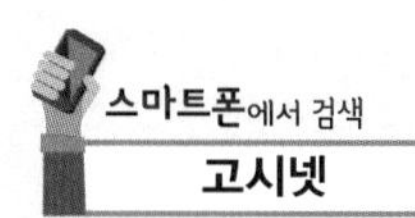

차례

전국수협 필기시험 정복

파트1 전국수협 적성검사 기출유형모의고사

파트2 전국수협 전공시험 기출유형모의고사

파트3 인성검사

파트4 면접가이드

책 속의 책_정답과 해설

파트1 전국수협 적성검사 기출유형모의고사

파트2 전국수협 전공시험 기출유형모의고사

구성과 활용

1

전국수협 소개 & 채용 절차

전국수협의 비전, 윤리경영, CI, 인재상 등을 수록하였으며 최근 채용 절차 등을 쉽고 빠르게 확인할 수 있도록 구성하였습니다.

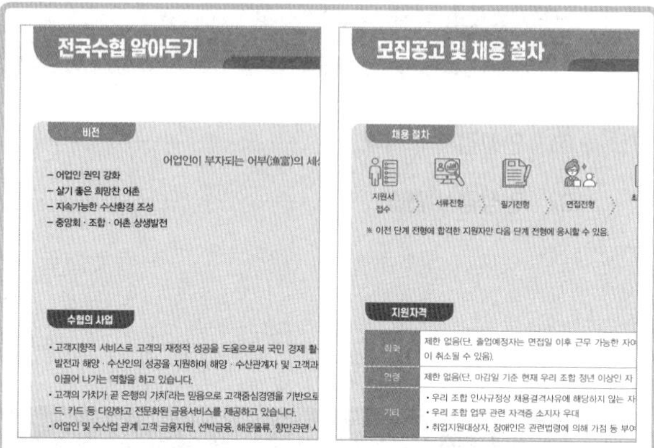

2

전국수협 기출 유형 분석

최근 기출문제 유형을 분석하여 최신 출제 경향을 한눈에 파악할 수 있도록 하였습니다.

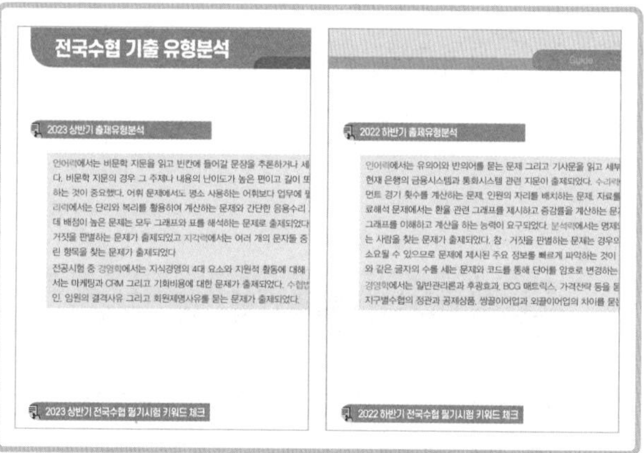

3

기출유형문제로 실전 연습 & 실력 UP!!

총 4회의 적성검사 기출유형문제와 2가지 전공시험으로 자신의 실력을 점검하고 완벽한 실전 준비가 가능하도록 구성하였습니다.

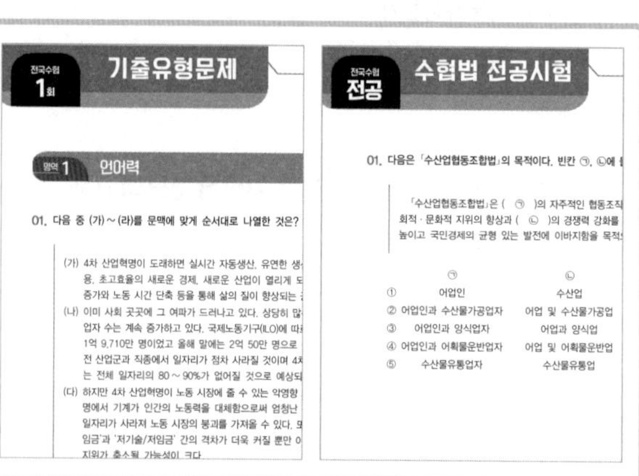

4

인성검사 & 면접으로 마무리까지 OK!!!

최근 채용 시험에서 점점 중시되고 있는 인성검사와 면접 질문들을 수록하여 마무리까지 완벽하게 대비할 수 있도록 하였습니다.

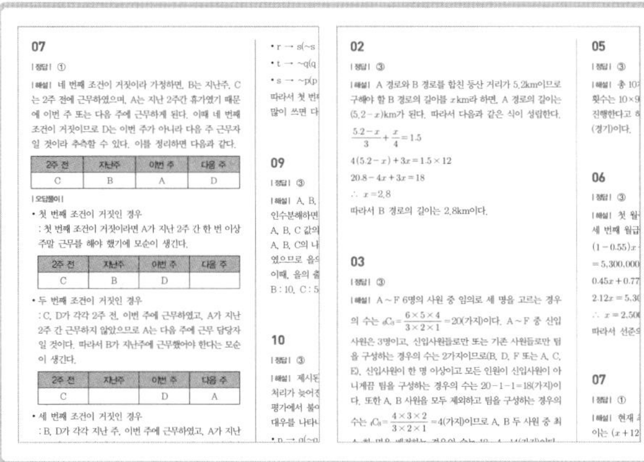

5

상세한 해설과 오답풀이가 수록된 정답과 해설

기출유형문제와 전공시험의 상세한 해설을 수록하였고 오답풀이 및 보충 사항들을 수록하여 문제풀이 과정에서의 학습 효과가 극대화될 수 있도록 구성하였습니다.

전국수협 알아두기

비전

어업인이 부자되는 어부(漁富)의 세상

– 어업인 권익 강화
– 살기 좋은 희망찬 어촌
– 지속가능한 수산환경 조성
– 중앙회 · 조합 · 어촌 상생발전

수협의 사업

- 고객지향적 서비스로 고객의 재정적 성공을 도움으로써 국민 경제 활성화에 기여하고 해양 · 수산업의 발전과 해양 · 수산인의 성공을 지원하며 해양 · 수산관계자 및 고객과의 동반성장을 통해 밝은 미래를 이끌어 나가는 역할을 하고 있습니다.
- 고객의 가치가 곧 은행의 가치'라는 믿음으로 고객중심경영을 기반으로 대출, 예금, 외환, 보험, 신탁, 펀드, 카드 등 다양하고 전문화된 금융서비스를 제공하고 있습니다.
- 어업인 및 수산업 관계 고객 금융지원, 선박금융, 해운물류, 항만관련 사회간접자본(SOC)사업 등 특수은행으로서 '대한민국 대표 해양수산 전문은행'의 역할을 수행하고 있습니다.

CI

- 수협 로고의 외곽타원은 어민의 삶의 터전이 푸른 바다, 맑은 물을 상징
- 4마리의 물고기 도형은 어민과 어민, 수협과 어민, 수협과 정부 사이의 상호협동을 의미
- 물고기와 파도문양의 합성으로 형성한 역동감은 수협운동을 통한 진취적인 선진국가로의 발전을 투구하는 수협의 기상을 의미

윤리 경영

투명하고 깨끗한 세상! 수협이 앞장서겠습니다.

윤리경영을 통한 세계화

세계적으로 엔론사태 이후 기업의 준법정신을 높일 수 있는 '기업윤리'가 강조되고 있으며, 윤리경영이 글로벌 스탠더드로 부상되고 있습니다.

철저한 윤리경영의 실천 및 확산

수협은 공사, 모든 용역, 구매 등 계약 체결의 일련과정에서 금품 또는 향응을 수수하지 못하도록 계약 상대방과 청렴계약 체결 위반 시 계약 해지, 거래 중단 등 불이익 부과로 업무의 투명성 강화와 아울러 수협의 윤리경영 실천 및 거래업체의 윤리경영 확산을 도모하고 있습니다.

윤리경영시스템의 운영 및 사회공헌

윤리경영은 일시적 유행이 아닌 시대적 요구사항으로 21세기 기업생존을 위한 필수요건임을 전 임직원이 인지하여, 기업경쟁력 강화차원에서 변화와 혁신의 시대적 상황과 높아진 사회의식수준에 부응하기 위하여 윤리경영시스템을 도입해 운영하고 있으며, 각종 사회봉사활동 및 공정하고 투명한 업무수행을 행하고 있습니다.

인재상

Cooperation

협동과 소통으로 시너지를 창출하는 수협인

- 동료와 팀워크를 발휘하여 조직의 목표 달성에 기여하는 사람
- 다양한 배경과 생각을 가진 사람들과 의견을 조율하여 문제를 해결하는 사람

Creativity

창의와 혁신으로 미래에 도전하는 수협인

- 번뜩이는 생각과 새로운 시각으로 변화하는 시대에 앞서 나가는 사람
- 유연한 자세와 변화를 추구하며 새로운 분야를 개척하는 사람

Consideration

친절과 배려로 어업인과 고객에 봉사하는 수협인

- 고객을 섬기는 따뜻한 가슴으로 고객 행복에 앞장서는 사람
- 상대방의 입장에서 생각하고 행동하는 너그러운 마음을 품은 사람

모집공고 및 채용 절차

채용 절차

지원서 접수

서류전형

필기전형

면접전형

최종합격자 발표

※ 이전 단계 전형에 합격한 지원자만 다음 단계 전형에 응시할 수 있음.

지원자격

구분	내용
학력	제한 없음(단, 졸업예정자는 면접일 이후 근무 가능한 자여야 함, 근무가 불가능할 시 합격이 취소될 수 있음).
연령	제한 없음(단, 마감일 기준 현재 우리 조합 정년 이상인 자 제외).
기타	• 우리 조합 인사규정상 채용결격사유에 해당하지 않는 자 • 우리 조합 업무 관련 자격증 소지자 우대 • 취업지원대상자, 장애인은 관련법령에 의해 가점 등 부여

지원서 접수

- 입사지원은 채용 홈페이지 On-line으로만 접수
- 입사지원서 등을 고려하여 채용예정인원의 수협별 배수 내외 선발
- 조합별 중복 입사지원은 불가능
- 적격자가 없는 경우 선발하지 않을 수도 있음.
- 입사지원서 기재 착오, 필수사항 및 요건 누락 등으로 인한 불이익은 본인 부담이며, 주요기재사항이 제출서류와 일치하지 않을 경우 합격 또는 입사를 취소할 수 있음.
- 조합별 특성과 인사규정상 임용 후 전보 및 순환보직이 가능

필기전형

구분	내용
일반관리계	• 필수과목(30%) : 적성검사(60문항/60분) • 선택과목(70%) : 전공(50문항/50분) – 민법(친족, 상속편 제외), 회계학(원가관리회계, 세무회계 제외), 경영학(회계학 제외), 수협법(시행령, 시행규칙 포함), 상업경제 중 택 1
기술계	필수과목 : 적성검사(60문항/60분)
인성검사	252문항/30분

• 적성검사 배점표

영역	문항 배점 구성		영역	문항 배점 구성	
	구분	배점		구분	배점
언어력 (1~15번)	1~5번	1.5점	수리력 (1~15번)	1~8번	1.7점
	6~10번	1.7점		9~15번	1.8점
	11~15번	1.8점			
분석력 (1~15번)	1~7번	1.7점	지각력 (1~15번)	1~15번	1.5점
	8~15번	1.8점			

※ 틀린 문제에 따른 감점은 없음.

면접전형

• 면접 관련 세부내용은 채용홈페이지에 공고하지만 조합 사정에 따라 일정 변동 가능
• 면접은 1차 인성면접과, 2차 실무면접으로 이루어지고 1 · 2차 면접은 같은 날 진행됨.
• 면접점수 고득점자 순으로 최종합격자를 결정
• 면접 대상자에 한하여 면접 당일 해당 조합 총무과에 다음 서류를 개별 제출

공통	해당자
• 주민등록초본 • 최종학교 학력증명서 · 전학년 성적증명서(석사이상은 학부 졸업 및 성적증명서 포함)	• 주민등록초본(병역사항 포함) – 병역을 필한 지원자는 병역사항이 포함된 주민등록초본만 제출 가능 • 경력증명서 • 취업지원대상자증명서, 장애인증명서 • 자격증 · 면허증 사본

※ 면접 전행 시 제출한 서류는 채용절차의 공정화에 관한 법률 제11조에 따라 최종합격자 발표 후 14일 이내 반환 청구가 가능함.

전국수협 기출 유형분석

2023 상반기 출제유형분석

언어력에서는 비문학 지문을 읽고 빈칸에 들어갈 문장을 추론하거나 세부내용을 파악하는 문제가 출제되었다. 비문학 지문의 경우 그 주제나 내용의 난이도가 높은 편이고 길이 또한 길어 지문의 내용을 빠르게 학습하는 것이 중요했다. 어휘 문제에서도 평소 사용하는 어휘보다 업무에 필요한 한자어가 다수 출제되었다. 수리력에서는 단리와 복리를 활용하여 계산하는 문제와 간단한 응용수리 그리고 자료해석 문제가 출제되었는데 배점이 높은 문제는 모두 그래프와 표를 해석하는 문제로 출제되었다. 분석력에서는 명제, 순서배열, 참 · 거짓을 판별하는 문제가 출제되었고 지각력에서는 여러 개의 문자들 중 다른 문자를 찾거나 자료를 보고 틀린 항목을 찾는 문제가 출제되었다

전공시험 중 경영학에서는 지식경영의 4대 요소와 지원적 활동에 대해 묻는 문제가 출제되었고 상업경제에서는 마케팅과 CRM 그리고 기회비용에 대한 문제가 출제되었다. 수협법에서는 수산채권과 조합공동사업법인, 임원의 결격사유 그리고 회원제명사유를 묻는 문제가 출제되었다.

2023 상반기 전국수협 필기시험 키워드 체크

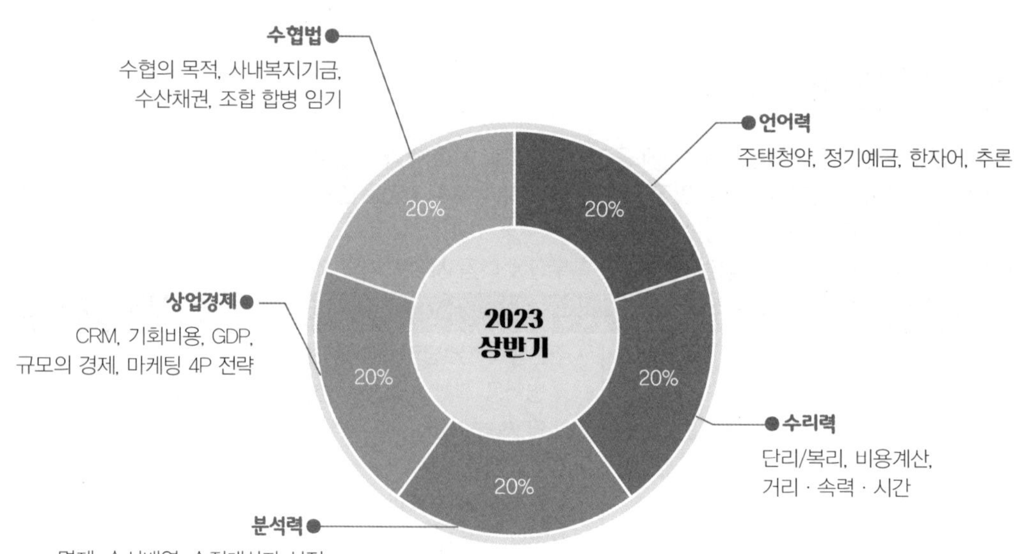

2022 하반기 출제유형분석

언어력에서는 유의어와 반의어를 묻는 문제 그리고 기사문을 읽고 세부내용을 파악하는 문제가 출제되었고 현재 은행의 금융시스템과 통화시스템 관련 지문이 출제되었다. 수리력에서는 비용을 계산하는 문제와 토너먼트 경기 횟수를 계산하는 문제, 인원의 자리를 배치하는 문제, 자료를 해석하는 문제 등이 출제되었다. 자료해석 문제에서는 환율 관련 그래프를 제시하고 증감률을 계산하는 문제가 있었기 때문에 시간 내로 빠르게 그래프를 이해하고 계산을 하는 능력이 요구되었다. 분석력에서는 명제와 삼단논법 그리고 거짓된 진술을 하는 사람을 찾는 문제가 출제되었다. 참 · 거짓을 판별하는 문제는 경우의 수를 모두 따져봐야 할 많은 시간이 소요될 수 있으므로 문제에 제시된 주요 정보를 빠르게 파악하는 것이 중요하다. 지각력에서는 제시된 글자와 같은 글자의 수를 세는 문제와 코드를 통해 단어를 암호로 변경하는 문제가 출제되었다.
경영학에서는 일반관리론과 후광효과, BCG 매트릭스, 가격전략 등을 묻는 문제가 출제되었고 수협법에서는 지구별수협의 정관과 공제상품, 쌍끌이어업과 외끌이어업의 차이를 묻는 문제가 출제되었다.

2022 하반기 전국수협 필기시험 키워드 체크

고시넷 전국수협 최신기출유형모의고사

영역별 문항 수 · 시험 시간

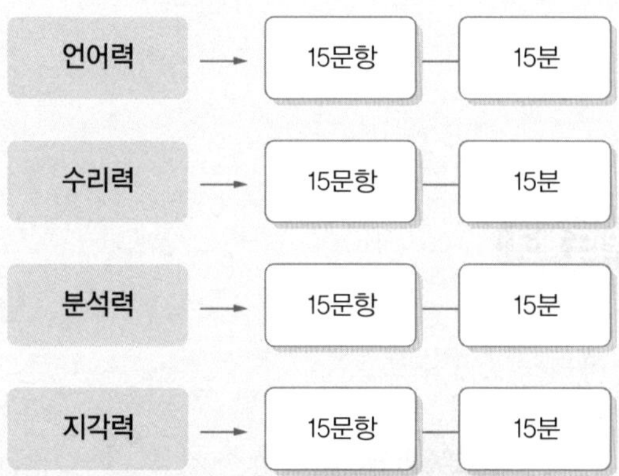

영역	문항 수	시간
언어력	15문항	15분
수리력	15문항	15분
분석력	15문항	15분
지각력	15문항	15분

전국수협 적성검사 + 전공시험

파트 1 적성검사 기출유형모의고사

전국수협 1회

기출유형문제

문항수 | 60문항
시험시간 | 60분

▸ 정답과 해설 2쪽

영역 1 언어력

15문항/15분

01. 다음 중 (가)～(라)를 문맥에 맞게 순서대로 나열한 것은?

(가) 4차 산업혁명이 도래하면 실시간 자동생산, 유연한 생산 체계 등이 가능해지며 초저비용, 초고효율의 새로운 경제, 새로운 산업이 열리게 되리라 전망하고 있다. 또한 소득 증가와 노동 시간 단축 등을 통해 삶의 질이 향상되는 긍정적인 효과를 기대할 수 있다.

(나) 이미 사회 곳곳에 그 여파가 드러나고 있다. 상당히 많은 수의 일자리가 사라졌으며 실업자 수는 계속 증가하고 있다. 국제노동기구(ILO)에 따르면 지난해 전 세계 실업자 수는 1억 9,710만 명이었고 올해 말에는 2억 50만 명으로 증가할 것으로 전망했다. 앞으로 전 산업군과 직종에서 일자리가 점차 사라질 것이며 4차 산업혁명이 본격화되는 시점에는 전체 일자리의 80～90%가 없어질 것으로 예상되고 있다.

(다) 하지만 4차 산업혁명이 노동 시장에 줄 수 있는 악영향 또한 지적되고 있다. 이전 산업혁명에서 기계가 인간의 노동력을 대체함으로써 엄청난 수의 실업자가 발생했던 것처럼 일자리가 사라져 노동 시장의 붕괴를 가져올 수 있다. 또한 향후 노동 시장은 '고기술/고임금'과 '저기술/저임금' 간의 격차가 더욱 커질 뿐만 아니라 일자리 양분으로 중산층의 지위가 축소될 가능성이 크다.

(라) 이에 전 세계 각국의 정부가 4차 산업혁명 대응 전략을 적극 추진하고 있다. 세계경제포럼 창립자이자 집행 위원장인 클라우스 슈밥(Klaus Schwab)은 지금부터 10년 후까지 4차 산업혁명에 대비하지 못하는 국가와 기업은 위기를 맞게 될 것이라고 경고하였다. 하지만 4차 산업혁명에는 긍정적 영향력과 부정적 영향력이 공존하며 예상되는 변화의 정도가 크기 때문에 손익 계산이 쉽지 않다.

① (나)－(가)－(다)－(라)
② (가)－(라)－(나)－(다)
③ (가)－(다)－(나)－(라)
④ (라)－(가)－(다)－(나)
⑤ (다)－(나)－(가)－(라)

[02 ~ 04] 밑줄 친 단어와 같은 의미로 사용된 것을 고르시오.

02.

> 정부 관료로 남아 출세의 길을 달릴 수 있었으나, 대부분은 뚜렷한 역사의식이 없었다.

① 그는 잔뜩 겁에 질려 그 길로 도망갔다.
② 나는 갈 데가 없다는 생각에 길 한가운데 모든 걸 잃은 사람처럼 멈춰 서 있었다.
③ 그는 지금까지 살아온 길이 너무 뿌듯했다.
④ 같은 부모라도 아버지의 길과 어머니의 길은 엄연히 다르다고 본다.
⑤ 배움의 길도 성공 가도도, 인생도 게임처럼 한순간 결과를 볼 수 있는 것이 아니다.

03.

> 태풍이 온다는 말에 휴가를 일주일 당겼다.

① 입맛이 당기는 계절이 왔다.
② 그물을 힘껏 당겼다.
③ 지하철보다는 버스가 당긴다.
④ 급히 쓸 데가 생겨 월급을 당겨 달라고 했다.
⑤ 김 부장은 조금 관심이 당기는지 조급하게 그다음 말을 재촉했다.

04.

> 그는 장롱에 자개를 놓았다.

① 비단에 놓은 꽃무늬가 내 눈에 들어왔다.
② 어르신 그런 말 마시고 하루빨리 병줄을 놓으셔야죠.
③ 이제야 한시름 놓고 이제 쉴 수 있게 되었다.
④ 30년간 해 온 일을 놓고 이제 새 출발하렵니다.
⑤ 그가 놓은 덫에 산돼지가 걸려들었다.

[05 ~ 06] 다음은 P 대학교 중앙도서관 규정 내용 중 일부이다. 이어지는 질문에 답하시오.

제2조(이용제한) 중앙도서관 규정 제21조에 따라 위반사항은 아래와 같이 조치한다.

① 학생증 부정사용자

1. 1회 위반자 : 대여자 및 차용자 각 1개월간 대출 및 열람실 좌석이용 정지, 타교생에게 대여 시 2개월간 대출 및 열람실 좌석이용 정지
2. 2회 위반자 : 3개월간 대출 및 열람실 좌석이용 정지
3. 3회 이상 위반자 : 6개월간 대출 및 열람실 좌석이용 정지 또는 3개월간 도서관 출입 정지
4. 졸업생 및 외부이용자 : 1회 위반 시 출입증 즉시 회수 및 향후 1년간 출입증 발급 중지

② 이용자 준수사항 위반자

1. 이용자 준수사항 제3호를 위반한 자는 이 내규 제2조 제1항에 준하여 이용을 제한함.
2. 도서관장이 정한 자(도서관 직원, 도서관자치위원회 등)는 열람실 이용과 관련된 이용자 준수사항 위반을 단속 및 조치할 수 있음.

③ 장기연체자

1. 연체도서 반납일로부터 30일 이상 연체자는 30일간 대출 정지
2. 장기연체자는 연체도서 반납 시까지 도서관 출입 정지 및 교내 민원서류 발급 정지

④ 자료절취 및 무단반출

1. 학칙에 따라 징계요청 및 변상(중앙도서관 규정 제20조)
2. 6개월간 도서관 출입 및 이용 정지
3. 졸업생은 1년간 출입 정지

(중략)

제21조(이용자 준수사항) 도서관 이용 시 다음 각호의 사항을 준수해야 한다.

1. 도서관의 자료 또는 시설물 훼손 및 무단 반출 금지
2. 도서관 이용을 위하여 신분증(학생증, 이용증 등)을 타인에게 빌리거나 빌려주는 행위 금지
3. 열람석을 장시간 이석할 경우 자리를 비워 다른 이용자가 이용할 수 있도록 함.

05. **다음 중 제시된 글의 내용과 일치하는 것은?**

① 도서관자치위원회에서는 학생증 부정사용자에 대해 조치할 수 있는 권한이 없다.

② 도서를 무단으로 반출한 것이 적발될 시 장기연체자에 준하는 처분을 받는다.

③ 외부이용자는 도서관에 출입하는 것이 불가능하다.

④ 장기연체자는 연체도서 반납일로부터 30일 이상 연체한 자를 말한다.

⑤ 3회 이상 학생증을 부정사용한 재학생은 6개월간 도서관 출입이 정지된다.

06. **다음 도서관 이용이 제한된 사람 중 규정에 맞지 않게 처리된 사람은?**

① 학생증을 타교생에게 대여하여 1회 적발된 2학년 A 씨는 2개월간 대출 및 열람실 좌석이용이 정지되었다.

② 자료를 절취하다 적발된 졸업생 B 씨는 1년간 도서관 출입이 정지되었다.

③ 열람석을 장시간 이석하다 적발된 외부이용자 C 씨는 향후 1년간 출입증 발급이 제한되었다.

④ 열흘 전 40일간 연체한 도서를 반납한 D 씨는 앞으로 20일간 교내 민원서류 발급이 제한되었다.

⑤ 도서를 무단으로 반출한 재학생 E 씨는 6개월간 도서관 출입 및 이용이 제한되었다.

[07 ~ 08] 다음은 전자금융거래 기본약관 내용 중 일부이다. 이어지는 질문에 답하시오.

제19조(사고 · 장애시의 처리)

① 이용사는 거래계좌에 관한 접근수단의 도난, 분실, 위조 또는 변조의 사실을 알았거나 기타 거래절차상 비밀을 요하는 사항이 누설되었음을 알았을 때에는 지체없이 이를 은행에 신고하여야 한다.

② 제1항의 신고는 은행이 이를 접수한 즉시 그 효력이 생긴다.

③ 제1항의 신고를 철회할 경우에는 이용자 본인이 은행에서 서면으로 신청하여야 한다.

제20조(손실부담 및 면책)

① 은행은 접근매체의 위조나 변조로 발생한 사고, 계약체결 또는 거래지시의 전자적 전송이나 처리과정에서 발생한 사고, 전자금융거래를 위한 전자적 장치 또는 「정보통신망 이용촉진 및 정보보호 등에 관한 법률」 제2조 제1항 제1호에 따른 정보통신망에 침입하여 거짓이나 그 밖의 부정한 방법으로 획득한 접근매체의 이용으로 발생한 사고로 인하여 이용자에게 손해가 발생한 경우에 그 금액과 1년 만기 정기예금 이율로 계산한 경과이자를 보상한다. 다만, 부정이체 결과로 당해 계좌에서 발생한 손실액이 1년 만기 정기예금 이율로 계산한 금액을 초과하는 경우에는 당해 손실액을 보상한다.

② 제1항의 규정에도 불구하고 은행은 다음 각호에 해당하는 경우에는 이용자에게 손해가 생기더라도 책임의 전부 또는 일부를 지지하지 아니한다.

1. 천재지변, 전쟁, 테러, 또는 은행의 귀책사유 없이 발생한 정전, 화재, 건물의 훼손 등 불가항력으로 인한 경우
2. 이용자가 접근매체를 제3자에게 대여하거나 사용을 위임하거나 양도 또는 담보 목적으로 제공한 경우
3. 제3자가 권한 없이 이용자의 접근매체를 이용하여 전자금융거래를 할 수 있음을 알았거나 쉽게 알 수 있었음에도 불구하고 이용자가 자신의 접근매체를 누설 또는 노출하거나 방치한 경우
4. 은행이 접근매체를 통하여 이용자의 신원, 권한 및 거래지시의 내용 등을 확인하는 외에 보안강화를 위하여 전자금융거래 시 사전에 요구하는 추가적인 보안조치를 이용자가 정당한 사유 없이 거부하여 사고가 발생한 경우
5. 이용자가 제4호에 따른 추가적인 보안조치에 사용되는 매체 · 수단 또는 정보에 대하여 다음 각 목의 어느 하나에 해당하는 행위를 하여 사고가 발생한 경우
   가. 누설 · 노출 또는 방치한 행위
   나. 제3자에게 대여하거나 그 사용을 위임한 행위 또는 양도나 담보의 목적으로 제공한 행위
6. 법인(「중소기업기본법」 제2조 제2항에 의한 소기업은 제외)인 이용자에게 손해가 발생한 경우로 은행이 사고를 방지하기 위하여 보안절차를 수립하고 이를 철저히 준수하는 등 합리적으로 요구되는 충분한 주의의무를 다한 경우

③ 은행은 제1항의 규정에 따른 책임을 이행하기 위해서는 보험 또는 공제에 가입하거나 준비금을 적립하는 등 필요한 조치를 한다.

④ 이용자로부터 접근매체의 분실이나 도난의 통지를 받은 경우에는 은행은 그때부터 제3자가 그 접근매체를 사용함으로 인하여 이용자에게 발생한 손해를 보상한다.

07. **약관의 내용과 일치하지 않는 것은?**

① 이용자로부터 접근매체의 도난을 신고받은 후 제3자가 접근매체를 사용함으로 인해 발생한 손해는 은행에서 보상한다.

② 부정이체 결과로 이용자에게 손해가 발생한 경우 1년 만기 정기예금의 이율로 계산한 경과이자만을 보상한다.

③ 이용자가 사전에 은행으로 접근매체의 도난을 신고하였고, 이를 철회하고자 한다면 본인이 직접 은행으로 방문해야 한다.

④ 보안강화를 위한 추가적인 보안조치를 정당한 사유없이 거부하였다면 이로 인한 손해가 발생할 시 보상을 받기 힘들 수도 있다.

⑤ 송전탑 문제로 은행이 위치한 동이 정전이 났다면 은행은 이용자의 손해를 보상하지 않을 수도 있다.

08. **다음 중 이용자에게 손해가 발생하였을 때 은행이 모든 책임을 지는 사례는?**

① 지진으로 인해 건물이 훼손되어 손해가 발생하였을 때

② 이용자가 접근매체를 분실하였으나 신고하지 아니하였을 때

③ 제3자가 은행 정보통신망에 침입하여 이용자에게 손해가 발생하였을 때

④ 이용자가 접근매체를 노출하여 방치함으로 인해 손해가 발생하였을 때

⑤ 이용자가 가족에게 접근매체를 양도하여 손해가 발생하였을 때

[09 ~ 10] 다음 글을 읽고 이어지는 질문에 답하시오.

"우리나라는 민주주의 국가이고 민주주의는 대화와 토론을 통해 문제를 해결하려는 합리적인 관용과 타협의 정신을 지닌 다수에 의한 지배이다." 어릴 적부터 많이 들어온 말이다. 그러나 작금의 사회에서 민주적 과정과 그 가치에 대한 존중을 찾아보기란 쉽지 않다. 여의도에도 캠퍼스에도 '대화'보다는 '대립'이 난무한다. 대립을 전제로 한 대화로 어찌 상대를 이해하려 하는가. 그렇다면 진정한 대화란 무엇인가. 대화란 '말을 하는 것'이 아니라 '듣는 것'이라 한다.

'듣는 것'에는 다섯 가지가 있다. 첫 번째는 '무시하기'로 가정에서 아버지들이 자주 취하는 듣기 자세다. 아이들이 호기심을 갖고 아버지에게 말을 건네면 대체로 무시하고 듣지 않는다. 남이 이야기하는 것을 전혀 듣지 않는 것이다. (가) 두 번째는 '듣는 척하기'다. 마치 듣는 것처럼 행동하지만 상대가 말하는 내용 중 10% 정도만 듣는다. 부부간 대화에서 남편이 종종 취하는 자세다. 부인이 수다를 떨며 대화를 건네면 마치 듣는 것처럼 행동하지만 거의 듣지 않는 태도가 이에 해당한다. 세 번째는 '선택적 듣기'다. 이는 상사가 부하의 말을 들을 때 취하는 자세로 어떤 것은 듣고 어떤 것은 안 듣는 자세다. 민주적 리더십보다는 전제적인 리더십을 발휘하는 사람일수록 이런 경험이 강하다. 상대가 말하는 내용 중 30% 정도를 듣는 셈이다. (나) 네 번째는 '적극적 듣기'다. 이는 그나마 바람직한 자세라고 할 수 있다. 상대가 말을 하면 손짓, 발짓을 해 가며 맞장구를 쳐 주고 적극적으로 듣는 것이다. 그러나 귀로만 듣기 때문에 상대가 말한 내용 중 70% 정도만 듣는 데 그친다. (다) 다섯 번째는 ㉠ <u>'공감적 듣기'</u>다. 귀와 눈 그리고 마음으로 듣는 가장 바람직한 자세다. 상대의 말을 거의 90% 이상 듣는다. 연애할 때를 회상해 보라. 상대가 말하는 내용을 자신의 이야기처럼 마음을 열고 들었던 기억이 있을 것이다.

우리 주변 대화에서 '공감적 듣기'를 발견하기란 여간 어려운 것이 아니다. 모든 일이 잘 이뤄지기 위해서는 자신의 주장을 피력하기보다 듣는 것부터 잘해야 한다. 모든 대인 관계는 대화로 시작한다. 그러나 대화를 하다 보면 남의 말을 듣기보다 자신의 말을 하는 데 주력하는 경우가 많다. (라) 이를 모르는 것인지 아니면 알면서도 간과하는 것인지, 유독 우리 사회에는 '고집'과 '자존심'을 혼동해 고집을 앞세워 상대의 말에 귀 기울이지 않는 이가 많다. '고집'과 '자존심'은 전혀 다른 개념이다. '고집'은 스스로의 발전을 막는 우둔한 자의 선택이고 '자존심'은 자신의 마음을 지키는 수단이기 때문이다. (마) 자존심을 간직하되 고집을 버리고 인간관계에서 또는 대화에서 '듣는 것'에 집중한다면 한국사회가 좀 더 합리적인 단계로 발전하지 않을까.

"말을 배우는 데는 2년, 침묵을 배우는 데는 60년이 걸린다."고 했다. 상대가 누구든지 대화에서 가장 중요한 것은 유창한 '말하기'보다 '듣기'이다. 한자 '들을 청(聽)'은 '耳, 王, 十, 目, 一, 心'으로 구성돼 있다. 어쩌면 이것은 "왕(王)처럼 큰 귀(耳)로, 열 개(十)의 눈(目)을 갖고 하나(一)된 마음(心)으로 들으라."는 의미는 아닐까.

09. 다음 중 밑줄 친 ㉠의 사례로 가장 적절한 것은?

① 오 대리는 점심메뉴로 김치찌개가 어떠냐는 신입사원의 제안을 듣고 자신도 좋아한다며 적극적으로 의사를 밝혔다.

② 박 대리는 회식 자리에서 직장 상사의 비위를 맞추기 위해 듣기 싫은 이야기도 고개를 끄덕이고 맞장구를 치며 열심히 들었다.

③ 윤 대리는 회사 축구대회에서 자신의 실수로 실점을 해 괴로워하는 동료의 이야기를 듣고 남자가 뭐 그런 걸로 우느냐며 핀잔을 주었다.

④ 송 대리는 신입사원과 대화를 하는 중 자신에게 불리한 내용에는 반응하지 않고 자신에게 유리한 내용에는 적극적으로 반응하며 들었다.

⑤ 강 대리는 여자친구와 헤어져 힘들어 하는 신입사원의 이야기를 듣고 얼마나 힘든지, 아픈 곳은 없는지 묻고 걱정된다고 이야기했다.

10. (가) ~ (마) 중 문맥상 다음 내용이 들어갈 위치로 가장 적절한 것은?

> 이러한 경우, 서로 열심히 이야기를 하고 있지만 정작 대화가 원활히 이뤄지기 어렵다. 효과적인 대화를 하려면 우선 잘 들어주는, 경청하는 자세가 필요하다. 상대의 말을 잘 들어주는 사람을 싫어할 리가 없고 이런 사람은 주변으로부터 신뢰를 받는다.

① (가) ② (나) ③ (다)

④ (라) ⑤ (마)

[11 ~ 13] 다음 자료를 보고 이어지는 질문에 답하시오.

〈부정청탁금지법 시행령 개정 내용〉

가.

□ 선물은 현행 상한액 5만 원을 유지한다. 다만, 농수산물 및 농수산가공품 선물에 한정하여 10만 원까지 가능하다. 선물이란 금전, 유가증권, 음식물(제공자와 공직자 등이 함께 하는 식사, 다과, 주류, 음료, 그 밖에 이에 준하는 것) 및 경조사비를 제외한 일체의 물품, 그 밖에 이에 준하는 것을 말한다.

□ 경조사비는 현행 상한액 10만 원에서 5만 원으로 조정한다. 다만, 축의금과 조의금을 대신하는 화환 · 조화의 경우 현행대로 10만 원까지 가능하다.

※ 10만 원 범위 내에서 '축의금(5)+화환(5)', 또는 '화환(10)' 제공 가능

나.

□ 상품권 등의 유가증권은 현금과 유사하고 사용 내역 추적이 어려워 부패에 취약하므로 선물에서 제외한다. 이는 음식물 가액 기준 회피 수단으로 상품권의 악용과 같은 편법 수단을 차단하고, 농수산물 선물 소비를 유도하기 위함이다. 다만, 다른 법령 · 기준 또는 사회 상규에 따라 주거나 법 적용 대상이 아닌 민간 기업 임직원이나 일반 시민에게 주는 상품권, 직무 관련이 없는 공직자 등에게 주는 100만 원 이하 상품권, 상급 공직자가 위로 · 격려 · 포상 등의 목적으로 하급 공직자에게 주는 상품권은 예외적으로 제공이 가능하다.

다.

□ 공무원과 공직유관단체 임직원의 직급에 따른 사례금 상한액 차이를 해소하기 위해 외부 강의 등 사례금은 직급 구분 없이 동일한 상한액을 설정한다. 이때, 최고 상한액 40만 원 범위 내에서 기관별 자율적인 운영이 가능하다.

□ 국공립학교 · 사립학교 사이, 일반 언론사 · 공직유관단체 언론사 사이의 상한액 차이를 해소하기 위해 동일한 상한액을 설정한다.

구분	공무원, 공직유관단체 임직원	각급 학교 교직원, 학교법인 · 언론사 임직원
1시간당 상한액	40만 원 (직급별 구분 없음)	100만 원
사례금 총액한도	60만 원 (1시간 상한액+1시간 상한액의 50%)	제한 없음.

※ 이외 국제기구, 외국정부, 외국대학, 외국연구기관, 외국학술단체, 그 밖에 이에 준하는 외국기관에서 지급하는 외부 강의 등의 사례금 상한액은 사례금을 지급하는 자의 지급 기준에 따른다.

라.

□ 외부 강의 등의 유형, 요청 사유를 사전 신고 사항에서 삭제한다. 사후 보완 신고 기산점 조장 및 신고 기간을 조정한다. 보완 신고 기산점을 '외부 강의 등을 마친 날부터'에서 사전 신고 시 제외된 사항을 '안 날로부터'로, 신고 기간을 '2일'에서 '5일'로 연장한다.

※ 사례금 총액, 상세 명세 등을 모르는 경우 해당 사항을 제외하고 사전 신고한 후 추후 보완 신고

마.

□ 공공기관의 장이 소속 공직자 등으로부터 법 준수 서약서를 받는 주기를 '매년'에서 '신규 채용을 할 때'로 한정한다.

11. 다음 중 가. ~ 마.에서 설명하고 있는 개정 내용으로 적절하지 않은 것은?

① 가 : 선물 · 음식물 · 경조사비의 가액 범위 조정

② 나 : 선물에서 유가증권 제외

③ 다 : 외부 강의 등 사례금 상한액 조정

④ 라 : 외부 강의 등 사전 신고 사항 및 보완 신고 기간 정비

⑤ 마 : 부정청탁금지법 준수 서약서 제출 부담 완화

12. 위의 자료에서 알 수 없는 내용은?

① 선물에서 상품권을 제외한 의도

② 사례금 총액을 모를 때 신고 방법

③ 농수산물과 농수산가공품 구분 방법

④ 외국대학에서의 사례금 상한액 설정 방법

⑤ 법률을 위반하지 않고 결혼 축하를 위해 화환과 축의금을 함께 보내는 방법

13. 다음 개정 내용 중 잘못된 부분은?

구분		기존	변경
가액 범위	선물	5만 원	① 5만 원(농수산물 · 가공품 10만 원)
	경조사비	10만 원	② 5만 원(화환 · 조화 10만 원)
선물 범위		③ 상품권 등 유가증권 포함	상품권 등 유가증권 제외
외부 강의 등 신고	사전 신고 사항	외부 강의 등의 유형, 요청 사유 포함	외부 강의 등의 유형, 요청 사유 제외
	보완 신고 기간	외부 강의 등을 마친 날부터 2일 이내	④ 외부 강의 등을 마친 날부터 5일 이내
부정청탁금지법 준수 서약서 제출		매년	⑤ 신규 채용 시

14. 다음 중 ㉠ ~ ㉣에 들어갈 단어가 바르게 짝지어진 것은?

> (가) 지금과 같은 노동 시간과 휴식 시간의 뚜렷한 (㉠)은 농경 사회에서는 없던 현상이다.
> (나) '되'와 '돼'를 (㉡)하는 방법은 의외로 간단하다.
> (다) 수입 소고기와 한우의 (㉢)은 매우 어렵다.
> (라) 구체적인 기준이 없어 어떤 작품이 좋은 작품인지 (㉣)이 어렵다.

	㉠	㉡	㉢	㉣
①	구분	구별	식별	판별
②	구별	식별	구분	판별
③	식별	구분	판별	구별
④	구별	판별	구분	식별
⑤	식별	구분	판별	구분

15. 다음은 신문 기사와 이를 본 △△회사 직원들끼리 나눈 대화이다. 문맥상 빈칸에 들어갈 문장으로 적절한 것은?

> 은행권에 '시간 파괴' 바람이 거세게 불고 있다. 오랫동안 굳어진 오전 9시부터 오후 4시까지라는 영업시간을 탄력적으로 조정하는 점포가 늘고 있는 것이다. 탄력 운영의 방식은 오전 7시 30분부터 오후 3시까지 영업하는 '얼리 뱅크(Early Bank)', 12시부터 오후 7시까지 고객을 받는 '애프터 뱅크(After Bank)' 등 매우 다양하다. 심지어는 주말에 영업을 하는 점포들도 나타나기 시작했다.
>
> 이에 더해 무인자동화기기를 도입해 영업시간 외에도 간단한 은행 업무를 볼 수 있도록 하는 은행도 늘어나고 있는 추세다. A 은행은 복합쇼핑몰에 오후 9 ~ 10시에 영업을 하는 소형점포를 설치하여 운영하고 있다. B 은행은 무인자동화기기 디지털 키오스크를 통해 계좌 개설, 체크카드 발급 등 107가지 은행 서비스가 가능한 무인 탄력점포 26곳을 운영 중이다.
>
> 은행들이 영업시간을 탄력적으로 운영하는 데는 현실적인 이유가 있다. 이미 상당수 업무가 비대면 채널을 통해 이뤄지는 상황이라 지역별 수요에 맞춰 점포 운영시간을 조절하는 것이 합리적이라고 판단했기 때문이다. 24시간 영업하는 인터넷전문은행의 돌풍도 기존 은행들의 시간 파괴를 부추겼다.

> 이 사원 : 좋은 변화인 것 같아. 기존의 영업시간으로는 대부분의 직장인들이 은행 업무를 보는 데 어려움을 느꼈으니까 말이야.
>
> 정 사원 : 인터넷전문은행이 각광받은 이유도 24시간 영업이라는 점이 컸을 거야.
>
> 박 사원 : 하지만 이런 변화는 (   ).
>
> 김 사원 : 인력 배치와 관련한 문제도 흐름에 따라 변화가 필요하겠군.

① 무인자동화기기가 더 널리 보급될 수 있는 기회가 될 거야

② 기존의 은행 영업시간에 익숙한 사람들에게 혼란을 야기할 수도 있어

③ 비대면 은행 업무에 익숙하지 않은 고령층에게 불편을 발생시킬 수도 있어

④ 직원들이 줄어들고 구조조정이 되는 등 부정적인 결과를 야기할 수도 있어

⑤ 인터넷전문은행이 더욱 성장하는 데 걸림돌이 될 거야

영역 2 수리력

15문항/15분

01. 유 사원은 사내 운동회에서 입을 티셔츠를 구매하려고 한다. 빨강, 파랑, 노랑, 주황, 검정 총 5가지 색상 중 3가지 색상을 선택해 구매한다고 할 때, 선택할 수 있는 색상 조합은 몇 가지인가?

① 10가지　② 15가지　③ 20가지
④ 25가지　⑤ 30가지

02. 재인이는 인터넷 쇼핑몰에서 가습기와 서랍장을 하나씩 구매하여 총 183,520원을 지불하였다. 이때 가습기는 정가의 15%를, 서랍장은 정가의 25%를 할인받아 평균 20%의 할인을 받고 구매한 것이라면, 가습기의 정가는 얼마인가?

① 89,500원　② 92,100원　③ 106,300원
④ 114,700원　⑤ 125,000원

03. A와 B 비커에 들어 있는 설탕물의 양은 각각 800g씩이며 A 비커에 들어 있는 설탕물의 농도는 B 비커의 6배이다. A 비커 설탕물의 반을 B 비커 설탕물에 넣고 잘 섞은 후 다시 B 비커 설탕물의 반을 A 비커 설탕물에 넣고 잘 섞었더니 A와 B 비커에 들어 있는 설탕물의 농도가 각각 12%, 8%가 되었다. A 비커에 들어 있던 설탕물의 처음 농도는 얼마인가?

① 10%　② 16%　③ 18%
④ 20%　⑤ 24%

04. 20팀이 출전한 축구 대회에서 먼저 5팀씩 4개 조로 나누어 조별 리그전을 하고, 각 조의 상위 2팀씩 참여하여 토너먼트전으로 우승팀을 가린다. 이 경우 전체 경기의 수는 몇 경기인가?

① 44경기 ② 45경기 ③ 46경기
④ 47경기 ⑤ 48경기

05. 물품구매를 담당하고 있는 김 대리는 흰색 A4용지 50박스와 컬러 A4용지 10박스를 구매하는데 5,000원 할인 쿠폰을 사용해서 총 1,675,000원을 지출했다. 컬러 용지 한 박스의 단가가 흰색 용지 한 박스보다 2배 높았다면 흰색 A4용지 한 박스의 단가는 얼마인가?

① 20,000원 ② 22,000원 ③ 24,000원
④ 26,000원 ⑤ 28,000원

06. K사의 영업팀에는 3명의 대리와 4명의 사원이 있다. 영업팀장은 사내 홍보행사에 참여해 봉사할 직원 2명을 제비뽑기를 통해 결정하기로 했다. 7명의 이름이 적힌 종이가 들어 있는 통에서 2개의 종이를 차례로 꺼낼 때, 적어도 1명의 대리가 포함되어 있을 확률은?

① $\frac{2}{7}$ ② $\frac{3}{7}$ ③ $\frac{4}{7}$
④ $\frac{5}{7}$ ⑤ $\frac{6}{7}$

07. 현재 지점에서 20km 떨어진 A 지점까지 3시간 이내로 왕복을 하려고 한다. A 지점까지 갈 때 15km/h의 속력으로 달렸다면, 돌아올 때는 최소한 몇 km/h의 속력으로 달려야 하는가?

① 8km/h ② 8.5km/h ③ 10km/h
④ 12km/h ⑤ 15km/h

08. 다음 표를 분석한 내용으로 옳지 않은 것은?

〈우리나라 유제품별 생산 및 소비 실적〉

(단위 : 톤)

유제품별	2022년		2023년	
	생산	소비	생산	소비
연유	2,620	1,611	4,214	1,728
버터	1,152	9,800	3,371	10,446
치즈	24,708	99,520	22,522	99,243
발효유	522,005	516,687	557,639	551,595

① 2023년에 전년 대비 증가한 연유 생산량은 전년 대비 증가한 연유 소비량보다 크다.
② 조사 기간인 2022 ~ 2023년의 치즈 소비량은 그 생산량보다 4배 이상 많았다.
③ 2023년 유제품별 생산량을 높은 순서대로 나열하면 전년도의 순서와 같다.
④ 전년도 대비 2023년 발효유의 소비량 증가율은 생산량 증가율보다 높다.
⑤ 2022년에 소비량이 생산량에 비해 가장 많은 유제품은 버터이다.

09. 다음 중 그래프에 대한 설명으로 옳지 않은 것은?

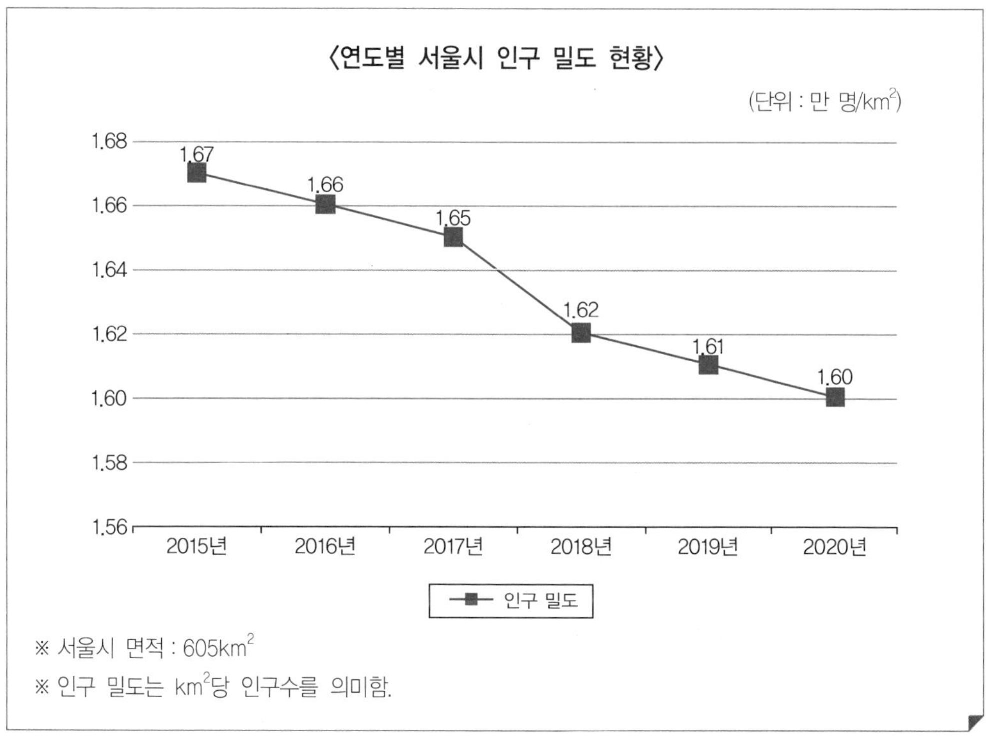

① 전년 대비 인구 밀도가 가장 많이 감소한 해의 인구는 10만 명 이상 감소하였다.

② 2018 ~ 2020년의 자료만 고려할 경우, 2021년 서울시 인구는 약 962만 명으로, 6만 명 정도의 인구가 서울시를 떠날 것으로 예상된다.

③ 2018년 서울시의 인구 밀도는 전년 대비 1.8% 감소하였다.

④ 2015년 대비 2020년 서울시의 인구 감소율은 4%를 넘는다.

⑤ 2015년부터 2020년까지 서울시의 인구는 연평균 8만 명 이상 감소하였다.

10. 다음 자료에 대한 설명으로 옳지 않은 것은? (단, 소수점 아래 셋째 자리에서 반올림한다)

〈K 글로벌회사의 연도별 임직원 현황〉

(단위 : 명)

구분		2021년	2022년	2023년
국적	한국	9,566	10,197	9,070
	중국	2,636	3,748	4,853
	일본	1,615	2,353	2,749
	대만	1,333	1,585	2,032
	기타	97	115	153
	계	15,247	17,998	18,857
고용형태	정규직	14,173	16,007	17,341
	비정규직	1,074	1,991	1,516
	계	15,247	17,998	18,857
연령	30대 이하	8,914	8,933	10,947
	40대	5,181	7,113	6,210
	50대 이상	1,152	1,952	1,700
	계	15,247	17,998	18,857
직급	사원	12,365	14,800	15,504
	간부	2,801	3,109	3,255
	임원	81	89	98
	계	15,247	17,998	18,857

① 2023년에 전년 대비 임직원이 가장 많이 증가한 국적의 임직원 수는 나머지 국적에서 증가한 임직원 수의 합보다 크다.

② 2023년에는 전년에 비해 비정규직 임직원이 차지하는 비율이 약 3%p 감소하였다.

③ 2021년 대비 2023년 연령별 임직원 수 증가율이 가장 큰 연령대는 50대 이상이다.

④ 전체 임직원 중 사원이 차지하는 비율은 매년 증가하는 추세이다.

⑤ 2022년과 2023년의 40대 이상 임직원 비율은 약 8.42%p 정도 차이난다.

11. 다음 자료에 대한 설명으로 적절하지 않은 것은?

〈영농 형태별 농가소득 현황〉

(단위 : 천 원)

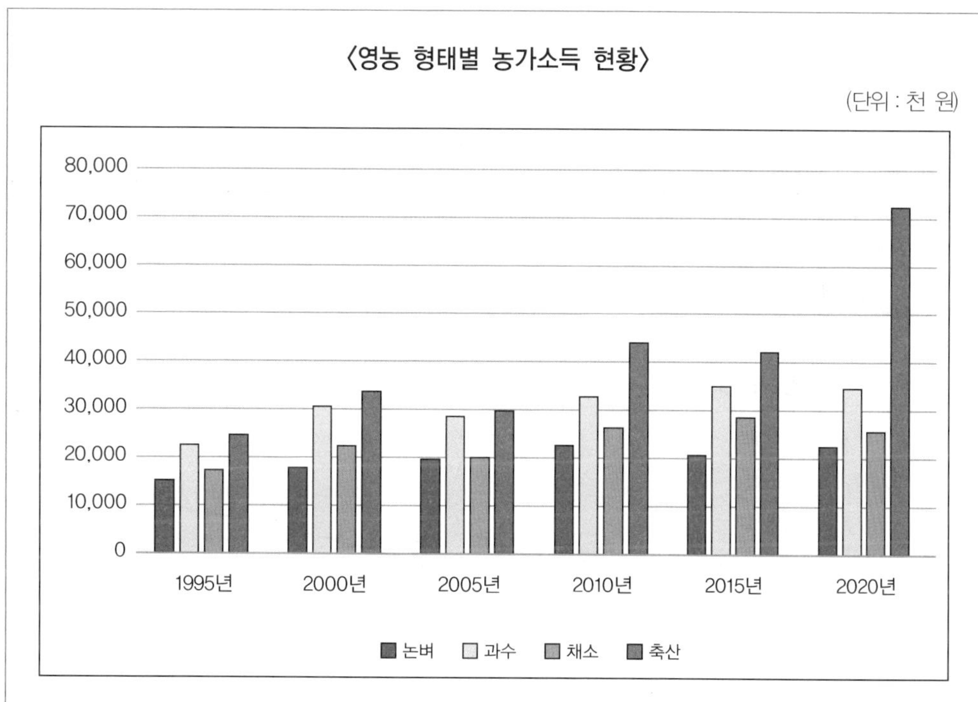

(단위 : 천 원)

구분	1995년	2000년	2005년	2010년	2015년	2020년
논벼	15,074	17,702	19,598	22,648	20,628	22,500
과수	22,508	30,506	28,609	32,810	34,991	34,662
채소	17,305	22,411	19,950	26,314	28,625	25,718
축산	24,628	33,683	29,816	44,061	42,179	72,338

① 조사 시점마다 논벼농가는 과수, 채소, 축산농가에 비해 항상 소득이 낮았다.
② 조사 기간 내 과수농가와 채소농가의 소득 변화 추이는 동일하다.
③ 네 형태의 농가 소득을 모두 합한 값이 두 번째로 큰 해는 2015년이다.
④ 2020년의 논벼농가 소득은 전체 농가의 15% 미만을 차지한다.
⑤ 모든 항목이 직전 조사 해보다 증가한 해의 축산농가 소득은 40% 이상 증가했다.

12. 다음은 우리나라 가구 수에 관한 자료이다. 〈보기〉 중 자료에 대한 해석으로 옳은 것은 모두 몇 개인가?

〈우리나라 평균 가구원 수 및 1인 가구 비율〉

(단위 : 명, %)

구분	1990년	1995년	2000년	2005년	2010년	2015년	2020년
평균 가구원 수	4.47	4.08	2.74	3.42	3.12	2.88	2.76
1인 가구 비율	4.5	6.7	9.1	12.9	16.3	20.4	23.8

〈1인 가구와 4인 이상 가구의 비율 예상 추이(2030년, 2035년은 예측치)〉

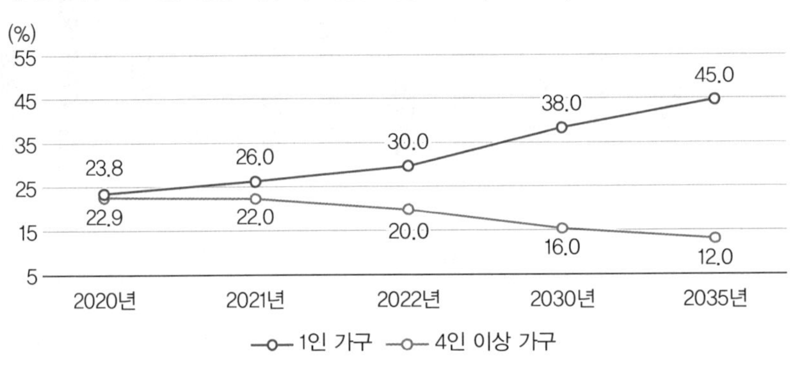

| 보기 |

㉠ 2021년 평균 가구원 수는 최소 2.13명이다.
㉡ 1990년 이후 평균 가구원 수는 5년마다 꾸준히 감소하였다.
㉢ 2022년 2 ~ 3인 가구의 비율은 전체 가구에서 절반 이하이다.
㉣ 2005년 1인 가구 비율은 2000년 대비 50% 이상 증가하였다.

① 0개 ② 1개 ③ 2개
④ 3개 ⑤ 4개

13. 다음은 월평균 사교육비의 계층별 특성 분포에 대한 통계 자료이다. 이 자료에 대한 설명으로 옳은 것을 모두 고르면?

(단위 : %)

특성별		사교육 받지 않음	10만 원 미만	10 ~ 30만 원 미만	30 ~ 50만 원 미만	50만 원 이상
대도시		29.5	7.5	24.9	19.7	18.4
대도시 이외		32.9	8.3	28.0	19.4	11.4
초등학교		18.9	12.7	37.8	20.3	10.3
중학교		30.8	5.1	22.0	24.6	17.5
고등학교		50.5	3.6	14.6	13.8	17.5
학교 성적	상위 10% 이내	21.6	6.6	28.0	22.3	21.5
	11 ~ 30%	23.3	6.6	28.5	23.4	18.2
	31 ~ 60%	28.4	7.8	27.2	21.3	15.3
	61 ~ 80%	35.5	8.3	26.7	17.4	12.1
	하위 20% 이내	45.4	10.0	23.6	13.5	7.5
부모님 평균 연령	20 ~ 30대	21.6	12.2	38.3	20.0	7.9
	40대	30.7	7.1	24.9	20.8	16.5
	50대 이상	45.9	4.6	17.6	15.2	16.7

㉠ 조사자 수가 3,100명이라면, 학교 성적이 11 ~ 30%인 학생 중 사교육비로 50만 원 이상 지출하는 인원은 약 113명이다.

㉡ 대도시 이외의 지역에서는 대도시에 비해 사교육을 아예 받지 않거나 30만 원 미만의 비용만 지출하는 비율이 더 많고, 대도시 지역에서는 30만 원 이상을 지출하는 인원이 $\frac{1}{3}$ 이상을 차지한다.

㉢ 상급학교로 진학할수록, 부모님의 평균 연령대가 높아질수록 사교육을 받는 비율이 높아지고, 이들 모두에게서 사교육을 받지 않는 경우를 제외하고 가장 많은 지출 범위는 10 ~ 30만 원 미만이다.

㉣ 학교 성적이 상위 10% 이내인 학생이 사교육비로 10만 원 이상을 지출하는 비율이 성적 11 ~ 30%인 학생들에 비해 더 높다.

㉤ 학교 성적이 하위권으로 내려갈수록 사교육을 받지 않는 비율이 높고, 사교육 여부에 관계없이 이들 모두 10 ~ 30만 원 미만의 비용을 지출하는 경우가 가장 많다.

① ㉠, ㉡, ㉢　② ㉠, ㉡, ㉣　③ ㉠, ㉢, ㉤
④ ㉡, ㉢, ㉣　⑤ ㉡, ㉢, ㉤

14. 다음 자료에 대한 설명으로 옳지 않은 것은? (단, 소수점 이하는 버린다)

〈자료 1〉 스마트폰 하루 사용 시간

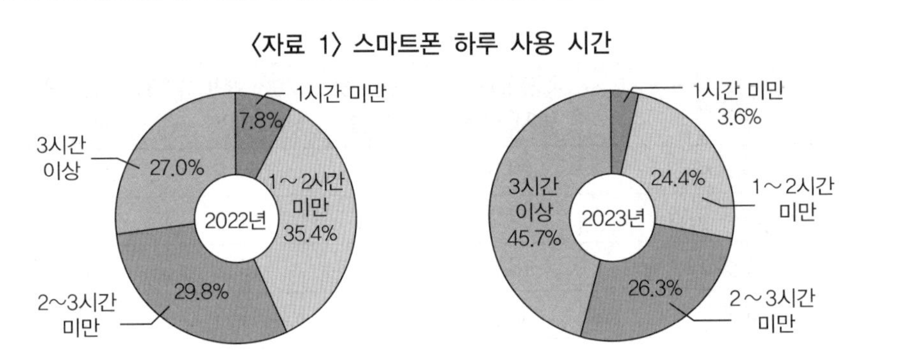

〈자료 2〉 스마트폰 사용 서비스

구분		2022년	2023년
스마트폰을 통한 모바일인터넷 사용 시간		1시간 35분	1시간 36분
하루 평균 사용 시간		2시간 13분	2시간 51분
스마트폰 주 사용 서비스 (상위 5위)	채팅, 메신저	81.2%	79.4%
	음성 / 영상통화	69.7%	70.7%
	검색	42.8%	44.0%
	문자메시지	43.4%	40.0%
	게임	31.3%	29.6%

※ 2023년 국내 스마트폰 가입자 수 : 4,083만 6,533명

※ 2023년 국내 이동통신 가입자 수 : 5,136만 명

※ 2023년 스마트폰 사용 실태조사 응답자 수 : 1,256만 1,236명

① 2023년을 기준으로 우리나라 이동통신에 가입된 사람들 5명 중 4명은 스마트폰을 사용하고 있다.

② 2023년 하루 평균 스마트폰 사용 시간은 전년 대비 약 28% 증가하였다.

③ 2023년 스마트폰 하루 사용 시간이 2시간 이상인 응답자의 비율은 전년 대비 약 15.2%p 증가하였다.

④ 2023년 스마트폰 주 사용 서비스 1위 응답자 수와 4, 5위를 합한 응답자 수의 차이는 약 120만 명이다.

⑤ 스마트폰 주 사용 서비스 중 게임을 선택한 응답자 수는 2022년이 2023보다 약 5,000명 정도 더 많다.

15. 다음은 지역별 학교 현황과 대학진학률에 관한 표이다. 이에 대한 설명으로 옳은 것은?

〈표 1〉 지역별 학교 현황

(단위 : 개)

구분	초등학교	중학교	고등학교	대학교	합계
서울	591	377	314	52	1,334
경기도	1,434	721	592	68	2,815
강원도	353	163	117	18	651
충청도	873	410	262	53	1,598
전라도	1,107	556	354	58	2,075
경상도	1,718	932	677	98	3,425
제주도	116	43	30	5	194

〈표 2〉 지역별 고등학교 졸업생의 대학진학률

(단위 : %)

구분	20X6년	20X7년	20X8년	20X9년
서울	65.6	64.7	64.2	62.8
경기도	81.1	80.6	78.5	74.7
강원도	92.9	90.8	88.4	84.2
충청도	88.2	86.7	84.0	80.1
전라도	91.3	88.1	86.9	81.9
경상도	91.8	89.6	88.2	83.8
제주도	92.6	91.5	90.2	87.6

① 20X9년 전국 고등학교 졸업생의 대학진학률 평균은 약 79.3%이다.

② 대학진학률의 순위는 각 지역의 대학교 개수와 서로 밀접한 관련이 있다.

③ 전체 학교의 개수가 많은 지역일수록 대학교의 개수도 많다.

④ 20X6년 대비 20X9년의 대학진학률 감소폭이 가장 작은 지역은 경기도이다.

⑤ 20X8년 전라도의 고등학교 졸업생 대학진학률은 20X7년에 비해 1.2% 감소하였다.

영역 3 분석력

15문항/15분

01. 영업본부에 있는 A, B, C, D 네 개의 부서가 한 달간 부서 대항 축구시합을 벌였다. 리그전을 통해 이긴 부서에는 승점 3점, 비긴 부서에는 승점 1점, 진 부서에는 승점 0점을 부여하며 승점이 높은 상위 2개 부서가 결선에 진출한다. 한 달 간 축구시합이 종료된 후 다음과 같은 결과가 나왔다면 결선에 진출하는 두 부서는 어디인가?

- A 부서는 D 부서를 이겼고, 승점은 총 7점을 기록했다.
- 어느 부서와도 무승부를 기록하지 않은 부서가 있다.
- D 부서는 단 한 번 이겼다.
- C 부서의 승점은 총 2점이다.

① A, B 부서　② B, C 부서　③ A, C 부서
④ A, D 부서　⑤ 알 수 없다.

02. 다음 명제가 모두 참일 때, 성립하지 않는 것은?

- 책 읽기를 좋아하는 사람은 영화 감상을 좋아한다.
- 여행 가기를 좋아하지 않는 사람은 책 읽기를 좋아하지 않는다.
- 산책을 좋아하는 사람은 게임하기를 좋아하지 않는다.
- 영화 감상을 좋아하는 사람은 산책을 좋아한다.

① 책 읽기를 좋아하는 사람은 산책을 좋아한다.
② 책 읽기를 좋아하는 사람은 게임하기를 좋아하지 않는다.
③ 게임하기를 좋아하는 사람은 영화 감상을 좋아하지 않는다.
④ 책 읽기를 좋아하는 사람은 여행 가기를 좋아한다.
⑤ 여행 가기를 좋아하는 사람은 책 읽기를 좋아한다.

03. 다음을 근거로 A ~ G 7개 부서의 예산을 (부)등호를 사용하여 적절하게 나타낸 것은?

- G 부서의 예산은 F 부서 예산의 3배이다.
- A 부서의 예산과 C 부서의 예산은 같다.
- B 부서의 예산은 F 부서의 예산과 G 부서의 예산을 합한 것과 같다.
- D 부서의 예산은 A 부서의 예산과 B 부서의 예산을 합한 것과 같다.
- E 부서의 예산은 B 부서, C 부서, F 부서의 예산을 모두 합한 것과 같다.
- A 부서의 예산은 B 부서 예산과 G 부서 예산을 합한 것과 같다.

① F<G<A=C<B<E<D
② F<G<A=C<B<D<E
③ F<G<B<A=C<D<E
④ F<G=B=A<C<E<D
⑤ F<G<A=C<D<B<E

04. A, B, C, D, E 다섯 사람이 모이기로 하였다. 다음 〈조건〉이 모두 참일 때, 항상 참인 것은?

| 조건 |

- D가 도착했다면 A는 도착하지 않았다.
- E가 도착했다면 D도 도착하였다.
- C가 도착하지 않았다면 B도 도착하지 않았다.
- D가 도착하지 않았다면 B도 도착하지 않았다.
- E가 도착했다면 B도 도착하였다.

① A가 도착했다면 E도 도착하였다.
② B가 도착했다면 A도 도착하였다.
③ C가 도착했다면 A도 도착하였다.
④ D가 도착하지 않았다면 C도 도착하지 않았다.
⑤ E가 도착했다면 C도 도착하였다.

05. **명품 매장에서 도난 사건이 발생했다. CCTV 확인 결과, A ~ E가 포착되어 이들을 용의자로 불러서 조사했다. 다음 진술에서 범인인 한 명만 거짓을 말한다고 할 때, 범인은 누구인가?**

> A : B는 범인이 아니다.
> B : C 또는 D가 범인이다.
> C : 나는 절도하지 않았다. B 또는 D가 범인이다.
> D : B 또는 C가 범인이다.
> E : B와 C는 범인이 아니다.

① A ② B ③ C ④ D ⑤ E

06. **○○투자회사에서 신규 펀드를 만들려고 한다. 투자 예상 결과가 ⓐ ~ ⓓ와 같을 때, 항상 거짓인 것은?**

> ○○투자회사에서 신규 펀드에 포함할 자산군은 국내 주식, 원자재, 부동산이다. 각 자산군은 서로 상관관계가 낮다. 투자 실패의 원인은 단 한 가지로 가정하고 투자의 예상 결과를 다음과 같이 정리했다.
>
> **〈투자 예상 결과〉**
>
> ⓐ 국내 주식에 투자하고, 원자재에 투자하고, 부동산에 투자했을 때, 손실의 위험성이 높다.
> ⓑ 국내 주식에 투자하지 않고, 원자재에 투자하고, 부동산에 투자했을 때, 손실의 위험성이 높다.
> ⓒ 국내 주식에 투자하지 않고, 원자재에 투자하지 않고, 부동산에 투자했을 때, 손실의 위험성이 낮다.
> ⓓ 국내 주식에 투자하고, 원자재에 투자하고, 부동산에 투자하지 않았을 때, 손실의 위험성이 높다.

① ⓒ, ⓓ만을 고려한다면 원자재 투자가 손실 위험성을 높이는 원인일 수 있다.
② ⓑ, ⓒ만을 고려한다면 펀드 손실의 주원인은 원자재 투자일 것이다.
③ ⓑ, ⓓ만을 고려한다면 원자재 투자는 펀드 손실의 주원인이 아니다.
④ ⓐ, ⓑ만을 고려한다면 펀드 손실의 주원인이 무엇인지 알 수 없다.
⑤ ⓐ, ⓒ만을 고려한다면 펀드 손실의 주원인은 국내 주식 투자나 원자재 투자에 있을 것이다.

07. 직원 A, B, C, D가 1명씩 돌아가면서 주말 근무를 하고 있다. 같은 직원이 2주 연속으로는 주말 근무를 하지 않으며 〈조건〉 중 3개는 참이고 1개는 거짓일 때, 다음 중 참인 진술은? (단, 네 직원은 한 달에 1번 이상 주말 근무를 하여야 한다)

| 조건 |

- A는 지난 2주 동안 휴가였기 때문에 주말 근무를 하지 않았다.
- B가 지난주에 주말 근무를 하였다.
- C는 2주 전에 주말 근무를 하였다.
- D는 이번 주에 주말 근무할 예정이다.

① 지난주 주말 근무자는 B이다.
② 지난주 주말 근무자는 A이다.
③ 이번 주 주말 근무자는 D이다.
④ 이번 주 주말 근무자는 C이다.
⑤ 다음 주 주말 근무자는 A이다.

08. 다음 명제가 모두 성립할 때, 반드시 참인 것은?

- 머리를 많이 쓰면 잠이 온다.
- 머리가 길면 오래 잔다.
- 다리를 떨면 잠이 오지 않는다.
- 잠을 오래 자면 머리를 적게 쓴다.

① 잠이 오지 않으면 다리를 떤다.
② 머리가 길면 잠이 오지 않는다.
③ 머리를 많이 쓰면 잠을 오래 잔다.
④ 머리를 많이 쓰면 머리가 길어진다.
⑤ 머리를 많이 쓰면 다리를 떨지 않는다.

09. 다음을 바탕으로 할 때, 을의 현재 나이는?

> • 갑에게는 동생 A와 아들 B, 딸 C가 있다.
> • B는 C보다 나이가 많다.
> • A, B, C의 나이를 모두 곱하면 2,450이다.
> • A, B, C의 나이를 모두 합하면 갑의 아내인 을 나이의 2배가 된다.
> • A의 나이는 B보다 많다.
> • 갑의 나이는 을보다 같거나 많다.
> • 사람의 수명은 100세까지로 전제한다.
> • 여성이 출산할 수 있는 나이는 19 ~ 34세로 전제한다.

① 25세　　② 26세　　③ 32세
④ 34세　　⑤ 38세

10. 다음 명제가 모두 성립할 때, 반드시 참인 것은?

> • 팀장이 출장을 가면 업무처리가 늦어진다.
> • 고객의 항의 전화가 오면 실적평가에서 불이익을 받는다.
> • 업무처리가 늦어지면 고객의 항의 전화가 온다.

① 고객의 항의 전화가 오면 팀장이 출장을 간 것이다.
② 업무처리가 늦어지면 팀장이 출장을 간 것이다.
③ 실적평가에서 불이익을 받지 않으면 팀장이 출장을 가지 않는다.
④ 실적평가에서 불이익을 받으면 팀장이 출장을 가지 않는다.
⑤ 고객의 항의 전화가 오면 업무처리가 늦어진다.

11. K 수협 인사팀은 다음과 같은 일정으로 6월에 있을 면접을 진행하고자 한다. 외국의 주요 인사 내방 일정보다 적어도 5일 전까지 입소교육을 완료해야 한다면, 가능한 가장 늦은 면접일자는 언제인가?

〈6월 달력〉

일	월	화	수	목	금	토
						1
2	3	4	5	6	7	8
9	10	11	12	13	14	15
16	17	18	19	20	21	22
23	24	25	26	27	28	29
30						

〈일정 및 면접 세부 사항〉

- 면접일 후 결과 정리와 결재까지 2일이 소요되고, 결재를 득한 다음날 합격자 발표가 가능하다(주말 제외).
- 합격자는 면접 결과 발표 후 하루의 준비시간이 주어지고, 3일 간의 입소교육에 참여해야 한다(단, 입소교육 일정은 토요일, 일요일 포함 가능).
- 면접은 한 그룹 당 2명의 면접관이 진행하며 2개 장소에서 동시 진행된다.
- 면접관은 과장 이상의 직급자로 구성해야 하며, 개인 업무를 고려하여 선정된다(직급은 부장>차장>과장>대리 순임).
- 22 ~ 26일은 외국의 주요 인사 내방 일정으로 면접 진행이 불가하다.

〈면접관 후보자 개인 업무 일정〉

A 과장	B 차장	C 과장	D 대리	E 부장	F 과장
6일	10일, 13일	11일	5일, 14일	3일, 4일	4일, 10일, 17일

① 6월 5일　② 6월 6일　③ 6월 7일
④ 6월 8일　⑤ 6월 10일

[12 ~ 13] 다음 글을 읽고 이어지는 질문에 답하시오.

인사부 부장 P는 직원들의 5월 출퇴근 기록을 확인하고 있다.

〈5월 출퇴근 기록〉

구분	직원 A		직원 B		직원 C		직원 D		직원 E	
	출근	퇴근	출근	퇴근	출근	퇴근	출근	퇴근	출근	퇴근
10일	07:40	19:02	07:42	17:52	07:24	18:00	08:00	18:00	07:58	18:00
11일	08:01	19:18	08:31	17:00	07:55	20:01	08:56	18:10	08:15	19:12
12일	09:00	19:20	07:55	18:00	08:00	19:10	08:16	18:00	08:00	14:59
13일	07:54	20:31	08:20	18:25	09:00	17:30	07:32	19:47	07:24	18:36
14일	09:13	18:00	08:30	20:05	07:44	18:00	07:47	20:11	07:00	17:55

〈근태 규정〉

- 출 · 퇴근 시간은 자유로우며, 하루 근무시간은 출퇴근 기록 기준 9시간 이상이어야 한다. 하루 근무시간을 미달한 경우에는 1일 기준으로 1회 추가근무를 실시해야 한다.
- 오후 12시 ~ 오후 1시는 점심시간으로 근무시간에서 제외한다.
- 하루 10시간 이상 근무하였을 시 초과수당을 지급한다(초과수당은 분당 1,000원씩 계산되며 5일치를 계산하여 한 번에 지급한다).

12. 위 기록을 기준으로 할 때, 다음 중 2회 이상 추가근무를 실시해야 하는 직원은?

① 직원 A ② 직원 B ③ 직원 C
④ 직원 D ⑤ 직원 E

13. 다음 중 직원 A가 지급받을 초과수당 금액으로 옳은 것은? (단, 제시된 자료 이외의 사항은 고려하지 않는다)

① 116,000원 ② 125,000원 ③ 136,000원
④ 146,000원 ⑤ 155,000원

[14 ~ 15] 다음 자료를 읽고 이어지는 질문에 답하시오.

○○회사의 이 사원은 유급휴가비 관련 사내 자료를 보고 있다.

〈유급휴가비〉

구분	부장	과장	대리	사원
유급휴가비(1일당)	5만 원	4만 원	3만 원	2만 원

〈직원 월차사용 현황(12월 31일 기준)〉

[영업1팀]

이름	직급	사용 월차개수
김민석	부장	5개
노민정	대리	2개
송민규	과장	2개
오민아	사원	3개
임수린	사원	7개

[영업2팀]

이름	직급	사용 월차개수
정가을	사원	2개
최봄	대리	2개
한여름	대리	6개
한겨울	과장	5개
황아라	과장	1개

※ 유급휴가비는 남은 월차 한 개당 해당하는 금액을 지급한다.
※ 월차는 1달에 1개씩 생기며, 다음 해로 이월할 수 없다.
※ 유급휴가비는 연말에 지급된다.
※ 모든 직원은 올해 1월 1일부터 만근하였다.

14. 연말에 유급휴가비를 가장 많이 받는 영업1팀 직원은?

① 김민석 ② 노민정 ③ 송민규
④ 오민아 ⑤ 임수린

15. 연말에 영업2팀에 지급될 유급휴가비의 합계는?

① 120만 원 ② 130만 원 ③ 140만 원
④ 150만 원 ⑤ 160만 원

영역 4 지각력

15문항/15분

[01 ~ 06] 다음 문자 · 기호 · 숫자군 중에서 왼쪽에 제시된 문자, 기호, 숫자의 개수를 구하시오.

01.

গ

ঔ র ঠ ও ৯ দ ক খ ষ স হ খ ঞ এ চ গ খ এ ক খ ঔ
ঠ ও ৯ দ ক খ হ ভ র ঠ ও ঞ এ চ খ ঔ ঙ গ হ অ ও
ই গ ঋ ৯ দ ক খ ঞ এ ঔ ট গ ই ৎ ঢ় ঌ চ ঙ খ এ ঠ

① 1개 ② 2개 ③ 3개
④ 4개 ⑤ 5개

02.

ㄱ

자연과 인간에 대한 아시아의 깊은 지혜를 바탕으로, 누구도 밟아 보지 못한 혁신적인 미(美)의 영역에 도전한다.

① 5개 ② 6개 ③ 7개
④ 8개 ⑤ 9개

03.

217

211	231	212	210	275	276	257	297	291	217	227
214	247	279	216	211	217	231	271	251	237	291
277	237	255	218	274	267	211	217	285	216	271

① 1개 ② 2개 ③ 3개
④ 4개 ⑤ 5개

04.

담

단 댱 닥 닯 담 댐 닼 달 댱 닽 답 닷 닺 단 닾 닯 딤
닿 닷 답 달 닺 닾 닥 닸 닦 닿 닥 단 답 닯 댬 닽 닫
닶 닼 딤 딥 당 답 닷 닼 답 닺 닺 닫 닽 닺 담 닮 당

① 1개 ② 2개 ③ 3개
④ 4개 ⑤ 5개

05.

ㅐ

ㅏ ㅗ ㅠ ㅐ ㅛ ㅑ ㅕ ㅡ ㅐ ㅐ ㅜ ㅐ ㅔ ㅖ ㅠ ㅣ ㅠ ㅡ ㅓ ㅐ ㅕ ㅛ ㅏ ㅓ ㅑ
ㅡ ㅠ ㅐ ㅏ ㅛ ㅒ ㅏ ㅗ ㅔ ㅜ ㅐ ㅏ ㅕ ㅏ ㅛ ㅡ ㅜ ㅐ ㅗ ㅓ ㅡ ㅗ ㅔ ㅠ ㅖ
ㅔ ㅑ ㅏ ㅏ ㅜ ㅡ ㅓ ㅏ ㅕ ㅔ ㅕ ㅛ ㅐ ㅒ ㅐ ㅓ ㅛ ㅖ ㅗ ㅔ ㅒ ㅐ ㅖ ㅑ ㅠ
ㅑ ㅜ ㅖ ㅏ ㅕ ㅣ ㅏ ㅕ ㅣ ㅕ ㅔ ㅜ ㅐ ㅏ ㅠ ㅔ ㅕ ㅠ ㅐ ㅗ ㅡ ㅛ ㅡ ㅠ ㅑ

① 13개 ② 14개 ③ 15개
④ 16개 ⑤ 17개

06.

비상

비설 비성 비준 비진 비춘 비밀 비수 비숍 비트 비상 비박
비련 비추 비탕 비방 비창 비종 비련 비동 비강 비종 비샹
비진 비총 비상 비솔 비준 비호 비상 비난 비침 비운 비늘

① 1개 ② 2개 ③ 3개
④ 4개 ⑤ 5개

[07 ~ 11] 다음 제시된 문자 · 기호 · 숫자군에서 찾을 수 없는 문자, 기호, 숫자를 고르시오.

07.

❊ ✫ ❉ ❁ ✯ ❃ ✳ ✰ ✼ ✢ ✤ ✾ ✘ ✥ ❊
✶ ❄ ✸ ❈ ✾ ✿ ✺ ❈ ✦ ✷ ✺ ❁ ❖ ✠ ✗
❀ ✼ ❂ ✹ ❈ ✬ ✱ ✭ ❏ ❂ ❀ ❉ ❃ ✼ ✳

① ✭　② ❊　③ ✹
④ ❄　⑤ ✢

08.

Ⓔ Ⓩ Ⓗ Ⓓ Ⓖ Ⓘ Ⓐ Ⓠ Ⓕ Ⓜ Ⓛ Ⓒ
Ⓚ Ⓞ Ⓢ Ⓙ Ⓟ Ⓦ Ⓤ Ⓛ Ⓡ Ⓑ Ⓥ Ⓗ
Ⓖ Ⓣ Ⓨ Ⓜ Ⓕ Ⓢ Ⓡ Ⓘ Ⓚ Ⓟ Ⓓ Ⓧ

① Ⓤ　② Ⓑ　③ Ⓙ
④ Ⓥ　⑤ Ⓝ

09.

ㄹㄱㅅ ㅂㄱ ㄹㅿ ㅅㄴ ㄴㄴ ㆁㅅ ㄹㅂㅅ ㅂㅈ ㅅㄱ ㄹㆆ ㅅㅈ ㅂㅌ
ㅂㅌ ㅁㅅ ㅅㅈ ㄴㅅ ㄹㄷ ㅁㅂ ㅇㅇ ㄴㄷ ㅂㅅㄱ ㄴㄴ ㅂㄱ ㅁㅿ
ㆅ ㅂㅈ ㄹㄷ ㄹㆆ ㅅㅂ ㄹㄱㅅ ㅂㄷ ㆁㅿ ㄹㅿ ㅂㅅㄷ ㄴㅿ ㄹㅂㅅ

① ㅁㅅ　② ㄴㄷ　③ ㅅㄷ
④ ㅅㄱ　⑤ ㅁㅂ

10.

> 50397248302154121547269
> 57894102546320864157495
> 58743025456315791432018

① 589 ② 743 ③ 632
④ 121 ⑤ 201

11.

> ず け ぢ だ し ぢ ゆ び ぜ く い つ ね ぬ め ぺ ぼ ど づ さ ゃ わ る め で づ
> け つ で げ き ぷ ぽ を ろ ぜ に べ す じ け ぉ ぞ ひ ぎ ぢ も を し よ ぢ ぎ
> へ ど く ぱ ら せ ぐ け ぉ ゐ ゎ し ぁ な て そ ど も ふ す け ゅ む び れ た

① ぜ ② ゐ ③ を
④ ち ⑤ で

12. 다음 악보가 'MUSIC'을 나타낸다고 할 때, 'REVEL'을 나타내는 악보는 무엇인가?

①

②

③

④

⑤

13. A와 B를 비교할 때 서로 다른 부분의 개수는?

A : 속도는 기술 혁명이 인간에게 선사한 엑스터시(ecstasy)의 형태이다. 오토바이 운전자와는 달리, 뛰어가는 사람은 언제나 자신의 육체 속에 있으며, 뛰면서 생기는 미묘한 신체적 변화와 가쁜 호흡을 생각할 수밖에 없다. 뛰고 있을 때 그는 자신의 체중, 자신의 나이를 느끼며 그 어느 때보다도 더 자신과 자기 인생의 시간을 의식한다. 인간이 기계에 속도의 능력을 위임하고 나자 모든 게 변한다. 이때부터 그의 고유한 육체는 관심 밖에 있게 되고 그는 비신체적 속도, 비물질적 속도, 순수한 속도, 속도 그 자체, 속도 엑스터시에 몰입한다. 기묘한 결합테크닉의 싸늘한 몰개인성과 엑스터시 불꽃. 어찌하여 느림의 즐거움은 사라져 버렸는가?

B : 속도는 기술 혁명이 인간에게 선사한 엑스터시(ecstasy)의 형태이다. 오토바이 운전자와는 달리, 뛰어가는 사람은 언제나 자신의 육체 속에 있으며, 뛰면서 생기는 미묘한 신체적 변화와 가쁜 호흡을 생각할 수밖에 없다. 뛰고 있을 때 그는 자신의 체중, 자신의 나이를 느끼며 그 어느 때보다도 더 자신과 자신 인생의 시간을 의식한다. 인간이 기계에 속도의 능력을 위엄하고 나자 모든 게 변한다. 이때부터 그의 고유한 육체는 관심 밖에 있게 되고 그는 비신체적 속도, 비물질적 속도, 순수한 속도, 속도 그 자체, 속도 엑스티시에 몰입한다. 기묘한 결합테크닉의 싸늘한 몰개인성과 엑스터시 불꽃. 어찌하여 느림의 즐거움은 사라져 버렸는가?

① 1개 ② 2개 ③ 3개
④ 4개 ⑤ 5개

14. 'BAEKDUSAN'을 'YZVPWFHZM'로 나타낼 경우, 같은 암호를 사용했을 때, 'VTBKG'의 수도는 어디인가?

① 워싱턴 ② 브뤼셀 ③ 코펜하겐
④ 파리 ⑤ 카이로

15. 다음 글에서 베트남이라는 단어(합성어 포함)의 등장 횟수는?

L 그룹 대학생 해외봉사단, 베트남과 사랑에 빠지다

L 그룹측은 올해로 14회째를 맞는 L 그룹 대학생 해외봉사단이 베트남 교육환경 개선을 위해 호찌민과 하노이로 향하는 대장정을 시작했다고 20일 밝혔다. 전국에서 선발된 대학생 40여 명과 L 그룹 계열사 임직원, NGO 전문가 등으로 구성된 50여 명의 봉사단은 지난 2개월간 사전교육과 국내봉사활동을 이수했고, 이후 2팀으로 나뉘어 약 12일간 봉사활동을 펼칠 예정이다.

봉사단은 한국의 문화와 교육에 관심이 많은 베트남 초등학생들을 대상으로 태양광 전지보트, 자가발전 손전등 등을 직접 만들어 보는 과학실습 시간을 갖고, 각종 환경 · 위생 교육, 노후화된 학교 시설 보수, 태권도 · KPOP 공연 등 다양한 프로그램을 함께 나눌 계획이다. 이에 앞서 L 그룹은 교실이 부족해 허물어져 가는 사원이나 마을회관에서 수업 하는 열악한 환경의 학교 2곳(호찌민 인근 빈롱 성 쭝안 A 초등학교, 하노이 인근 하이즈엉 성타이화 초등학교)을 L 그룹 드림스쿨 3 · 4호의 신축 대상으로 선정하고, 각 학교에 교실 6 ~ 10개 규모의 복층 건물을 짓는다는 내용의 양해각서(MOU)를 체결했다. 19일 개최된 기공식에는 L 전선 호찌민(LSCV)과 하이퐁(LS-VINA) 법인장을 비롯해 지역 인민위원회 및 학교 관계자 등이 참석해 신축 학교의 안전한 준공을 기원하고 감사의 인사를 전달하는 시간을 갖기도 했다.

한편, L 그룹은 1990년대 하이퐁과 하노이에 L 전선과 L 산전의 생산법인을 설립한 이후 2006년 호찌민 근교 동나이 성에 전선 생산 공장을, 최근에는 L 엠트론이 하노이 법인을 설립하는 등 전력산업 분야의 첨단 기술에 투자해 매년 꾸준한 성장을 일구고 있다. L 그룹 회장 역시 2010년부터 지난해까지 베트남 명예 영사직을 역임하며 베트남과 한국 양국의 문화교류와 경제발전을 도모하는 민간 외교관 역할을 해왔다. L 그룹 관계자는 "L 그룹은 베트남을 동남아 시장 진출의 전진기지이자 동반성장의 파트너로 삼고 생산시설과 기술에 많은 투자를 해왔다"며, "상호 협력을 통해 사업성과가 창출되고 있는 만큼, 이를 베트남 사회에 다시 환원함으로써 더 큰 성장의 기반이 마련되길 바란다."고 말했다. L 그룹 드림스쿨 준공식에 참가한 한 인민위원회 위원장은 "한국이 '한강의 기적'이라 불릴 정도로 급성장을 일군 것과 같이 베트남도 교육을 통해 이러한 발전을 거두는 것이 정부의 목표"라며, "재정이 열악한 빈곤지역에 L 그룹이 큰 지원을 해주신 것에 깊이 감사드리며, 이 학교에서 학습한 아이들이 성장해 베트남의 발전에 이바지할 수 있도록 지속 노력할 것"이라고 말했다

① 7번 ② 8번 ③ 9번
④ 10번 ⑤ 11번

전국수협 2회

기출유형문제

문항수 | 60문항
시험시간 | 60분

▸정답과 해설 16쪽

영역 1 언어력

15문항/15분

01. 다음 글을 통해 추론할 수 있는 내용으로 적절하지 않은 것은?

'핸드오버'란 이동단말기가 이동하면서 기존 기지국에서 이탈하여 새로운 기지국으로 넘어갈 때 통화가 끊기지 않도록 통화 신호를 새로운 기지국으로 넘겨주는 것을 의미한다. 이런 핸드오버는 이동단말기, 기지국, 이동전화교환국 사이의 유무선 연결을 바탕으로 실행된다. 이동단말기가 기지국에 가까워지면 그 둘 사이의 신호가 점점 강해지는 데 반해, 이동단말기와 기지국이 멀어지면 그 둘 사이의 신호는 점점 약해진다. 이 신호의 세기가 특정값 이하로 떨어지게 되면 핸드오버가 명령되어 이동단말기와 새로운 기지국 간의 통화 채널이 형성되는데 이 과정에서 이동전화교환국과 기지국 간 연결에 문제가 발생하면 핸드오버가 실패하게 된다.

핸드오버는 이동단말기와 기지국 간 통화 채널 형성 순서에 따라 '형성 전 단절 방식'과 '단절 전 형성 방식'으로 구분될 수 있다. FDMA와 TDMA에서는 형성 전 단절 방식을, CDMA에서는 단절 전 형성 방식을 사용한다. 형성 전 단절 방식은 이동단말기와 새로운 기지국 간의 통화 채널이 형성되기 전에 기존 기지국과의 통화 채널을 단절하는 것을 말한다. 이와 반대로 단절 전 형성 방식은 이동단말기와 기존 기지국 간의 통화 채널이 단절되기 전에 새로운 기지국과의 통화 채널을 형성하는 방식이다. 이런 핸드오버 방식의 차이는 각 기지국이 사용하는 주파수 간 차이에서 비롯된다. 만약 각 기지국이 다른 주파수를 사용하고 있다면, 이동단말기는 기존 기지국과의 통화 채널을 미리 단절한 뒤 새로운 기지국에 맞는 주파수를 할당받은 후 통화 채널을 형성해야 한다. 그러나 각 기지국이 같은 주파수를 사용하고 있다면, 주파수 조정이 필요 없으므로 새로운 통화 채널을 형성하고 나서 기존 통화 채널을 단절할 수 있다.

① 핸드오버가 명령되었다는 것은 이동단말기와 기지국 사이의 거리가 멀어졌음을 의미한다.
② 단절 전 형성 방식은 각 기지국이 같은 주파수를 사용할 때 가능하다.
③ FDMA는 CDMA보다 더 빠르게 핸드오버가 명령되며 연결이 더 간편하다.
④ CDMA에서는 하나의 이동단말기가 두 기지국과 동시에 통화 채널을 형성할 수 있다.
⑤ 이동단말기와 기지국 사이의 신호가 특정값 아래로 떨어지지 않으면 핸드오버가 명령되지 않는다.

[02 ~ 05] 제시된 단어의 유의어가 아닌 것을 고르시오.

02.

나다

① 날다 ② 자라다 ③ 발생하다
④ 생산되다 ⑤ 출생하다

03.

가리다

① 분간하다 ② 감추다 ③ 골라내다
④ 싫어하다 ⑤ 나누다

04.

쏟다

① 집중하다 ② 털어놓다 ③ 따르다
④ 뿌리다 ⑤ 앞지르다

05.

채우다

① 메우다 ② 충원하다 ③ 충족시키다
④ 끼우다 ⑤ 보완하다

[06 ~ 07] 다음 글을 읽고 이어지는 질문에 답하시오.

최근 간편송금 서비스의 이용건수와 이용액수 모두 3배 이상 급성장한 것으로 조사되었다. 간편송금 서비스 시장은 지속적으로 이용자가 증가하고 있어 올해에는 그 규모가 이용건수 3억 9천만 건, 이용액수 28조 원에 달할 것으로 추정된다.

간편송금 서비스의 최대 강점은 복잡한 인증 절차 없이 쉽고 빠르게 송금할 수 있다는 것이다. 간편송금 서비스는 공인인증서 의무사용이 폐지되면서 등장하였으며 보안카드나 1회용 비밀번호 생성기(OTP) 대신 비밀번호나 지문인식 등 간편 인증수단을 이용한다. 기존 은행 모바일뱅킹으로 송금하기 위해서는 과정이 복잡할 뿐만 아니라 영업점을 방문해 인터넷뱅킹 등록도 해야 하고 송금 대상자의 계좌번호도 알아야 했다. 반면 간편송금은 모바일로 처음 계좌인증만 완료하면 이후엔 상대의 전화번호나 메신저 계정만 알아도 빠르게 송금할 수 있다.

간편송금 서비스 시장은 ㉠ <u>신규 전자금융업자</u>가 지배하고 있는데, 특히 상위 2개 업체가 97%에 달하는 지분을 차지하고 있다. 업계 1위는 간편송금 서비스를 가장 먼저 시작한 핀테크 업체인데, 휴대전화 번호만으로 송금이 가능하다. 업계 2위는 메신저 플랫폼을 기반으로 간편송금 서비스를 제공하면서 영향력을 넓혀 가고 있다.

이에 기존 송금 서비스를 주도했던 ㉡ <u>은행권</u> 또한 간편송금 시장 경쟁에 뛰어드는 추세이다. 은행권은 기존 모바일뱅킹 앱에 간편송금 기능을 추가하거나 별도의 간편송금 서비스 앱을 내놓았다. 그러나 간편송금 기능이 탑재된 모바일뱅킹 앱을 실행할 때 공인인증서 로그인이 필요한 경우도 있고, 별도의 앱을 내놔도 후발주자라는 불리함 때문에 인지도가 낮아 큰 성과를 내지 못했다.

한편 간편송금 서비스의 수익성이 낮기 때문에 은행권이 적극적으로 경쟁에 뛰어들지 않는다는 분석도 있다. 현재 간편송금 시장을 주도하고 있는 전자금융업자들도 사실상 간편송금 서비스로 손해를 보고 있기 때문이다. 간편송금 전자금융업자는 현재 송금 건당 150 ~ 450원의 비용을 제휴 은행에 지불하는 반면 이들 업체의 무료 고객 비중은 72 ~ 100%에 달한다. 이 때문에 간편송금 서비스 자체가 손실을 입을 수밖에 없는 구조이다. 게다가 간편송금 서비스는 소액 송금 위주로 운영되고 있고, 이를 초과한 금액은 대부분 은행을 통해 거래되고 있기 때문에 은행 입장에서는 굳이 무리해서 시장 진출을 도모할 필요가 없다는 시각이다. 하지만 간편송금 서비스로 고객을 확보한 전자금융업자가 차후 소비자 금융을 연계 제공한다면 은행의 신규 수익 영역을 침범하게 된다. 따라서 이미 포화되어 있는 간편송금 시장에서 은행권이 어떻게 경쟁력을 확보할지 귀추가 주목된다.

06. 윗글의 ㉠과 ㉡에 대한 설명으로 옳지 않은 것은?

① ㉠은 ㉡보다 먼저 송금 서비스를 시작했다.
② 고액을 송금하려는 고객은 ㉡을 이용할 것이다.
③ ㉠은 ㉡에게 간편송금 서비스 수수료를 제공하고 있다.
④ 공인인증서 의무사용이 재도입된다면 ㉠이 큰 타격을 입을 것이다.
⑤ ㉡은 간편송금 서비스에서 큰 성과를 거두지 못하고 있다.

07. 윗글의 내용과 일치하는 것을 〈보기〉에서 모두 고르면?

| 보기 |

㉠ 간편송금은 공인인증서 없이도 이용 가능하다.
㉡ 간편송금 이용자의 과반수는 무료로 서비스를 이용한다.
㉢ 은행권은 간편송금의 현재 수익성을 고려하여 간편송금 서비스 경쟁에 뛰어들지 않았다.

① ㉠　② ㉡　③ ㉠, ㉡
④ ㉠, ㉢　⑤ ㉠, ㉡, ㉢

08. 다음 개요를 수정하기 위한 방안으로 적절하지 않은 것은?

제목 : 다문화 가정 지원서비스의 문제점 및 개선 방안

Ⅰ. 서론 : 근 10년간 다문화 가정의 증가 실태
Ⅱ. 본론
  1. 다문화 가정의 개념
    1) 다문화 가정의 출현 배경
    2) 다문화 가정의 종류
  2. 국내 다문화 가정 지원 현황
    1) 공공기관 및 제도적 차원
    2) 사단법인, 사회단체(NGO 등) 차원
    3) 선진국의 다문화 가정 지원 사례 조사
  3. 다문화 가정 지원서비스의 문제점
    1) 다문화 가정 정책수립의 체계성 부족
    2) 다문화 가정 구성원의 취업 및 자립지원 미흡
    3) 자녀세대 성장지원 미흡
    4) 주변의 냉대와 차별
  4. 다문화 가정 지원서비스의 개선 방안
    1) 다문화 가정 정책수립의 체계성 강화
    2) 다문화 가정 취업 및 자립지원 강화
    3) 다문화 자녀의 학교 적응교육 및 글로벌 인재 육성 강화
Ⅲ. 결론

① 본론의 1은 논의하고자 하는 쟁점의 배경지식에 해당하므로 서론으로 이동하여 다문화 가정의 증가 실태와 연관지어 다룬다.

② 본론의 '2-3) 선진국의 다문화 가정 지원 사례 조사'는 4의 하위 항목으로 이동한다.

③ 본론의 '3-4) 주변의 냉대와 차별'은 3의 하위 항목으로 적절하지 않으므로 결론으로 이동한다.

④ 본론의 '4-1) 다문화 가정 정책수립의 체계성 강화'를 구체화하여 '4-1) 출신국가별, 지역별 맞춤형 서비스 제공'으로 수정한다.

⑤ 결론에 '다문화 가정 정착을 통한 국가의 글로벌 경쟁력 강화'를 덧붙인다.

09. 다음 중 PB 고객에 대한 설명으로 옳은 것을 〈보기〉에서 모두 고르면?

PB(Private Banking) 고객이란 부동산과 같은 실물자산을 제외하고 투자 가능한 거액의 자산을 보유하여 은행이나 금융기관에서 일대일로 개인적인 서비스를 제공받는 고객들을 지칭한다. 금융기관에서 이들을 대상으로 금융서비스를 제공하는 것을 프라이빗 뱅킹 서비스라고 하는데, 스위스의 눔버른 콘도라는 비밀계좌에서 유래하였다. 금융기관의 프라이빗 뱅킹 서비스는 수준 높은 금융과 기타 관련된 제반의 서비스를 부유한 고객의 개인과 가족에게 제공한다는 의미를 함축하고 있으며, 서비스를 이용하는 PB 고객에 따라 서비스의 범위와 종류를 다양하게 세분화하고 있다. 그동안 부유층은 각 금융기관마다 자사 분류기준을 바탕으로 각각 다르게 정의되어 왔으며, 시대에 따라서 환경도 급변하였기 때문에 이에 맞춰 부유층에 대한 정의 또한 다양하게 변화되어 오고 있다. 부유층을 정의함에 있어 국가별로 각 나라의 경제규모와 국민 소득에 따라서 차이가 있으나 통상적으로는 현재 자산과 연간 소득 규모를 주요 기준으로 삼는 경우가 많다.

PB 고객의 등장은 초기 프라이빗 뱅킹의 고객관계관리(CRM)를 위한 일환으로 거래실적이 높고 우수한 고객을 확보하면서 기존의 고객이 이탈하는 것을 방지하기 위한 VIP 마케팅 목적에서 출발하였다. 각 금융기관은 자체적인 수익 창출을 목적으로 관리하기보다는 고객의 거액 투자를 유치하기 위한 목적으로 부가서비스를 제공하게 되었으며 이것이 국내 프라이빗 뱅킹과 PB 고객이 등장하게 된 배경이다.

프라이빗 뱅킹 대상 고객을 선정하는 데 있어 부유층 및 고소득층에 대한 정형화된 기준은 없지만 보편적으로 100만 달러 이상의 금융자산을 보유한 부유층을 대상으로 고객을 선별하거나 분류한다. 뿐만 아니라 PB 고객을 세분화하여 일반 부유층과 부유층, 초부유층으로 구분한다. 일반 부유층은 대중 부유층이라고도 하며 이들은 금융자산이 10 ~ 100만 달러 정도이다. 부유층은 100 ~ 1,000만 달러인 경우이다. 초부유층은 1,000만 달러 이상인 경우로 구분하며, 통상 부유층 이상의 경우만 PB 대상 고객으로 선정하고 있다.

| 보기 |

가. 부동산이 대부분의 재산인 100만 달러 이상의 고객은 프라이빗 뱅킹 서비스 대상이 되기 어렵다.

나. 프라이빗 뱅킹 서비스는 대상 고객의 가족에게까지도 서비스를 제공한다.

다. 프라이빗 뱅킹 서비스는 금융기관이 고객의 실물자산을 평가하여 종합금융서비스를 제공하기 위하여 시작되었다.

라. PB 대상 고객으로 선정되는 정형화된 기준이 있는 것은 아니다.

① 가, 나 ② 가, 나, 다 ③ 가, 나, 라

④ 가, 다, 라 ⑤ 나, 다, 라

[10 ~ 11] 다음 글을 읽고 이어지는 질문에 답하시오.

1974년 리차드 이스털린(Richard Easterlin) 교수가 1946년부터 빈곤국가와 부유한 국가 등 30개 국가의 행복규모를 연구한 결과를 논문으로 발표하면서 세계경제학계에 충격을 주었다. 그의 연구결과는 모든 나라에서 경제적 소득이 증가하면 사람들은 행복감을 느낀다는 것이다. 하지만 이스털린의 연구결과는 여기서 끝나지 않았다. 소득이 높아지면 행복감은 증가하지만 일정 수준을 넘는 순간 소득이 더 증가하더라도 대다수 사람들은 더 큰 행복을 느끼지 않는다고 밝혔다. 이것이 그 유명한 '이스털린의 역설(Easterlin's paradox)'이다. 즉, 이스털린의 역설은 소득이 어느 정도 높아지면 행복도가 높아지지만 일정 시점을 지나면 소득이 증가해도 행복도가 정체된다는 이론으로 미국, 프랑스, 영국과 같은 선진국의 행복지수가 바누아투, 방글라데시와 같은 가난한 나라에서 국민의 행복지수보다 낮다는 연구결과를 근거로 제시하였다.

이스털린은 1974년에 소득의 크기가 행복의 크기를 결정한다는 경제학의 신념에 근본적인 의문을 제기했다. 그는 1946년부터 1970년에 걸쳐 공산권, 아랍, 가난한 국가 등을 포함하여 전 세계 30여 개의 지역에서 정기적인 설문 조사를 시행했다. 이 설문 조사의 표면적 결과는 우리의 상식적 기대와 크게 다르지 않고, 모든 나라에서 소득수준과 개인이 느끼는 행복이 비례관계에 있는 것으로 나타났다. 그러나 미국의 경우 1940년대부터 1950년대 후반까지 소득이 늘어나면서 행복도가 증가했지만 개인소득이 급속도로 늘어난 1970년대까지는 다시 행복감이 감소했다. 이 조사 이후에 이스털린은 1972년부터 1991년까지 추가 조사를 했는데 스스로 행복하다고 생각하는 사람들의 비율이 감소했다는 사실을 발견했다. 이 시기는 그간의 인플레이션과 세율을 반영한다 하더라도 개인소득이 이전에 비해 33%나 늘어난 시기였다.

이스털린의 역설은 최근의 연구에서도 입증되었다. 대니얼 카너먼(Daniel Kahneman) 교수와 앵거스 디턴(Angus Stewart Deaton) 교수는 2008 ~ 2009년 미국인 45만 명을 대상으로 연구를 진행하였다. 이 연구에서도 소득이 높을수록 행복감은 커졌으나 이러한 (+)의 관계는 연간 소득 7만 5,000달러(한화 약 8,700만 원)까지 유지되었고 그 이후부터는 증가된 소득이 행복감을 키우는 효과가 거의 사라져버려 소득이 증가하여도 일상적인 행복감에는 큰 차이가 없었다.

왜 그럴까? 첫째, 높아진 소득으로 획득된 부의 효과는 오래가지 못한다. 부의 효과에 익숙해지면 금세 그 행복을 잊어버리고 새로운 행복을 추구하기 때문이다. 둘째, 새로운 행복을 얻으려면 더 많은 비용을 지출해야 하고 결국 과로로 인해 인간은 더 불행해진다. 그러니 대다수 인간들은 소유에 대한 욕망을 무한하게 발산시켜 행복을 추구하지 않는다.

하지만 2008년 미국 와튼스쿨의 베시 스티븐슨(Betsey Stevenson) 교수팀은 이스털린의 설문보다 더 광범위한 실증조사를 통해 이스털린의 주장이 잘못됐다고 반박했다. 스티븐슨은 "132개국을 대상으로 지난 50년간 자료를 분석한 결과 부유한 나라의 국민이 가난한 나라의 국민보다 더 행복하고, 국가가 부유해질수록 국민의 행복수준은 높아졌다."고 말했다. 물론 국민 개개인을 보면 돈보다 명예나 다른 곳에서 행복을 찾는 사람이 있을 수 있지만 국가 차원에서 보면 국민소득이 늘어날수록 복지 수준과 행복감이 높아질 가능성이 크다는 게 대다수의 견해이다.

그 이외에도 계속적으로 경제학자들 사이에서 이스털린의 역설이 자신의 경험적 연구와 일치하지 않는다는 주장이 나오고 있다. 2015년 노벨경제학상 수상자인 '위대한 탈출'의 저자 앵거스 디턴 교수를 비롯해 상당수 경제학자가 이스털린의 역설에 이의를 제기했다. 그러나 이스털린 교수는 이날 미국 종합사회조사(GSS)와 세계 가치서베이(WVS) 자료 등을 토대로 재검증한 결과 "내 학설은 유효한 것으로 재입증되었다."라고 말했다. 그는 미국은 1946년부터 2014년까지 약 70년간 개인소득이 3배로 늘었지만 행복은 정체되거나 낮아졌다고 주장했고 WVS가 세계 43개국을 대상으로 한 조사 역시 자신의 주장을 뒷받침한다고 강조했다. 또한 그는 자신의 역설이 틀렸다고 비판하는 연구는 연구기간이 짧아 경기의 확장과 수축이 이뤄지는 경기순환주기 전체를 조사하지 못했으며 미국은 글로벌 금융위기 직후인 2009년 이후 지금까지 평균소득이 빠르게 늘었지만 행복지수의 장기 추세선은 하락했다고 지적했다. 그러면서 "내 주장이 행복에서 소득의 중요성을 간과한 것은 아니다."라고 주장했다.

10. 윗글에 대한 설명으로 옳지 않은 것은?

① 이스털린의 역설은 경제적 소득이 증가하면 사람들의 행복감은 증가하지만 일정 수준을 넘는 순간 대다수 사람들은 더 큰 행복을 느끼지 않는다는 이론이다.

② 이스털린의 역설이 전통적 주류 경제학을 바탕으로 하는 경제 성장론자의 성장 우선정책을 모두 부정하는 것은 아니다.

③ 국민 개개인은 다를 수 있으나, 국가 차원에서 보면 국민소득이 늘어날수록 복지 수준과 행복감이 높아질 가능성이 크다는 게 대다수의 견해이다.

④ 사람들은 소득이 높아져도 익숙한 것보다는 새로운 행복을 추구하는 경향 때문에 행복과 소득이 비례하지 않게 된 것이다.

⑤ 전통적인 주류 경제학은 소득 증가는 행복을 증진시키는 데 있어 가장 중요한 요소가 아니라는 것을 줄곧 강조해 왔다.

11. 윗글에서 이스털린의 역설에 대해 반박하는 내용으로 옳지 않은 것은?

① 최근의 연구를 통해 이스털린의 역설이 잘못되었다는 주장이 나오고 있다.

② 이스털린의 역설에 반박하는 학자들은 국가가 부유해질수록 국민의 행복수준은 높아지고, 개인도 명예가 있어야 행복할 가능성이 더 크다고 말한다.

③ 이스털린은 미국은 1946년부터 2014년까지 약 70년간 개인소득이 3배로 늘었지만 행복은 정체되거나 낮아졌다고 주장했다.

④ 2015년 노벨경제학상 수상자이며 '위대한 탈출'의 저자인 앵거스 디턴은 이스털린의 역설에 이의를 제기하였다.

⑤ 이스털린의 역설을 비판하는 연구는 그 연구기간이 짧아 경기순환주기 전체를 조사하지 못했다.

[12 ~ 13] 다음 자료를 보고 이어지는 질문에 답하시오.

S 은행에 근무하는 신입행원 A는 아래 제시된 정보를 토대로 주택청약종합저축 관련 내용을 숙지하고 있다.

〈청년우대형 주택청약종합저축〉

■ 가입대상 : 아래의 자격을 모두 갖춘 개인(외국인은 가입불가)

1) 만 19세 ~ 만 29세 이하(병역복무기간 인정)인 자

2) 연소득 3천만 원 이하의 근로 · 사업 · 기타 신고소득이 있는 자

3) 무주택인 세대주

※ 무주택 여부는 가입자 본인에 한함(세대구성원의 주택 소유와 무관함).

※ 청년우대형 주택청약종합저축 가입은 주택청약종합저축, 청약저축, 청약예금, 청약부금을 포함하여 전 금융기관 1인 1계좌에 한함.

※ 사업 · 기타소득자 자격으로 가입 후 근로소득자 자격으로 변경불가(가입 시 제출한 소득서류의 소득종류로 판단)

■ 가입서류(모든 서류 필수 제출 원칙)

1) 본인실명확인증표 : 신분증(주민등록증, 운전면허증, 여권 등)

2) 세대주 확인 서류 : 주민등록등본(3개월 이내 발급분)

3) 소득확인서류 : 연소득 3천만 원 이하를 증빙하는 서류

구분	근로소득자	사업 · 기타소득자
증빙서류 (한 가지 선택)	- 소득확인증명서 - 근로소득 원천징수영수증 - 근로소득자용 소득금액증명원 - 급여명세표	- 소득확인증명서 - 사업소득 원천징수영수증 - 종합소득세용 소득금액증명원 - 종합소득과세표준확정신고 및 납부계산서 - 기타소득 원천징수영수증

4) 병적증명서 : 만 30세 이상인 자 중 병역기간 차감(최대 6년 범위 내)하여 만 29세 이하인 경우에 한해 서류 제출

■ 적용이율 : 기본이율에 일정자격 충족 시 가입일로부터 최대 10년까지 우대이율 추가하여 적용

1) 기본이율(주택청약종합저축 기간별 적용이율과 동일)

구분	1개월 이내	1개월 초과 1년 미만	1년 이상 2년 미만	2년 이상
기본이율	무이자	연 1.0%	연 1.5%	연 1.8%

2) 우대이율(연 1.5%p)

– 적용대상 : 가입기간 2년 이상인 계좌(단, 당첨계좌는 2년 미만 포함)

– 적용원금 : 납입금액 5천만 원 한도

– 적용기간 : 가입일로부터 최대 10년 동안 적용

※ 청년우대형 주택청약종합저축은 예금자보호법에 따라 예금보험공사가 보호하지 않으나, 주택도시기금의 조성재원으로서 정부가 관리하고 있습니다.

12. 행원 A는 다음과 같이 고객 B의 문의에 응대하고 있다. 답변 내용으로 옳지 않은 것은?

고객 B : 청년우대형 주택청약종합저축 상품에 대해 문의하려고 합니다. 가입 조건이 어떻게 되나요?

행원 A : ① 청년우대형 주택청약종합저축은 만 19세 이상 만 29세 이하, 연소득 3천만 원 이하의 신고소득이 있는 무주택 세대주에 한해 가입이 가능합니다.

고객 B : 저는 현재 만 31세이지만 3년 동안 병역복무를 했는데요, 이 경우 가입이 가능한지요?

행원 A : ② 만 30세 이상이더라도 최대 6년 범위 내로 병역기간을 차감했을 때 만 29세 이하면 가입대상에 해당합니다.

고객 B : 현재 1년 5개월 된 당첨계좌의 경우 우대이율을 적용받을 수 있나요?

행원 A : ③ 납입금액 5천만 원 한도 내에서 연 1.5%p의 우대이율을 적용받으실 수 있습니다.

고객 B : 가입할 때 조심스러운 부분이 원금 보호인데요. 원금 손실은 걱정하지 않아도 되지요?

행원 A : ④ 네. 해당 상품은 예금자보호법에 따라 예금보험공사에서 보호합니다.

고객 B : 현재 제 근로소득은 연 3천만 원 이하인데 어떤 서류로 증명하면 될까요?

행원 A : ⑤ 소득확인증명서, 근로소득 원천징수영수증, 근로소득자용 소득금액증명원, 급여명세표 중 하나를 제출하시면 됩니다.

13. A는 상사의 지시에 따라 제출서류 관련 예시를 작성하고 있다. 다음 중 필요한 증빙서류가 바르게 나열된 사례를 모두 고르면?

> A 씨, 가입에 필요한 서류를 구비하는 데 어려움을 느끼는 고객이 많다고 합니다. 구체적인 사례를 들어서 필요한 가입서류를 안내할 수 있다면 좋을 것 같아요. 여러 예시들과 함께 필요한 가입서류를 적은 표를 제작해주세요.

| 사례 |

고객명	필수증빙서류	가입구분
고객 C (만 24세, 여성)	• 여권 • 주민등록등본 : 2개월 전 발급, 세대주 C • 소득확인증명서 : 연소득 2천4백만 원	근로소득자
고객 D (만 28세, 여성)	• 운전면허증 • 주민등록등본 : 1개월 전 발급, 세대주 D • 종합소득세용 소득금액증명원 : 연소득 3천만 원	근로소득자
고객 E (만 26세, 남성)	• 주민등록증 • 주민등록등본 : 3일 전 발급, 세대주 E • 기타소득 원천징수영수증 : 연소득 2천4백만 원 • 병적증명서 : 병역기간 2년	기타소득자
고객 F (만 31세, 남성)	• 운전면허증 • 주민등록등본 : 일주일 전 발급, 세대주 F • 급여명세표 : 연소득 2천8백만 원 • 병적증명서 : 병역기간 2년	근로소득자

① 고객 C, D ② 고객 C, F ③ 고객 E, F
④ 고객 C, D, F ⑤ 고객 D, E, F

[14 ~ 15] 다음 글을 읽고 이어지는 질문에 답하시오.

○○협동조합에서 상업자 표시 신용카드(PLCC) 사업 추진에 나선다. ○○협동조합은 지난달 31일 '○○협동조합 PLCC 사업 추진 컨설팅' 사업 공고를 내고 ○○협동조합 PLCC 사업 추진을 위한 세부 업무 수행 방안 수립에 나섰다.

최근 금융권에서 주목받고 있는 'PLCC'는 신용카드사와 제휴사의 협업으로 만들어지는 새로운 형태의 신용카드다. 소비자는 제휴사에서 PLCC를 사용하면 특별한 (㉠)을(를) 제공받을 수 있다. 카드사는 제휴사의 '충성고객'들을 유치할 수 있고 제휴사는 소비자를 자사에 묶어 두는 자물쇠 효과를 거둘 수 있는 전략이다. 하지만 ○○협동조합이 직접 신용카드사 사업자로 나서는 것은 아니다. ○○협동조합은 이번 달 말까지 PLCC 사업 추진 컨설팅 업체를 선정하고 PLCC 사업 구조와 PLCC 대행사 선정 전략, PLCC 전산시스템 구축, PLCC 사업 활성화 전략 등을 수립할 계획이다. 또한 컨설팅을 통해 내년 중 신용카드사를 선정해 PLCC 제휴를 맺고 시스템을 구축할 예정이다.

○○협동조합은 다가오는 2024년 중으로 PLCC 상품을 출시하는 것을 목표로 두고 있다. 사업 구상단계인 만큼 제휴사 및 (㉠) 방향 등을 포괄적으로 검토 중인 것으로 전해진다. ○○협동조합은 조합원을 주요 타깃으로 PLCC 상품을 개발할 계획이며 협동조합 차원에서 PLCC 사업 계획을 수립하고 상품을 개발해 각 조합에서 PLCC 카드를 발급하는 형태로 진행할 예정이다. ○○협동조합 관계자는 "이번 PLCC 사업은 조합원들에게 다양한 혜택을 제공하고자 기획됐다."며 "조합원뿐 아니라 평소 ○○협동조합에 관심을 가진 이들에게도 자사를 알릴 수 있는 기회가 되기를 바란다."라고 말했다.

14. 윗글에 제시된 PLCC 사업에 대한 설명으로 적절하지 않은 것은?

① 상업자 표시 신용카드 사업을 의미한다.
② 카드사 입장에서는 충성고객 유치 효과를 가져올 수 있다.
③ 제휴사 입장에서는 자물쇠 효과를 기대할 수 있다.
④ 신용카드사 단독으로 추진하는 사업이다.
⑤ 조합원이 PLCC 사업의 주요 타깃이다.

15. 윗글의 맥락을 고려할 때 빈칸 ㉠에 들어갈 단어로 적절한 것은?

① 사업　② 혜택　③ 보상
④ 기회　⑤ 전략

영역 2 수리력

15문항/15분

01. 총 25개의 문제가 출제되는 시험에서 한 문제를 맞힐 때마다 4점을 부여하고, 틀릴 때마다 2점이 감점된다고 한다. 응시자 A가 이 시험에서 58점을 받았다고 할 때, A가 맞힌 문제의 개수는?

① 14개　② 15개　③ 16개
④ 17개　⑤ 18개

02. 민석은 산을 오를 때는 3km/h로 A 경로를 이용하였고, 내려올 때는 4km/h로 B 경로를 이용하였더니 총 1시간 30분이 소요되었다. A 경로와 B 경로를 합친 등산 거리가 5.2km였다면, B 경로의 길이는 얼마인가?

① 2.2km　② 2.4km　③ 2.8km
④ 3km　⑤ 3.5km

03. (주)AA는 새 프로젝트를 진행할 사원 세 명을 선발하여 팀을 구성하려고 한다. 다음 조건에 따를 때, A ~ F 사원으로 팀을 구성하는 경우의 수는 총 몇 가지인가?

- 신입사원은 한 명 이상 배정하되, 모든 인원이 신입사원이 되지 않도록 한다.
- A, B 두 사원 중 최소 한 명은 배정되어야 한다.
- 6명의 사원 중 B, D, F는 신입사원이다.

① 10가지　② 12가지　③ 14가지
④ 16가지　⑤ 18가지

04. A가 하면 18일, B가 하면 27일 걸리는 일이 있다. 둘은 함께 일을 시작했지만 도중에 B가 일을 그만두게 되고 A 혼자 나머지 일을 끝마쳐 총 16일이 소요되었다. 이 중 B가 참여하지 않은 날은 며칠인가?

① 9일 ② 10일 ③ 11일
④ 12일 ⑤ 13일

05. 20X1 프로야구 페넌트레이스는 총 10개 구단이 리그전 방식으로 9차전에 걸쳐 진행된다고 한다. 모든 경기를 단판전으로 진행한다면 진행될 야구 경기는 총 몇 경기인가?

① 315경기 ② 360경기 ③ 405경기
④ 450경기 ⑤ 495경기

06. 신입사원인 선준은 입사 후 첫 월급의 55%, 두 번째 월급의 30%, 세 번째 월급의 25%를 생활비로 지출하였고, 그 외의 돈은 모두 저축하였다. 그 결과 5,300,000원을 모았다면 선준이의 첫 월급은 얼마인가? (단, 월급은 매달 첫 월급의 10%씩 추가적으로 인상된다)

① 2,000,000원 ② 2,200,000원 ③ 2,500,000원
④ 2,800,000원 ⑤ 3,000,000원

07. 최 대리는 김 부장의 고등학교 후배로 12살 차이의 띠동갑이다. 4년 전, 최 대리 나이의 3배 값과 김 부장 나이의 2배 값이 같았다면 현재 최 대리의 나이는?

① 28살 ② 30살 ③ 32살
④ 34살 ⑤ 35살

08. 다음은 보이스피싱(Voice Fishing, 전화금융사기) 피해신고 건수 및 금액에 대한 자료이다. 이에 대한 설명으로 옳지 않은 것은?

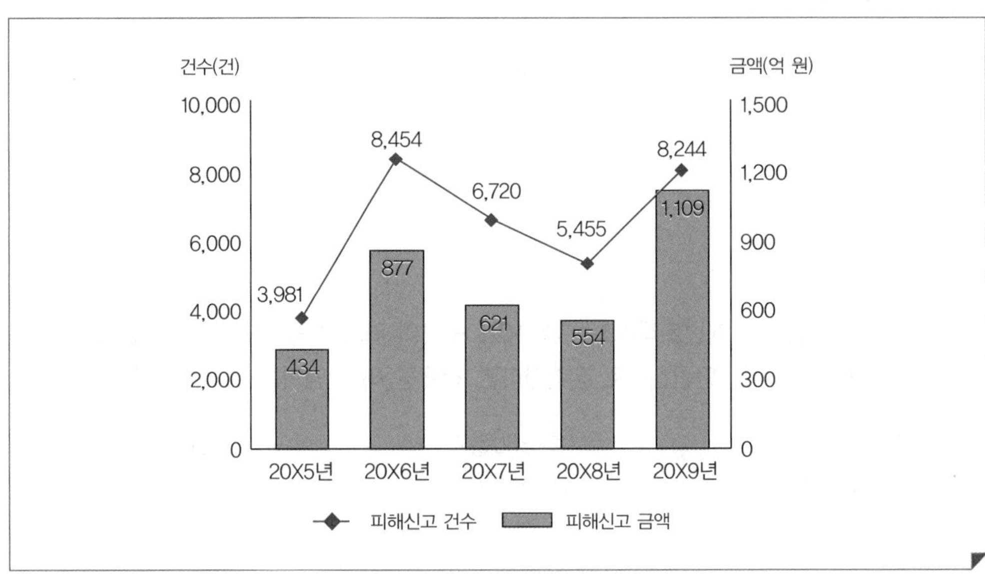

① 보이스피싱 피해신고 건수는 20X6년 이후 점차 감소하다가 20X9년에 다시 급격히 증가하였다.

② 20X9년 보이스피싱 피해신고 금액은 20X5년에 비해 2.5배 이상 증가하였다.

③ 20X5 ~ 20X9년 보이스피싱 피해신고 금액의 평균은 719억 원이다.

④ 20X7년의 보이스피싱 피해신고 건수는 20X5 ~ 20X9년 보이스피싱 피해신고 건수의 평균보다 높다.

⑤ 전년 대비 20X8년 보이스피싱 피해신고 건수의 감소율은 피해신고 금액 감소율보다 작다.

09. 다음 자료에 관한 설명으로 옳은 것은 모두 몇 개인가? (단, 모든 계산은 소수점 아래 둘째 자리에서 반올림한다)

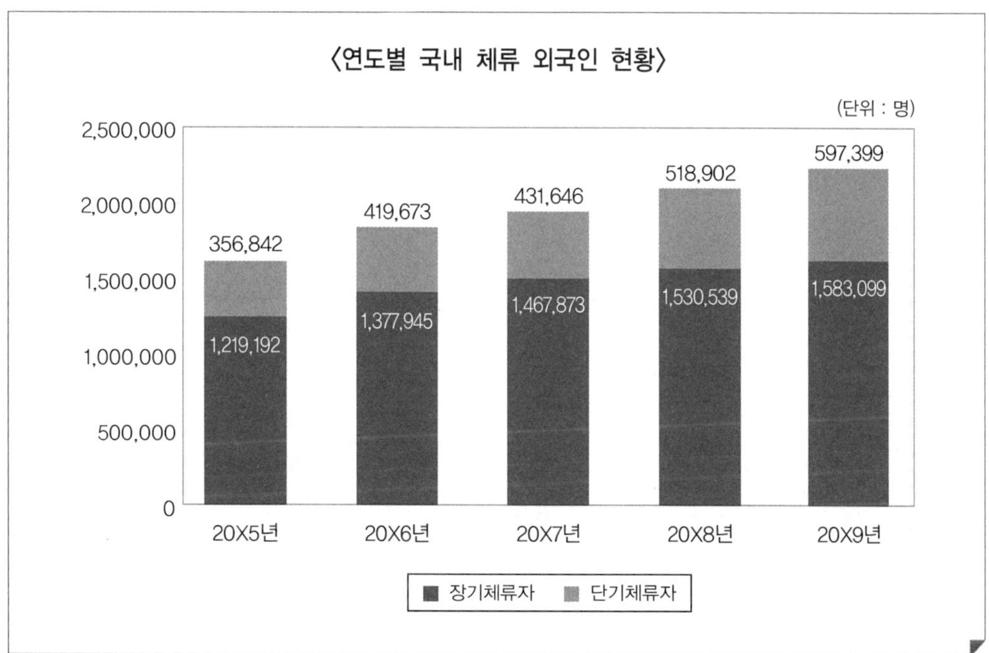

㉠ 20X5년 이후 국내에 체류하고 있는 외국인 수는 점점 증가하고 있다.
㉡ 단기체류자 대비 장기체류자 수의 비율은 20X6년보다 20X8년에 더 높았다.
㉢ 20X9년 장기체류자 수는 20X5년 장기체류자 수 대비 약 30% 증가했다.
㉣ 20X8년 장기체류자의 전년 대비 증가량은 20X7년 장기체류자의 전년 대비 증가량보다 많다.

① 0개 ② 1개 ③ 2개
④ 3개 ⑤ 4개

10. 다음 자료에 대한 설명으로 옳지 않은 것은?

〈OECD 주요 국가별 삶의 만족도 및 관련 지표〉

(단위 : 점, %, 시간)

구분 국가	삶의 만족도	장시간근로자비율	여가 · 개인 돌봄시간
덴마크	7.6	2.1	16.1
아이슬란드	7.5	13.7	14.6
호주	7.4	14.2	14.4
멕시코	7.4	28.8	13.9
미국	7.0	11.4	14.3
영국	6.9	12.3	14.8
프랑스	6.7	8.7	15.3
이탈리아	6.0	5.4	15.0
일본	6.0	22.6	14.9
한국	6.0	28.1	14.6
에스토니아	5.4	3.6	15.1
포르투갈	5.2	9.3	15.0
헝가리	4.9	2.7	15.0

※ 장시간근로자비율은 전체 근로자 중 주 50시간 이상 근무한 근로자의 비율이다.

① 삶의 만족도 차이가 2.5점 이상인 두 국가의 여가 · 개인 돌봄시간 차이는 모두 0.4시간 이상이다.

② 삶의 만족도가 한국보다 낮은 국가들의 장시간근로자비율의 산술평균은 이탈리아의 장시간근로자비율보다 높다.

③ 여가 · 개인 돌봄시간 상위 3개 국가의 삶의 만족도 평균은 하위 3개 국가의 삶의 만족도 평균보다 낮다.

④ 장시간근로자비율이 미국보다 낮은 국가의 여가 · 개인 돌봄시간은 모두 미국의 여가 · 개인 돌봄시간보다 길다.

⑤ 삶의 만족도가 가장 높은 국가와 가장 낮은 국가는 장시간근로자비율이 가장 낮은 국가 1위와 2위를 나란히 차지한다.

11. 다음 자료에 대한 설명으로 옳지 않은 것은?

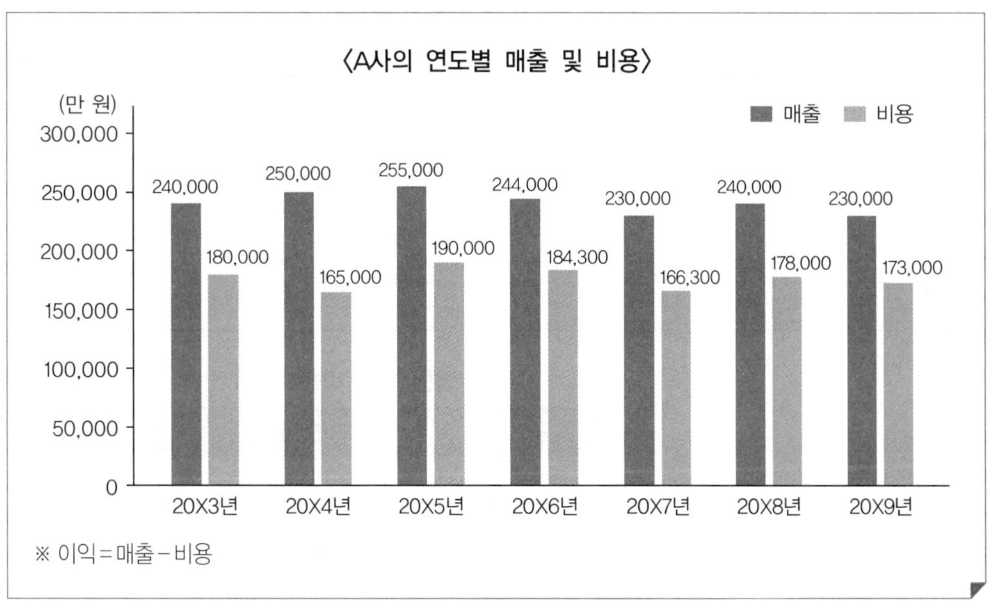

① 이익이 가장 많았던 해는 전년 대비 이익 증감률의 절댓값도 가장 높다.

② 이익이 가장 적었던 해는 전년 대비 비용 증감률의 절댓값도 가장 낮다.

③ 전년 대비 비용 증감률의 절댓값이 가장 높았던 해는 비용이 가장 많았던 해가 아니다.

④ 전년 대비 매출 증감률의 절댓값이 가장 높았던 해는 매출이 가장 많았던 해가 아니다.

⑤ 전년 대비 매출 증감률의 절댓값이 가장 낮았던 해는 매출과 비용 모두 가장 많았던 해이다.

12. 다음은 ○○생명의 본인부담금에 관한 자료이다. 아래 환자들의 본인부담금 총액은?

〈건강 병동〉

101호(6인실)	102호(4인실)	103호(4인실)	201호(격리실)
A(3일)	J(2일)	N(5일)	H(14일)
K(1일)	E(3일)	B(4일)	
D(4일)	M(3일)	C(2일)	
L(12일)		F(6일)	
G(6일)			

〈건강 병동 입원 비용〉

구분	비용(원/일)
101	10,000
102	50,000
103	30,000
201	100,000
식비	10,000

※ 본인부담금=(입원비 총액×20%)+(식비 총액×50%)
(단, 4인실의 경우에는 입원비 총액 중 100분의 30으로 하고, 격리 입원에 대해서는 100분의 10으로 함)

① 785,000원
② 787,000원
③ 790,000원
④ 792,000원
⑤ 795,000원

13. 다음은 K 그룹의 채용에 지원서를 접수한 지원자 수와 비율에 대한 자료이다. 이에 대한 설명으로 옳지 않은 것은? (단, 소수점 아래 둘째 자리에서 반올림한다)

〈자료 1〉 K 그룹의 국내 및 해외 지원자 수

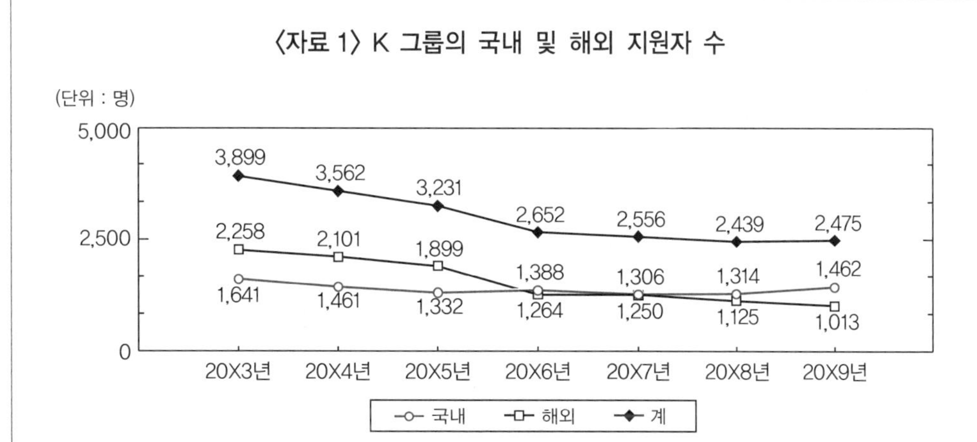

〈자료 2〉 K 그룹의 국내 및 해외 지원자 비율

(단위 : %)

구분	20X3년	20X4년	20X5년	20X6년	20X7년	20X8년	20X9년
국내	42.1	41.0	41.2	52.3	51.1	53.9	(A)
해외	57.9	59.0	58.8	47.7	48.9	46.1	(B)
합계	100.0	100.0	100.0	100.0	100.0	100.0	100.0

① 전체 지원자 수에서 해외 지원자의 수가 전반적으로 감소하는 추세이다.
② 20X9년 전체 지원자 대비 국내 지원자의 비율은 약 59.1%에 해당한다.
③ 20X3년 대비 20X9년 전체 지원자 수는 1,424명 감소하였다.
④ 20X5년 대비 20X6년 전체 지원자 수는 약 25% 급감하였다.
⑤ (A)는 (B)보다 약 18.2%p 높다.

14. 다음은 청소년의 일평균 스마트폰 이용 현황 및 이용 시간에 관한 조사이다. 이에 대한 설명으로 옳지 않은 것은?

〈표 1〉 청소년(12 ~ 19세)의 일평균 스마트폰 이용 현황

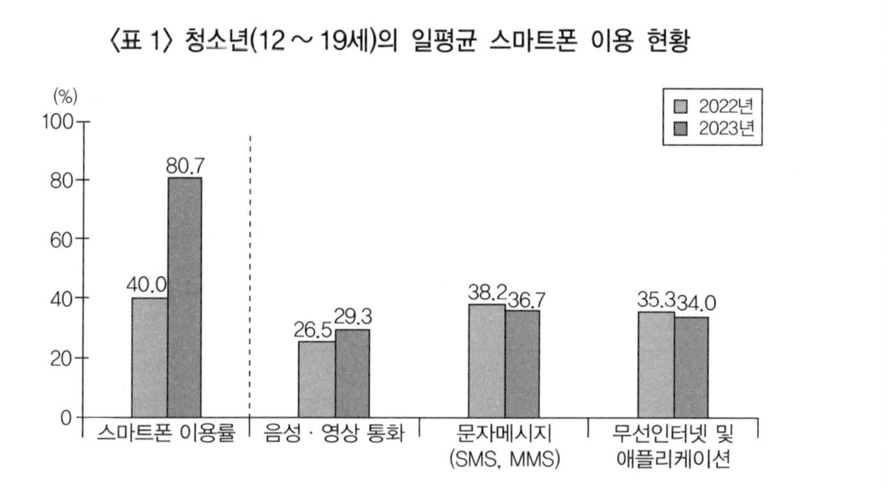

〈표 2〉 청소년(12 ~ 19세)의 스마트폰 이용 시간

(단위 : 시간, %)

구분	일평균 이용 시간	시간별 이용률				
		계	1시간 미만	1시간 이상~2시간 미만	2시간 이상~3시간 미만	3시간 이상
2022년	2.7	100.0	16.0	24.3	18.0	41.7
2023년	2.6	100.0	7.7	28.9	27.0	36.4

① 청소년들은 스마트폰으로 음성 · 영상 통화보다 문자메시지를 더 많이 사용한다.

② 2023년 청소년의 스마트폰 일평균 이용 시간은 전년과 비슷한 수준이다.

③ 청소년의 스마트폰 일평균 이용 시간은 시간별 이용률에서 가장 많은 비중을 차지하는 이용 시간보다 많다.

④ 2023년 청소년의 일평균 스마트폰 이용률은 전년에 비해 40%p 이상 증가하였다.

⑤ 2022년과 2023년, 3시간 이상 스마트폰을 사용한다고 답한 청소년들의 정확한 수는 알 수 없다.

15. 다음 자료에 대한 해석으로 적절하지 않은 것은?

〈자료 1〉 국내 인구이동

(단위 : 천 명, %, 건)

구분		20X5년	20X6년	20X7년	20X8년	20X9년
총이동	이동자 수	7,412	7,629	7,755	7,378	7,154
	이동률	14.7	15.0	15.2	14.0	13.8
	전입신고건수	4,505	4,657	4,761	4,570	4,570
	이동자 성비(여자=100)	102.3	102.9	103.2	103.9	104.1

※ 이동률(%) : (연간 이동자 수÷주민등록 연앙인구)×100

※ 주민등록 연앙인구 : 한 해의 중앙일(7월 1일)에 해당하는 인구로 당해년 평균 인구의 개념이다.

※ 전입신고건수 : 동일시점에 동일세대 구성원이 동시에 전입신고한 경우 함께 신고한 세대원 수에 상관없이 1건으로 집계

〈자료 2〉 권역별 순이동자 수

(단위 : 천 명)

구분	20X5년	20X6년	20X7년	20X8년	20X9년
수도권	-4	-21	-33	-1	16
중부권	28	39	49	41	42
호남권	-7	-6	-8	-16	-18
영남권	-25	-23	-22	-40	-54

※ 순이동=전입-전출

※ 전입 : 행정 읍면동 경계를 넘어 다른 지역에서 특정 지역으로 이동해 온 경우

※ 전출 : 행정 읍면동 경계를 넘어 특정 지역에서 다른 지역으로 이동해 간 경우

① 20X6년에는 여자 100명이 이동할 때 남자 102.9명이 이동했다.

② 국내 인구 이동률은 20X7년 이후 계속해서 감소하고 있는 추세이다.

③ 20X5 ~ 20X8년까지 수도권으로 전입한 인구가 전출한 인구보다 많다.

④ 20X5 ~ 20X9년까지 중부권은 전입이 전출보다 많다.

⑤ 20X9년 국내 이동자 수는 총 715만 4천 명으로 전년 대비 약 3% 감소하였다.

영역 3 분석력

15문항/15분

01. 다음 조건이 성립한다고 가정할 때, 반드시 참인 것은?

> • 바람을 쐬면 기분이 좋다.
> • 행복하면 하루가 즐겁다.
> • 기분이 좋으면 행복해진다.

① 하루가 즐겁지 않으면 바람을 쐰 것이다.
② 행복하지 않으면 바람을 쐰 것이다.
③ 기분이 좋지 않으면 행복하지 않다.
④ 행복하지 않으면 바람을 쐬지 않은 것이다.
⑤ 바람을 쐬지 않으면 기분이 좋지 않은 것이다.

02. 카페 원탁에 A ~ F 6명이 같은 간격으로 앉아 커피, 홍차, 콜라 중 각각 하나씩을 주문하였다. 좌석과 주문한 음료가 다음과 같을 때, 확실하게 참인 것은?

> (가) A 옆으로 한 좌석 건너 앉은 E는 콜라를 주문하였다.
> (나) B의 맞은편에 앉은 사람은 D이다.
> (다) C의 양 옆에 앉은 사람은 모두 커피를 주문하였다.

① A는 커피를 주문했다.
② B는 A 옆에 앉지 않았다.
③ E의 양 옆은 D와 F였다.
④ F는 홍차를 주문했다.
⑤ 옆에 앉은 사람끼리는 각각 다른 음료를 주문했다.

03. A, B, C, D, E 5명의 사원이 출퇴근 방법에 관한 설문조사에 참여하였다. 다음 〈보기〉는 다섯 사원들이 설문에서 말한 내용이다. 5명 중 2명이 거짓말을 하고 있을 때, 사원들과 이용하는 교통수단이 바르게 짝지어진 것은?

| 보기 |

5명의 사원이 이용한다고 대답한 교통수단은 자가용(2명), 택시(2명), 버스(3명), 지하철(3명)이고, 5명의 사원은 각각 두 가지 교통수단을 이용한다고 대답하였다.

A 사원 : 저는 자가용을 이용한다고 대답했고, E는 거짓말을 하고 있습니다.
B 사원 : 저는 버스를 이용하지 않는다고 대답했고, D는 진실을 말하고 있습니다.
C 사원 : 저는 버스를 이용하지 않는다고 대답했고, E는 진실을 말하고 있습니다.
D 사원 : 저는 자가용과 지하철을 이용한다고 대답했습니다.
E 사원 : 저는 택시를 이용한다고 대답했고, B와 D는 거짓말을 하고 있습니다.

① A : 택시　② A : 버스　③ C : 자가용
④ C : 지하철　⑤ E : 자가용

04. 다음 대화의 내용이 모두 참일 때, 반드시 참인 것은?

- 갑 : 땅콩을 먹으면 아몬드를 먹지 않아.
- 을 : 밤을 먹으면 아몬드도 먹어.
- 병 : 호두를 먹지 않는 사람은 잣을 먹어.

① 밤을 먹은 사람은 잣을 먹지 않는다.
② 아몬드를 먹지 않은 사람은 밤을 먹는다.
③ 땅콩을 먹은 사람은 호두를 먹는다.
④ 호두를 먹으면 아몬드를 먹지 않는다.
⑤ 땅콩을 먹으면 밤을 먹지 않는다.

05. 어느 지갑 도난 사건의 혐의자가 A, B, C, D, E로 좁혀졌다. A, B, C, D, E 중 한 명이 범인이고, 그들의 진술은 다음과 같다. 각각의 혐의자들이 말한 세 가지 진술 중에 두 가지는 참이지만 한 가지는 거짓이라고 밝혀졌을 때, 지갑을 훔친 사람은?

- A : 나는 훔치지 않았다. C도 훔치지 않았다. D가 훔쳤다.
- B : 나는 훔치지 않았다. D도 훔치지 않았다. E가 진짜 범인을 알고 있다.
- C : 나는 훔치지 않았다. E는 내가 모르는 사람이다. D가 훔쳤다.
- D : 나는 훔치지 않았다. E가 훔쳤다. A가 내가 훔쳤다고 말한 것은 거짓말이다.
- E : 나는 훔치지 않았다. B가 훔쳤다. C와 나는 오랜 친구이다.

① A　② B　③ C
④ D　⑤ E

06. 다음 조건이 성립한다고 가정할 때, 반드시 참인 것은?

- 영화를 좋아하면 감수성이 풍부하다.
- 꼼꼼한 성격이면 편집을 잘한다.
- 영화를 좋아하면 꼼꼼한 성격이다.

① 편집을 잘하지 못하면 영화를 좋아하지 않는다.
② 꼼꼼한 성격이면 감수성이 풍부하다.
③ 편집을 잘하면 영화를 좋아한다.
④ 꼼꼼한 성격이면 영화를 좋아한다.
⑤ 영화를 좋아하지 않으면 편집을 잘하지 못한다.

07. 다음 〈조건〉의 명제가 모두 참일 때 옳지 않은 것은?

| 조건 |

(가) 김 대리가 빨리 오면 박 차장이 늦게 오거나 황 주임이 늦게 온다.
(나) 박 차장이 늦게 오면 김 대리는 빨리 온다.
(다) 황 주임이 늦게 오면 박 차장도 늦게 온다.

① 김 대리가 늦게 오면 박 차장은 빨리 온다.
② 황 주임이 빨리 오면 박 차장도 빨리 온다.
③ 박 차장이 빨리 오면 김 대리는 늦게 온다.
④ 황 주임이 늦게 오면 김 대리는 빨리 온다.
⑤ 김 대리가 늦게 오면 황 주임은 빨리 온다.

08. 다음 중 결론을 참이 되게 하는 전제로 적절한 것은?

[전제] 하얀 옷을 입는 사람은 모두 깔끔하다.
깔끔한 사람들은 모두 안경을 쓴다.
( )
[결론] 따라서 수인이는 하얀 옷을 입지 않는다.

① 하얀 옷을 입지 않는 사람은 수인이가 아니다.
② 수인이는 안경을 쓰지 않는다.
③ 안경을 쓰는 사람들은 모두 하얀 옷을 입는다.
④ 깔끔하지 않은 사람들은 모두 안경을 쓰지 않는다.
⑤ 수인이는 안경을 쓰지만 깔끔하지 않다.

09. 갑, 을, 병, 정, 무 5명의 사원이 소속된 영업부에는 A, B, C의 3개 팀이 있다. 다음 〈보기〉를 바탕으로 할 때 참이 아닌 것은?

| 보기 |

- 사원 갑, 을, 병, 정, 무는 A, B, C 팀 중 어느 하나에 소속된다.
- 팀의 최대 인원은 2명이다.
- 사원 을은 A 팀 소속이고, 사원 정은 C 팀 소속이다.
- 사원 을과 무는 같은 팀 소속이 아니다.
- 병은 B 팀 소속이 아니다.
- 사원 갑, 을, 병, 정, 무 중 C 팀 소속은 한 명이다.

① A 팀과 B 팀은 소속 사원이 2명이다.
② 사원 병과 정은 같은 팀 소속이 아니다.
③ 사원 갑과 병은 같은 팀 소속이다.
④ 사원 무는 B 팀 소속이다.
⑤ 사원 갑과 을은 같은 팀이 아니다.

[10 ~ 11] S 조합 남 부장은 조합에서 출발하여 A ~ E 5곳의 위판장을 방문하려고 한다. 다음 약도를 참고하여 이어지는 질문에 답하시오(단, 약도상의 모든 수치 단위는 km이다).

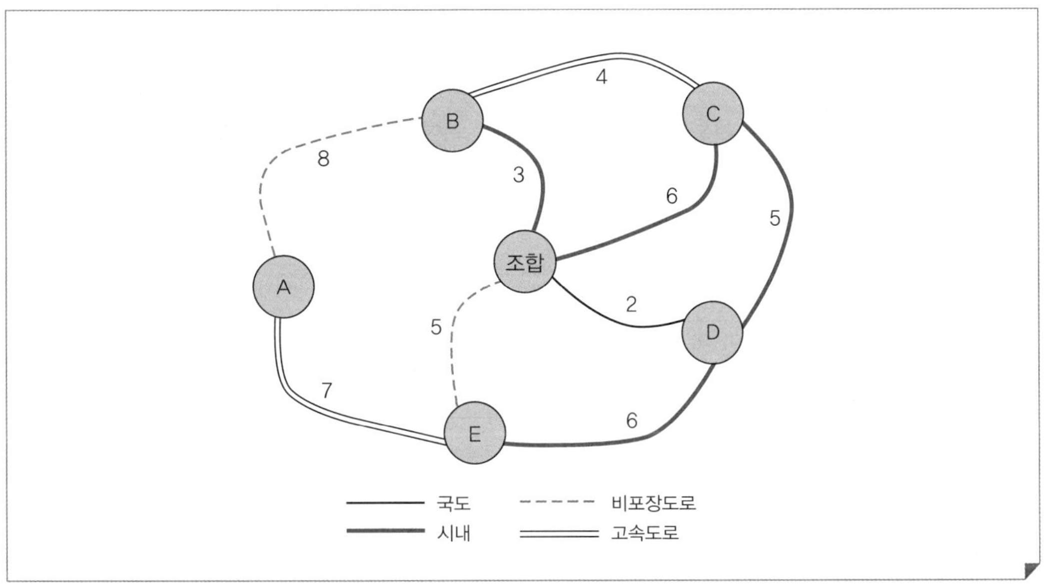

10. 남 부장이 5곳의 위판장을 최단 거리로 방문할 수 있는 경로로 올바른 것은? (단, 조합으로 복귀하는 것은 고려하지 않으며, 선으로 표시된 도로로만 이동이 가능하다)

① 조합－B－A－E－D－C
② 조합－B－C－D－E－A
③ 조합－C－D－E－A－B
④ 조합－D－C－B－A－E
⑤ 조합－E－A－B－C－D

11. 위의 지도와 다음 도로별 연비를 참고할 때, 남 부장이 연료비를 가장 적게 들이면서 5곳의 위판장을 모두 방문하였다면 남 부장이 이동한 경로로 올바른 것을 고르면? (단, 소수점 셋째 자리에서 반올림한다)

국도	시내	비포장도로	고속도로
14km/L	10km/L	8km/L	20km/L

① 조합－E－A－B－C－D
② 조합－B－C－D－E－A
③ 조합－C－D－E－A－B
④ 조합－D－C－B－A－E
⑤ 조합－E－A－B－C－D

[12 ~ 13] 다음 제시된 상황과 글을 읽고 이어지는 질문에 답하시오.

○○은행에서는 이번 신입사원 집체교육에서 진행할 소양 교육 프로그램을 선정하려고 한다.

기준 프로그램	가격	난이도	수업 만족도	교육 효과	소요시간
요가	100만 원	보통	보통	높음	2시간
댄스 스포츠	90만 원	낮음	보통	낮음	2시간
요리	150만 원	보통	매우 높음	보통	2시간 30분
캘리그래피	150만 원	높음	보통	낮음	2시간
코딩	120만 원	매우 높음	높음	높음	3시간

〈순위－점수 환산표〉

순위	1	2	3	4	5
점수	5	4	3	2	1

- 5개의 기준에 따라 5개의 프로그램 간 순위를 매기고 순위－점수 환산표에 의한 점수를 부여함.
- 가격은 저렴할수록, 난이도는 낮을수록, 수업 만족도와 교육 효과는 높을수록, 소요시간은 짧을수록 높은 순위를 부여함.
- 2개 이상의 프로그램의 순위가 동일할 경우, 그 다음 순위의 프로그램은 순위가 동일한 프로그램 수만큼 순위가 밀려남(예 A, B, C가 모두 1위일 경우 그 다음 순위 D는 4위).
- 각 기준에 따른 점수의 합이 가장 높은 프로그램을 선택함.
- 점수의 합이 가장 높은 프로그램이 2개 이상일 경우, 교육 효과가 더 높은 프로그램을 선택함.

12. 위 자료에 따라 점수를 환산할 때, 다음 중 ○○은행이 선택할 프로그램은?

① 요가 ② 댄스 스포츠 ③ 요리
④ 캘리그래피 ⑤ 코딩

13. ○○은행은 일부 프로그램의 가격 및 소요시간이 변동되어 새로이 점수를 환산하려고 한다. 변동된 가격 및 소요시간이 다음과 같을 때, ○○은행이 선택할 프로그램으로 적절한 것은?

프로그램	요가	댄스 스포츠	요리	캘리그래피	코딩
가격	120만 원	100만 원	150만 원	150만 원	120만 원
소요시간	3시간	2시간 30분	2시간	2시간 30분	3시간

① 요가 ② 댄스 스포츠 ③ 요리
④ 캘리그래피 ⑤ 코딩

[14 ~ 15] 다음 자료를 읽고 이어지는 질문에 답하시오.

총무부 김 대리는 경영부서의 성과급 관련 자료를 보고 있다.

〈경영부서 인사등급〉

이름	직급	인사등급	이름	직위	인사등급
김철수	부장	B	이미래	사원	S
나희민	대리	A	정해원	과장	A
박민영	부장	C			

〈월 기본급〉

직급	부장	과장	대리	사원
기본급	400만 원	350만 원	280만 원	230만 원

〈성과급 지급률〉

인사등급	S등급	A등급	B등급	C등급
지급률	기본급의 150%	기본급의 120%	기본급의 100%	지급하지 아니함.

※ 성과급은 12월에 기본급과 함께 지급한다.

14. 경영부서에서 가장 많은 성과급을 받게 되는 직원은?

① 김철수　② 나희민　③ 박민영
④ 이미래　⑤ 정해원

15. 12월 경영부서 직원들에게 지급되는 금액의 합계는?

① 2,784만 원　② 2,822만 원　③ 2,958만 원
④ 3,161만 원　⑤ 3,202만 원

영역 4 지각력

15문항/15분

[01 ~ 05] 다음 문자 · 기호 · 숫자군 중에서 왼쪽에 제시된 문자, 기호, 숫자의 개수를 구하시오.

01.

▥

▤	▨	▥	▤	▤	▧	▤	▥	▧	▤	▧	▨
▥	▧	▨	▨	▧	▨	▥	▧	▧	▧	▤	▧
▨	▤	▥	▧	▨	▥	▧	▤	▧	▨	▥	▤
▨	▧	▤	▥	▤	▧	▨	▧	▤	▨	▤	▨

① 5개 ② 6개 ③ 7개
④ 8개 ⑤ 9개

02.

갦

낿	갦	덻	겗	곏	젧	댉	벫	곎	낾	덻	덽	겙	갧	댊
덻	젦	곍	갦	넯	덹	텗	캛	갦	첽	멟	벫	댍	캚	텕
겗	탩	콃	캙	댋	낽	벭	넯	댉	젥	겙	갥	냁	덻	낾

① 1개 ② 2개 ③ 3개
④ 4개 ⑤ 5개

03.

hu1

fi2	k2j	hu1	do9	a2u	hu2	1ai	sk1	z2n	hu1
1if	k2h	ai1	o2b	c7k	hu1	hf4	a8i	ho1	d3k
ju1	fo3	hu1	9ak	a7k	3hu	k8a	u2h	1uf	hu8

① 1개 ② 2개 ③ 3개
④ 4개 ⑤ 5개

04.

東

海 技 術 火 庚 申 壬 癸 水 今 土 日 方 畜 儀 之 國 大 民 畜 東 西 韓
南 北 甲 美 丁 木 伍 月 西 仔 武 禮 畜 印 東 苗 士 伍 申 諭 今 乙 技
仔 韓 社 姻 海 乙 進 丙 美 妙 川 地 運 棟 進 相 念 快 親 文 現 太 産

① 1개 ② 2개 ③ 3개
④ 4개 ⑤ 5개

05.

L

N B Z A Q W D R U O E F L F I R B K U N O
L G V H J I C W G C Y H A C E P J Z C E P
I T Y C Q K M S X M V D S B M U W N V M S

① 1개 ② 2개 ③ 3개
④ 4개 ⑤ 5개

[06 ~ 10] 다음 제시된 문자 · 기호 · 숫자군에서 찾을 수 없는 문자, 기호, 숫자를 고르시오.

06.

RIOGOGYKDLVPBMBNIQUP
NVPRFIEMBKZBXUEERPMB
YUZBXCWURYMAHSGQKBD

① OM ② BK ③ MA
④ LV ⑤ IQ

07.

Ա Բ Գ Դ Ե Զ Է Ը Թ Ժ Ի Լ Խ Ծ Կ Հ Ձ Ղ Ճ Մ Յ Ն Շ Չ Պ Ջ Ռ
Ս Տ Ց Ի Փ Ք Օ Հ Ր Ո Լ Ժ Թ Ե Ա Բ Գ Ճ Մ Յ Ք Ջ Թ Ի Թ Ժ Ի
Օ Ք Փ Ի Ց Ր Վ Ռ Չ Շ Ն Մ Ճ Հ Կ Ի Թ Ը Դ Գ Բ Տ Յ Ժ Խ Ծ ա

① Ց ② Խ ③ Ճ
④ ա ⑤ Ֆ

08.

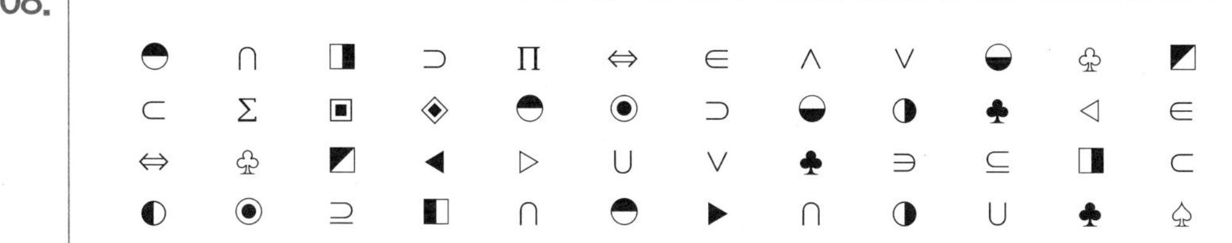

① ◪ ② Σ ③ ⊆
④ ⊖ ⑤ ♤

09.

IEU	OAT	KAI	WUE	CDH	FIH	DHU	ZID	SID	ISH
SID	CHD	AIE	GLX	QPF	FZU	DUE	ALX	QOZ	ZIV
WOQ	DLF	EUF	WHU	DKS	FKF	QOI	EHF	CGV	EUI

① KAI ② CSH ③ QOZ
④ DKS ⑤ DUE

10.

あきちしびみわおとそさはほぽぷなず
ぐそすこえんわをねがさをはまぎじさ
はけげねぜぺめれゐるうくこぞとがざ

① め ② ね ③ な
④ ぬ ⑤ み

11. A와 B를 비교할 때 서로 다른 부분의 개수는?

A : 독일에서 'Fräulein'은 원래 미혼 여성을 뜻하는 말이었는데 제2차 세계대전 이후 미군과 결혼한 여성을 가리키는 말이 되면서 부정적인 색채를 띠게 되었다. 그러자 미혼 여성들은 자신들을 'Frau'(영어의 'Mrs.'와 같다)로 불러달라고 공식적으로 요청하기 시작했다. 이런 요구를 하는 여성들이 갑자기 늘어나자 언론은 '부인으로 불러달라는 여자들이라니'라는 제목 아래 여자들이 별 희한한 요구를 다 한다는 식으로 보도했다. 'Fräulein'과 'Frau'는 한동안 함께 사용되다가 점차 'Frau'의 사용이 늘자 1984년에는 공문서상 미혼 여성도 'Frau'로 표기한다고 법으로 규정했다. 이유는 'Fräulein'이라는 말이 여성들의 의식이 달라진 이 시대에 뒤떨어졌다는 것이었다.

B : 독일에서 'Fräulein'은 원래 미혼 여성을 뜻하는 말이었는데 제2차 세계대전 이후 미군과 결혼한 여성을 가리키는 말이 되면서 부정적인 색채를 띠게 되었다. 그러자 미혼 여성들은 자신들을 'Fräu'(영어의 'Mrs.'와 같다)로 불러달라고 공식적으로 요청하기 시작했다. 이런 요구를 하는 여성들이 갑자기 늘어나자 언론은 '부인으로 불러달라는 여자들이라니'라는 제목 아래 여자들이 별 희한한 요구를 다 한다는 식으로 보도했다. 'Fräulein'과 'Frau'는 한동안 함께 사용되다가 점차 'Frau'의 사용이 늘자 1884년에는 공문서상 기혼 여성도 'Frau'로 표기한다고 법으로 정했다. 이유는 'Fräulein'이라는 말이 여성들의 의식이 달라진 이 시대에 뒤떨어졌다는 것이었다.

① 1개 ② 2개 ③ 3개
④ 4개 ⑤ 5개

12. 다음 글에서 쉼표(,) 부호는 몇 번 나오는가?

> 영화에 제시되는 시각적 정보는 이미지 트랙에, 청각적 정보는 사운드 트랙에 실려 있다. 이 중 사운드 트랙에 담긴 영화 속 소리를 통틀어 영화 음향이라고 한다. 음향은 다양한 유형으로 존재하면서 영화의 장면을 적절히 표현하는 효과를 발휘한다.
>
> 음향은 소리의 출처가 어디에 있는지에 따라 몇 가지 유형으로 나뉜다. 화면 안에 음원이 있는 소리로서 주로 현장감을 높이는 소리를 '동시 음향', 화면 밖에서 발생하여 보이지 않는 장면을 표현하는 소리를 '비동시 음향'이라고 한다. 한편 영화 속 현실에서는 발생할 수 없는 소리, 즉 배경 음악처럼 영화 밖에서 조작되어 들어온 소리를 '외재 음향'이라고 한다. 이와 달리 영화 속 현실에서 발생한 소리는 모두 '내재 음향'이다. 이러한 음향들은 감독의 표현 의도에 맞게 단독으로, 혹은 적절히 합쳐져 활용된다.

① 3번 ② 4번 ③ 5번
④ 6번 ⑤ 7번

13. 'ZNCBQNRTLB'라는 암호는 'MAPODAEGYO'를 의미한다고 한다. 같은 암호의 규칙을 활용했을 때, 'TENCR'이 뜻하는 단어로 적절한 것은?

① APPLE ② PEACH ③ BANANA
④ ORANGE ⑤ GRAPE

[14 ~ 15] 다음 자료를 읽고 이어지는 질문에 답하시오.

K는 수협은행 사이트의 비밀번호 관련 규정을 보고 있다.

〈사이트 비밀번호 구성〉

- 비밀번호는 0을 제외한 숫자와 영문자로 구성합니다.
- 영어 대소문자의 구분은 없습니다. (단, l는 소문자로만, L은 대문자로만 표기)
- 하나의 비밀번호 내에서 같은 숫자와 문자는 중복해서 사용할 수 없습니다.

〈비밀번호 분실 시〉

- 비밀번호 찾기를 3회까지 시도할 수 있습니다.
- 비밀번호 찾기 결과는 다음과 같이 출력됩니다.
  1) 문자와 문자의 위치 모두 옳은 경우 : ○
  2) 문자와 문자의 위치 중 한개만 옳거나 혹은 모두 틀린 경우 : ●

(예시) M의 비밀번호 : 4q8t
1회차 시도 : 8uyt 시도 → ●●●○
2회차 시도 : oq3t 시도 → ●○●○
3회차 시도 : 4yQu 시도 → ○●●●
총 ○ : 4회, ● : 8회 출력

14. K는 〈보기〉와 같이 비밀번호 찾기를 시도하였다. 이때 ○가 출력된 횟수는?

| 보기 |

K의 비밀번호 : vwo4c3d

1회차 시도 : 3mvi1d7
2회차 시도 : uwq8cdL
3회차 시도 : pr2xni4

① 0회 ② 1회 ③ 2회
④ 3회 ⑤ 4회

15. J가 비밀번호 찾기를 시도한 결과가 〈보기〉와 같았을 때, J의 비밀번호는?

| 보기 |

J의 비밀번호 : (?)

1회차 시도 : e5p → ○●●
2회차 시도 : ab7 → ●●○
3회차 시도 : nd4 → ●○●

① 6pd ② ps6 ③ de7
④ sp6 ⑤ ed7

전국수협 3회

기출유형문제

문항수 | 60문항
시험시간 | 60분

▸ 정답과 해설 29쪽

영역 1 언어력

15문항/15분

01. 다음 (가) ~ (라)를 글의 흐름에 맞게 순서대로 배열한 것은?

> (가) 창조 도시는 창조적 인재들이 창의성을 발휘할 수 있는 환경을 갖춘 도시이다. 즉, 창조 도시는 인재들을 위한 문화 및 거주 환경의 창조성이 풍부하며, 혁신적이고도 유연한 경제시스템을 구비하고 있는 도시이다.
>
> (나) 창조 계층을 중시하는 관점에서는 개인의 창의력으로 부가가치를 창출하는 창조 계층이 모여서 인재 네트워크인 창조 자본을 형성하고 이를 통해 도시는 경제적 부를 축적할 수 있는 자생력을 갖게 된다고 본다. 따라서 창조 계층을 끌어들이고 유지하는 것이 도시의 경쟁력을 제고하는 관건이 된다. 창조 계층에는 과학자, 기술자, 예술가, 건축가, 프로그래머, 영화 제작자 등이 포함된다.
>
> (다) 그러나 창조성의 근본 동력을 무엇으로 보든 한 도시가 창조 도시로 성장하려면 창조 산업과 창조 계층을 유인하는 창조 환경이 먼저 마련되어야 한다. 창조 도시에 대한 논의를 주도한 찰스 랜드리(Charles Landry)는 창조성이 도시의 유전자 코드로 바뀌기 위해서는 다음과 같은 환경적 요소들이 필요하다고 보았다. 개인의 자질, 의지와 리더십, 다양한 재능을 가진 사람들과의 접근성, 조직 문화, 지역 정체성, 도시의 공공 공간과 시설, 역동적 네트워크의 구축 등이 그것이다.
>
> (라) 창조 도시의 주된 동력을 창조 산업으로 볼 것인가 창조 계층으로 볼 것인가에 대해서는 견해가 다소 엇갈리고 있다. 창조 도시의 주된 동력으로 창조 산업을 중시하는 관점에서는 창조 산업이 도시에 인적, 사회적, 문화적, 경제적 다양성을 불어넣음으로써 도시의 재구조화를 가져오고 나아가 부가가치와 고용을 창출한다고 주장한다. 창의적 기술과 재능을 소득과 고용의 원천으로 삼는 창조 산업의 예로는 광고, 디자인, 출판, 공연 예술, 컴퓨터 게임 등이 있다.

① (가)－(나)－(다)－(라)　② (가)－(라)－(나)－(다)　③ (라)－(나)－(가)－(다)
④ (라)－(나)－(다)－(가)　⑤ (라)－(가)－(나)－(다)

[02 ~ 05] 제시된 단어와 유의어가 아닌 것을 고르시오.

02. 바꾸다

① 변경하다 ② 수정하다 ③ 변환하다
④ 변신하다 ⑤ 가꾸다

03. 쓰다

① 부르다 ② 동원하다 ③ 다루다
④ 소비하다 ⑤ 이용하다

04. 보다

① 구경하다 ② 찾다 ③ 잊다
④ 관찰하다 ⑤ 읽다

05. 올리다

① 제출하다 ② 세우다 ③ 거행하다
④ 연주하다 ⑤ 얹다

[06 ~ 07] 다음 ○○은행의 적금상품 특약 내용의 일부를 보고 이어지는 질문에 답하시오.

제8조(우대금리) 계약기간 동안 다음 각호의 요건을 충족하고 만기 해지하는 경우 우대금리를 최고 연 0.5%p까지 제공한다.

1. 친구등록(최대 5명)을 한 경우 : 1명당 0.1%p, 최대 연 0.5%p
2. 당행 최초 신규고객(주1)일 경우 : 연 0.1%p
3. 당행 급여이체(주2) 실적이 연평균 3회 이상 있는 경우 : 연 0.2%p
4. 외환송금금액이 $2,000(미달러 환산금액) 이상인 경우 : 연 0.2%p
5. 당행 입출금식 통장을 결제계좌로 지정한 당행 신용(체크)카드의 연간 평균 결제금액(주3)이 240만 원 이상인 경우 : 연 0.2%p
6. 당행 외환송금서비스를 등록한 경우 : 연 0.2%p

> (주1) 최초 신규고객 : 당행 최초 실명등록일로부터 3개월 이내 이 상품 가입 시
> (주2) 급여이체 기준은 아래 방식 중 하나를 통해 월 50만 원 이상 입금 시 인정
> ▸ 창구 급여이체, 인터넷 급여이체
> ▸ 지정일자를 당행 시스템에 등록하고 '급여', '상여', '월급'의 용어로 입금 시
> (주3) 신용(체크)카드 결제금액은 매출표 접수기준, 현금서비스 금액은 제외

제10조(만기자동해지) 동 상품을 가입하고 만기자동해지를 신청한 경우 만기일에 자동해지하여 세후 원리금을 본인명의 지정 입출금식 계좌로 이체한다. 다만, 질권설정 또는 압류 등 출금제한이 등록된 경우에는 자동해지가 불가하다.

제11조(중도해지금리) 이 통장은 만기일 이전에 중도해지를 신청하는 경우 입금액마다 입금일부터 해지일 전일까지의 기간에 대하여 가입일 당시 은행이 고시한 중도해지금리를 적용한다.

제12조(특별 중도해지금리) 해외송금을 보내기 위하여 중도해지 시 가입일 당시 은행이 고시한 정기적금의 경과기간별 고시이율을 적용한다.

제13조(만기후금리) 이 통장은 만기일로부터 지급일 전일까지의 기간에 대하여 만기일 당시 은행이 고시한 만기후금리를 적용한다.

제14조(보험 서비스) 이 통장 가입고객이 가입 후 건당 10만 원 이상 자동이체를 실시한 경우 익월 1일부터 1년간 (주)상해보험혜택을 무료로 제공한다. 보험혜택의 제공기간은 상품 변경일로부터 1년간으로 한다.

> (주)상해보험혜택(제휴사 : A화재해상보험(주) ☎ 1688－1688)
> • 담보명 : 일반상해사망
> • 보장금액 : 300만 원
> • 보장내용 : 피보험자에게 다음 중 어느 하나의 사유가 발생한 경우에는 보험수익자에게 약정한 보험금을 지급합니다. 단, 보험기간 중에 상해의 직접결과로써 사망한 경우에 한합니다.

06. 다음 중 윗글의 내용과 일치하는 것은?

① 친구등록만으로는 우대금리를 최대로 받을 수 없다.
② 해외송금을 위해 중도해지한 경우 은행이 고시한 중도해지금리를 적용한다.
③ 급여를 적금통장으로 직접 이체하지 않아도 급여이체로 인정받을 수 있는 방법이 있다.
④ 상해보험혜택을 받는 사람이 질병으로 인한 사망 시 보험수익자에게 보험금이 지급된다.
⑤ ○○은행의 최초 신규고객이며, 외환송금금액이 $2,500인 경우 우대금리를 최대로 받을 수 있다.

07. ○○은행의 〈고시금리〉와 〈중도해지금리〉가 다음과 같을 때 이율이 가장 높은 사람은? (단, 적립금액은 동일하다)

〈고시금리〉

계약기간	고시금리
1년 이상 2년 미만	연 1.20%
2년 이상 3년 미만	연 1.25%
3년 이상	연 1.30%

〈중도해지금리〉

입금일부터 해지일 전일까지의 기간	중도해지금리
1개월 미만	연 0.10%
1개월 이상 3개월 미만	연 0.30%
3개월 이상 6개월 미만	연 0.50%
6개월 이상 1년 미만	연 0.70%
1년 이상	연 1.0%

① 최초 실명등록 후 3개월 내 1년 계약으로 가입한 A 씨
② 가입 시 3년 계약하여 친구를 3명 등록하였고 가입 후 2년 차에 중도해지를 한 B 씨
③ 가입 시 1년 7개월 계약하였으며 매월 지정일자에 40만 원씩 급여이체를 한 C 씨
④ 가입 시 2년 3개월 계약하였으며 만기일 2개월 전 해외송금을 위해 중도해지를 한 D 씨
⑤ 가입 시 2년 6개월 계약하였으며 지정일자에 15만 원씩 이체한 E 씨

[08 ~ 09] 다음 글을 읽고 이어지는 질문에 답하시오.

(가) ○○협동조합은 예금자보호법이 처음 제정된 1995년보다 이른 1983년부터 협동조합권 최초로 예금자보호제도를 법률로 제정하고, 예금자보호준비금을 설치하여 예금자를 보호하는 제도를 운영하고 있다. ○○협동조합에서 고객이 가입한 예 · 적금 상품에 대한 원금을 지급하지 못하게 될 경우 은행과 동일하게 고객 1인당 5천만 원까지의 원금과 소정의 이자를 지급한다.

(나) 미국의 실리콘밸리은행(SVB) 사태를 계기로 기존 국내 금융기관의 예금자보호한도인 5천만 원을 상향해야 한다는 목소리가 다시 커지고 있다. ㉠ <u>현행 예금자보호법</u>에 따르면 은행 · 저축은행 · 보험사 등의 금융기관이 파산하면 고객 예금은 예금보험공사로부터 1인당 최대 5천만 원까지 돌려받을 수 있다. 이 보호한도는 2001년 국내총생산(GDP) 등을 근거로 책정된 후 23년째 제자리인데, 미국 실리콘밸리은행 파산 사태 때문에 현 제도를 개선하자는 목소리에 힘이 실리는 모양새다. 지난해 한국의 1인당 GDP(국제통화기금 기준)는 2001년 대비 3배가량 증가했으나, 1인당 GDP 대비 예금보호한도 비율은 1.2배로 일본(2.3배), 영국(2.3배), 미국(3.3배) 등에 견주었을 때 낮은 편이다. 현재 국회에는 예금보험한도를 1억 원으로 상향하자는 예금자보호법 개정안이 여러 건 발의된 상태이다.

금융당국도 3분기에 예금자보호제도의 전반적인 개선책을 발표할 예정이다. 그러나 제도 개선을 위해서는 금융권 간의 이견이 잘 조율돼야 한다. 대표적인 게 예금 보험료율이다. 예금보호한도를 높이면 예금 보험료율도 상승해 금융기관이 부담해야 하는 예금 보험료가 증가한다. 금융기관들은 보험료가 늘어날 경우 이를 대출금리를 높이는 등의 방식으로 소비자에게 전가할 수밖에 없다는 입장이다. 시중은행의 예금 보험료율은 0.08%, 보험사의 경우에는 0.15%인데, 2011년 저축은행 사태 이후 저축은행의 보험료율은 0.4%다. 그래서 저축은행에서는 오히려 보험료율을 낮춰야 한다고 주장하고 있다. 시중은행의 경우는 부실 위험이 높지 않은 상황인데도 보험료가 늘어나는 데 불만스러워 하는 한편, 예금자보호한도가 늘어나면 금리가 높은 저축은행으로 예금이 쏠릴 것을 우려하고 있다. 보험사에서는 예금자보험보다는 계약 이전을 통해 이를 해결하는 게 더 낫다고 판단하고 있다.

08. 다음 중 밑줄 친 ㉠과 (가) 문단과의 관계에 대한 설명으로 옳은 것은?

① ㉠을 개선하여 (가) 문단과 같은 제도를 시행하고 있다.
② ㉠을 근거로 (가) 문단과 같은 제도를 시행하고 있다.
③ ㉠은 (가) 문단과 같은 제도를 근거로 시행하고 있다.
④ ㉠이 있기 전에 이미 (가) 문단과 같은 제도를 시행하고 있었다.
⑤ ㉠의 문제점을 보완하기 위해 (가) 문단과 같은 제도를 시행하고 있다.

09. 다음 중 (나) 문단에서 설명하고 있는 제도를 개정하려는 근거를 모두 고르면?

a. 미국의 실리콘밸리은행(SVB) 사태
b. 한국, 일본, 영국, 미국의 1인당 GDP 대비 예금보호한도 비율
c. 금융기관이 부담해야 하는 예금 보험료율 상승

① a　② b　③ a, b
④ b, c　⑤ a, b, c

[10 ~ 11] 다음 글을 읽고 이어지는 질문에 답하시오.

먹이 발명되기 전인 갑골시대와 금석시대에는 골편 혹은 금속이나 돌에 문자를 새겼으나 문명이 발달함에 따라 문자의 사용범위가 넓어지고 갑골문이나 금석문만으로는 기록하기가 어려워지자 죽편이나 목편 또는 비단 등에 문자를 쓰게 되었다. 이를 죽간시대(竹簡時代)라 하며 당시에는 먹 대신 죽정(竹挺)에 칠(漆)을 묻혀 썼으므로 죽간칠서(竹簡漆書)라 하였다.

이때의 먹은 오늘날의 연필심으로 쓰이는 흑연과 같은 자연산 석인이라는 광물에 칠을 섞어 제조되었다. 그 후 문화가 발달하면서 점차 칠 대신 그을음(煙煤)을 사용하게 되었고 그 후 아교풀과 섞어 쓰게 되면서 제먹(製墨)의 단계로 발전되었다. 후한에 이르면서 비로소 오늘과 같은 먹을 만들게 되었는데 이는 종이의 발명과도 밀접한 관계가 있다. 먹의 종류에는 크게 송연먹과 유연먹이 있는데 송연먹이 먼저 생산되었고 오대십국시대에 이르러서야 유연먹을 사용하게 되었다. 당시 남당의 후주가 먹의 사용을 장려하면서 유명한 먹공들이 배출되었고, 그 후 송 · 원 · 명 · 청으로 이어져 오면서 뛰어난 먹공들을 양성해 일품 먹을 생산하였다.

우리나라에서도 고대부터 먹을 사용하였으나 당시 먹은 위만 · 낙랑시대에 중국의 것을 가져온 것이었으며 삼국시대를 거쳐 통일신라시대에 들어와서야 정성들인 장인의 먹이 생산되었다. 신라의 양가(楊家) · 무가(武家)의 먹은 모두 송연먹으로 그 품격이나 질이 매우 좋았고 이러한 먹은 고려시대를 거쳐 조선시대에 와서는 조선먹의 황금시대를 이루게 해 주었다. 한편 일본에서 먹의 사용은 601년에 고구려의 담징이 제지법과 제먹법을 전해 준 데서 비롯되었다.

필사용으로는 유연먹보다 송연먹이 좋았다. 유연먹이나 당먹(唐墨)이 글씨를 쓰는 데는 좋았으나 책을 간행하는 경우에는 번지고 희미해져 송연먹만 못했다. 송연먹(솟먹 · 개먹)은 평안도의 양덕(陽德)에서 생산된 것이 유명했고, 유연먹(참먹)은 해주(海州)에서 생산된 것이 유명하였으며 한림풍월(翰林風月), 초룡주장(草龍珠張), 부용당(芙蓉堂), 수양매월(首陽梅月) 등이 이에 해당하였다. 충북 단양에서도 먹이 생산되었으며 단산오옥(丹山烏玉)이라 불렸다.

먹을 만드는 방법은 송연먹과 유연먹에 따라 각각 다르다. 그을음(煙煤)을 흙처럼 고정한 것이 먹인데 송연먹은 소나무를 태운 송연(松煙)에서 그을음을 취했고, 유연먹은 채종유(菜種油) · 호마유(胡麻油) · 비유(榧油) · 동유(桐油) 등을 태운 연기에서 그을음을 취했다. 실내에 아궁이나 가마(窯) 등을 마련하여 놓고 재료를 태우면 그을음이 굴뚝에 붙게 되는데 이 중 위쪽으로 모인 그을음일수록 상제(上劑)라 하여 품질이 좋다고 한다. 먹은 이러한 그을음을 모아 만든다. 모은 그을음을 아주 가는 체로 친 다음 아교풀로 개어 반죽해 절구에 넣고 충분히 다진다. 이때 아교풀의 질과 성능도 그을음의 질만큼이나 중요해 먹공에 따라 그 배합이 달랐다고 한다. 반죽이 끝나면 이를 나무틀에 넣고 압착한 다음 꺼내어 재 속에 묻어 천천히 수분을 빼며 말려 완성했다. 그러나 요즘에는 광물성 그을음 또는 카본 등을 재료로 대량 생산하는 방법도 존재한다.

10. 다음은 윗글을 읽고 만든 발표 자료이다. ㉠~㉥ 중 글의 내용과 일치하는 것의 개수는?

〈송연먹과 유연먹〉

• 송연먹의 특징
 ㉠ 오대십국시대 이전에 사용했다.
 ㉡ 신라의 양가 · 무가의 먹이 해당한다.
 ㉢ 남당의 후주로 인해 발전되었다.

• 유연먹의 특징
 ㉣ 갑골시대와 금석시대에 주로 사용되었다.
 ㉤ 한림풍월, 수양매월 등이 해당한다.
 ㉥ 책을 간행하는 데 쓰기 적합하다.

① 1개 ② 2개 ③ 3개
④ 4개 ⑤ 5개

11. 윗글을 통해 알 수 있는 내용으로 적절한 것은?

① 문자로 기록된 유물은 죽간시대 이후의 것만 발견되었다.
② 일본에서 최초로 먹을 제작하여 판매한 사람은 고구려의 담징이다.
③ 통일신라시대에는 광물성 그을음을 이용한 먹을 대량으로 생산하였다.
④ 문자를 새기는 대상의 변화에 따라 문자를 새기기 위해 사용하는 재료도 변화하였다.
⑤ 오대십국시대에 이르러서야 오늘과 같은 먹을 만들게 되었다.

[12 ~ 13] 다음 기사를 읽고 이어지는 질문에 답하시오.

〈공인인증서 폐지...공공 · 금융기관 사용의무 없앤다〉

웹사이트 이용의 걸림돌이었던 공인인증서 제도가 폐지되고 다양한 본인 인증 수단이 활성화된다. 또한 카드사가 보유한 개인정보를 당사자가 손쉽게 활용할 수 있게 될 전망이다.

과학기술정보통신부(이하 과기정통부)는 22일 청와대에서 대통령 주재로 열린 규제혁신 토론회에서 이러한 내용을 담은 초연결 지능화 규제혁신 추진 방안을 확정 · 발표했다. 혁신 방안은 4차 산업혁명의 핵심 기반인 데이터, 네트워크, 인공지능(AI) 역량 강화에 장애가 되는 규제를 개선하는 것을 목표로 한다. 과기정통부는 획일화된 인증시장을 혁신하고 신기술 도입을 활성화하기 위해 공인인증서 제도를 폐지하기로 했다.

관련법에 명시된 공인인증서의 우월적 지위를 폐지해 사설인증서와 마찬가지로 다양한 인증수단의 하나로 활용하게 한다는 계획이다. 이를 위해 전자상거래법과 전자서명법 등 공인인증서 사용을 의무화한 법령 개정을 순차적으로 추진할 방침이다. 관계 부처와 협의를 마친 10개 법령은 상반기 중 국회에 개정안을 제출하고, 하반기에는 전자상거래법과 나머지 20개 법령을 제출할 예정이다.

공인인증서의 법적 효력이 사라지더라도 본인 확인이 필요한 영역에서는 대안으로 전자서명을 활용하도록 할 방침이다. 이와 관련해 3월 중 전자서명의 안전한 관리와 평가 체계에 관한 세부방침을 마련한다. 공인인증서는 애초 계약 성사를 확인하는 전자서명 용도로 만들어졌지만 사설인증서보다 우월한 법적 지위로 인해 공공 및 금융기관에서 본인 확인용으로 활용하는 경우가 많았다. 게다가 실행을 위해서는 액티브 X가 필요해 이용자의 불편함이 컸다. 과기정통부는 공인인증서 폐지로 블록체인 · 생체인증 등 다양한 인증수단이 확산되고, 액티브 X 없는 인터넷 이용환경이 구축될 것으로 기대했다.

양×× 정보통신정책실장은 "공공기관 등에서 실명확인이 필요한 부분은 일정한 자율인증(서명) 기준을 만들고자 한다."며 "공인인증서는 법적 효력이 달라지겠지만 불편함 없이 계속 사용할 수 있도록 할 예정"이라고 말했다.

또한 과기정통부는 올해 카드사 등이 보유한 개인정보를 당사자가 편리하게 내려받아 자유롭게 활용하는 사업을 시범 실시할 예정이다. 개인정보 제공 조건을 사전에 설정할 수 있는 블록체인 기술, 정보를 암호화한 상태에서 AI 학습이 가능하게 하는 동형암호 기술 개발도 지원하기로 했다. 그동안은 기업이 보유한 개인정보를 본인이 활용하려고 해도 시간과 비용이 걸렸지만, 개인정보의 자기결정권 확대 차원에서 본인정보 활용을 지원하는 제도를 도입하기로 했다고 과기정통부는 설명했다.

12. **제시된 기사를 읽고 나눈 다음 대화 내용에서 기사의 내용을 잘못 이해한 사람은?**

태수 : 내 컴퓨터는 액티브 X와 안 맞는 프로그램이 있었는데 공인인증서 제도가 폐지된다니 잘된 일이야.

예린 : 그러게 말이야. 이제 인증 절차 없이도 인터넷 금융생활을 할 수 있을 만큼 사회가 성숙해졌다는 의미가 될 수 있겠네.

상원 : 그런데 새로운 제도가 정확히 언제부터 실행될지는 아직 불투명한 상태로군.

재희 : 그뿐 아니라 금융사가 보유한 나의 정보를 내가 보다 손쉽게 이용할 수 있게 되었네. 이건 굉장히 편리해진 부분으로 보여.

① 태수　　② 예린　　③ 상원

④ 재희　　⑤ 없음.

13. **위 기사에서 밝힌 내용의 후속 조치로 다음과 같은 과정이 있었다. 다음 과정이 진행되기 위하여 필요한 일로 적절하지 않은 것은?**

뱅크사인은 공인인증서처럼 전자금융거래 등에서 가입자 본인임을 확인하고 전자문서 등의 진위도 확인하는 인증서비스다. 은행권은 정부가 공인인증서 제도를 폐지하고 다양한 인증기술을 허용하면서 뱅크사인 도입을 추진했다. 특히 정부의 블록체인 활성화 정책에 부응하고 블록체인 기술을 금융시스템에 적용하기 위해 '은행권 블록체인 컨소시엄'을 구성했다.

① K 은행, H 은행, S 은행 등은 뱅크사인 도입을 위한 시범사업을 진행하였다.

② 시중 은행들은 새로운 인증제도 도입을 위해 내부 약관을 개정하였다.

③ 블록체인 활성화에 따라 기존 금융거래와 가상화폐 거래 시스템을 통합하였다.

④ 뱅크사인의 이용과 관련해 범은행권 대고객 합동 홍보 광고를 제작하였다.

⑤ 개인정보의 자기결정권 확대를 위한 제도에 대한 논의가 이루어졌다.

[14 ~ 15] 다음 자료를 보고 이어지는 질문을 답하시오(단, 자료 내에서 자산 항목을 제외한 모든 사항은 항상 변동 없이 시행한다고 가정한다).

〈중소기업 취업 청년 전월세 보증금 대출〉

□ 대출 대상

- 아래의 요건을 모두 충족하는 자
  1. (계약) 주택 임대차 계약을 체결하고 임차 보증금의 5% 이상을 지불한 자
  2. (세대주) 대출 접수일 현재 민법상 성년(만 19세가 되는 해의 1월 1일을 맞이한 미성년자 포함)인 만 34세 이하 세대주 및 세대주 예정자(병역 의무를 이행한 경우 병역 복무 기간에 비례하여 자격 기간을 연장하며, 최대 만 39세까지 연장 가능)로서, 생애 1회만 이용 가능
  3. (무주택) 세대주를 포함한 세대원 전원이 무주택인 자
  4. (중복대출 금지) 주택도시기금 대출, 은행재원 전세자금 대출 및 주택담보 대출 미이용자
  5. (소득) 최초 가입 시에만 심사하며, 연소득 5천만 원(외벌이 가구 또는 단독 세대주인 경우 3천 5백만 원) 이하인 자
  6. (자산) 대출 신청인 및 배우자의 합산 순자산 가액이 통계청에서 발표하는 최근년도 가계금융 복지 조사의 '소득 5분위별 자산 및 부채 현황' 중 소득 3분위 전체 가구 평균값 이하(십만 원 단위에서 반올림)인 자 : 2022년도 기준 3.25억 원
  7. (신용도) 아래 요건을 모두 충족하는 자
     - 신청인이 한국신용정보원 "신용정보관리규약"에서 정하는 신용정보 및 해체 정보가 남아있는 경우 대출 불가능
     - 그 외, 부부에 대하여 대출 취급 기관 내규로 대출을 제한하고 있는 경우 대출 불가능
  8. (공공임대주택) 대출 접수일 현재 공공임대주택에 입주하고 있는 경우 불가
     - 대출 신청 물건지가 해당 목적물일 경우 또는 대출 신청인 및 배우자가 퇴거하는 경우 대출 가능
  9. (중소기업) 아래 중 하나에 해당하는 경우

     ① 중소기업 취업자 : 대출 접수일 기준 중소 · 중견 기업 재직자(단, 소속 기업이 대기업, 사행성 업종, 공기업 등에 해당하거나 대출 신청인이 공무원인 경우 대출 제외)

     ② 청년 창업자 : 중소기업진흥공단의 '청년 전용 창업 자금', 기술보증기금의 '청년 창업 기업 우대 프로그램', 신용보증기금의 '유망 창업 기업 성장 지원 프로그램', '혁신 스타트업 성장 지원 프로그램' 지원을 받고 있는 자

□ 신청 시기

- 임대차 계약서상 잔금 지급일과 주민등록등본상 전입일 중 빠른 날로부터 3개월 이내까지 신청
- 계약 갱신의 경우에는 계약 갱신일(월세에서 전세로 전환 계약한 경우에는 전환일)로부터 3개월 이내에 신청

□ 대상 주택
  • 아래의 요건을 모두 충족하는 주택
    1. 임차 전용 면적 : 임차 전용 면적 85m^2 이하 주택(주거용 오피스텔은 85m^2 이하 포함)
    2. 임차 보증금 : 2억 원 이하

□ 대출 한도 : 최대 1억 원 이내

□ 대출 기간 : 최초 2년(4회 연장, 최장 10년 이용 가능)

□ 대출 금리 : 1.2% (단, 1회 연장까지 동일 금리를 유지하나, 1회 연장 시 대출 조건 미충족자로 확인되거나 1회 연장 포함 대출 기간 4년이 종료된 2회 연장부터 2.3% 적용)

□ 대출금 지급 방식 : 임대인 계좌에 입금함을 원칙으로 하되, 임대인에게 이미 임차 보증금을 지급한 사실이 확인될 경우에는 임차인 계좌로 입금 가능

□ 준비 서류
  • 본인 확인 : 주민등록증, 운전면허증, 여권 중 택 1
  • 대상자 확인 : 주민등록등본(단, 단독 세대주 또는 배우자 분리 세대는 가족관계증명원을 추가 제출하며, 결혼 예정자의 경우 예식장 계약서 또는 청첩장 추가 제출), 만 35세 이상의 병역의무이행자의 경우 병적증명서 제출(단, 병적증명서상 군복무를 마친 사람에 체크되어 있고, 병역사항에 예비역으로 기재되어 있어야 함)
  • 재직 및 사업 영위 확인 : 건강보험자격득실 확인서
  • 주택 관련 : 확정일자부 임대차(전세)계약서 사본, 임차주택 건물 등기사항전부증명서, 임차주택 보증금 5% 이상 납입 영수증
  • 중소기업 재직 확인
    1. 중소기업 재직자의 경우 재직회사 사업자등록증, 주업종코드 확인서, 고용보험자격이력내역서(발급이 불가한 경우 건강보험자격득실 확인서로 대체 가능)
       (단, 1년 미만 재직 시 회사 직인이 있는 급여명세표, 갑종근로소득원천징수영수증(최근1년), 급여통장(급여입금내역), 은행 직인이 있는 통장거래내역을 추가 제출)
    2. 청년 창업자의 경우 관련 보증 또는 대출을 지원받은 내역서

14. 다음 중 제출해야 할 서류를 모두 바르게 제출한 신청자는? (단, 오늘 날짜는 2022년 4월 23일이며, 건강보험자격득실 확인서와 주택 관련 서류는 이미 제출했다고 가정한다)

	신청자명	내용
①	김○○	신청자 정보 : 만 25세, 2021. 04. 30. 중소기업 입사, 단독 세대주
		제출한 서류 : 여권, 주민등록등본, 가족관계증명원, 재직회사 사업자등록증, 주업종코드 확인서, 고용보험자격이력내역서
②	박△△	신청자 정보 : 만 34세, 2021. 01. 01. 창업
		제출한 서류 : 여권, 주민등록등본, 창업 자금 대출 내역서
③	이☆☆	신청자 정보 : 만 36세, 2017. 01. 06. 중소기업 입사, 병역의무 이행자
		제출한 서류 : 운전면허증, 주민등록등본, 재직회사 사업자등록증, 주업종코드 확인서, 고용보험자격이력내역서
④	정□□	신청자 정보 : 만 30세, 2020. 08. 03. 중소기업 입사, 2022. 09. 24. 결혼 예정
		제출한 서류 : 운전면허증, 주민등록등본, 예식장 계약서
⑤	최◇◇	신청자 정보 : 만 19세, 2021. 03. 23. 중견기업 입사, 배우자 분리 세대
		제출한 서류 : 주민등록증, 주민등록등본, 재직회사 사업자등록증, 주업종코드 확인서, 고용보험자격이력내역서

15. 다음 중 Q&A 게시판에 올라온 질문에 대한 답변으로 적절하지 않은 것은?

Q&A 게시판
Q. 전세자금 대출 기간 2년이 끝나가서 연장하려고 합니다. 다른 기준은 모두 충족되는데, 현재 중소기업을 퇴사하여 직장을 다니지 않고 있습니다. 연장이 가능할까요?
A. ① 연장이 가능합니다. 다만 연장 시 금리는 중소기업 재직 기준을 충족하지 못하기 때문에 2.3%로 적용됩니다.
Q. 임대인에게 올해 10월 25일에 잔금을 지급하기로 했고, 같은 달 31일에 전입신고를 할 예정입니다. 대출 신청은 언제까지 가능할까요?
A. ② 잔금 지급일과 전입일 중 빠른 날로부터 3개월 이내까지 신청이 가능합니다. 귀하의 경우 잔금 지급일이 더 빠르므로 잔금 지급일 기준으로 계산하시면 됩니다.
Q. 남편과 함께 중소기업에 재직 중인 33살 동갑내기 신혼부부입니다. 자산을 따져보니 남편 1억 9천만 원, 제가 1억 4천만 원인데, 신청이 가능할까요?
A. ③ 작성하신 정보만으로 판단했을 때, 연령과 중소기업 조건은 충족하지만 2022년을 기준으로 자산 요건을 충족하지 못해 신청이 불가합니다.
Q. 가입 기간 동안 납부한 이자 내역을 확인하고 싶습니다. 해당 상품을 2회 연장하여 6년 동안 이용했습니다. 대출 금액은 8,000만 원으로, 가입 내내 조건 변동은 없었습니다. 6년간 납부한 이자는 총 얼마인가요?
A. ④ 귀하께서 납부하신 이자는 총 376만 원입니다.
Q. 현재 만 35살 중소기업 재직자이며, 2년간 현역으로 복무했습니다. 신청이 가능할까요? 가능하다면 연장도 가능할까요?
A. ⑤ 연령과 중소기업 기준 외 다른 기준도 모두 만족하시면 신청이 가능합니다. 예비역으로 체크되어 있는 병적증명서를 추가로 제출하셔서 복무 기간 2년을 인정받으시면 됩니다. 2년 후에도 조건이 충족되면 연장이 가능하나, 상황에 따라 금리가 변할 수 있습니다.

영역 2 수리력

15문항/15분

01. A ~ F 6명의 사원이 원탁에 앉으려 한다. 이때 A와 B가 나란히 앉아야 한다면, 이들이 원탁에 앉을 수 있는 경우의 수는 몇 가지인가?

① 8가지　② 16가지　③ 24가지
④ 36가지　⑤ 48가지

02. 미국 메이저리그 야구 대회의 '포스트시즌'은 두 개의 리그에서의 각 상위 8개 구단이 진행하는 두 개의 토너먼트와 각 토너먼트의 우승팀 간의 최종 결승전인 '월드 시리즈'로 구성되어 있다. 모든 경기를 단판전으로 진행한다면, 포스트시즌의 총 경기 수는 몇 경기인가?

① 9경기　② 11경기　③ 14경기
④ 15경기　⑤ 16경기

03. H 제과회사는 제품 A를 3개 라인에서 동시에 생산하고 있다. 생산 라인의 상황이 다음과 같을 때 이 공장의 하루 생산량에서 불량품이 나올 확률은 얼마인가? (단, 소수점 아래 셋째 자리에서 반올림한다)

- 1번 라인은 하루에 5,000개의 제품을 생산한다.
- 2번 라인은 1번 라인보다 10% 더 많은 제품을 생산하며, 3번 라인은 2번 라인보다 500개 더 적은 제품을 생산한다.
- 하루 생산량의 불량률은 1번 라인 0.8%, 2번 라인 1%, 3번 라인 0.5%이다.

① 0.76%　② 0.77%　③ 0.78%
④ 0.79%　⑤ 0.80%

04. A, B, C가 식목일에 함께 나무를 심기로 했다. A는 20분마다 3그루의 나무를 심고 B는 30분마다 4그루의 나무를, C는 45분마다 5그루의 나무를 심는다면 일정한 시간 동안 A, B, C가 심는 나무 수의 비율은?

① 3 : 4 : 5　② 9 : 8 : 6　③ 27 : 24 : 20
④ 32 : 26 : 22　⑤ 33 : 25 : 22

05. 5%의 소금물에 10%의 소금물을 더하여 7%의 소금물 500g을 만들려고 한다. 10%의 소금물은 몇 g 더해야 하는가?

① 100g　② 150g　③ 200g
④ 260g　⑤ 380g

06. 강 상류에서 출발하여 하류의 지정된 20km 지점까지 강물을 왕복하는 데 7시간이 소요되는 배가 있다. 강물이 3km/h의 속력으로 흐르고 있다면 흐름이 없는 잔잔한 물 위에서 이 배의 속력은 얼마인가? (단, 강물의 저항은 무시한다)

① 5.5km/h　② 6km/h　③ 6.5km/h
④ 7km/h　⑤ 8km/h

07. 어느 장난감 가게에서 어린이들에게 가장 인기가 좋은 A 제품을 3일간 할인하여 판매하기로 하였다. 다음 조건에 따를 때 A 제품의 할인판매 가격은 얼마인가?

- A 제품의 정가는 원가의 10%의 마진을 붙여 책정하였다.
- A 제품의 할인판매 가격은 정가보다 2,000원 저렴하다.
- 할인판매 시 제품을 1개 판매할 때마다 1,000원의 이익을 얻을 수 있다.

① 29,000원　② 30,000원　③ 31,000원
④ 32,000원　⑤ 33,000원

08. 다음은 건설사 A ~ E의 2022년 실적을 비교하여 정리한 표이다. 자료의 내용과 일치하지 않는 것은?

구분	A 건설	B 건설	C 건설	D 건설	E 건설
2022년 누적 매출액	99,066억 원	82,568억 원	122,645억 원	89,520억 원	83,452억 원
전년 동기 대비	+16.34%	−8.71%	−2.6%	−0.53%	−5.7%
2022년 누적 주택매출	54,280억 원	42,889억 원	38,113억 원	56,440억 원	46,792억 원
전년 동기 대비	12.50%	−9.01%	−4.42%	10.75%	4.04%
2022년 누적 영업이익	8,429억 원	6,786억 원	6,772억 원	6,050억 원	5,352억 원
전년 동기 대비	+290.15%	+49.39%	−14.40%	+80.60%	−7.80%

※ 영업이익률(%) = $\frac{\text{영업이익}}{\text{매출액}} \times 100$

① 2022년 누적 매출액 순위는 2021년과 동일하다.
② 2022년 매출액 중 주택매출의 비중이 가장 큰 건설사는 D 건설이다.
③ 전년 대비 매출은 줄었으나 영업이익이 증가한 건설사는 두 곳이다.
④ 2021년 영업이익이 가장 큰 건설사는 C 건설이다.
⑤ 2022년 영업이익률이 가장 큰 건설사는 A 건설이다.

09. 다음은 △△백화점의 상품군별 매출액 비중을 나타낸 자료이다. 20X0년과 20X1년의 매출액이 각각 77억 원, 94억 원이었을 때, 자료에 대한 설명으로 옳은 것은?

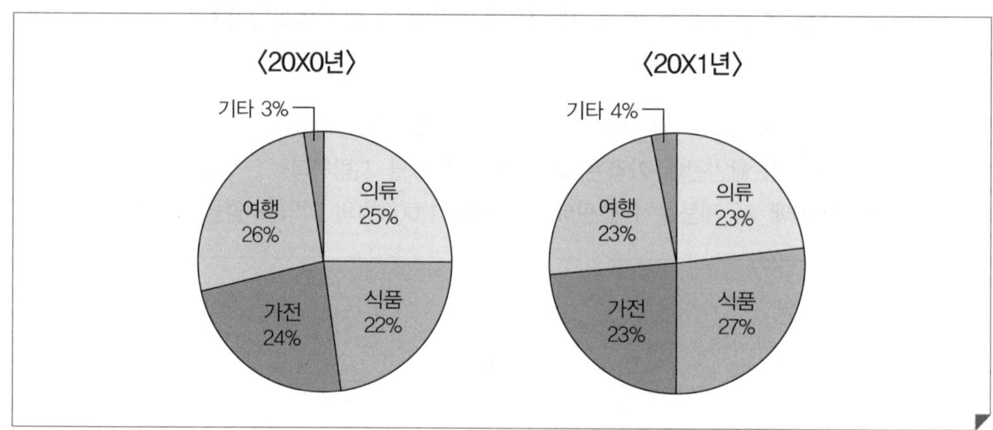

① 20X0년과 20X1년 기타군의 매출액 차이는 가전의 매출액 차이와 같다.
② 여행과 의류 매출액의 합은 20X0년이 20X1년에 비해 크다.
③ 20X0년과 20X1년 가전의 매출액 차이는 약 2억 원이다.
④ 20X1년 매출액이 20X0년과 비교해서 세 번째로 크게 변화한 것은 여행이다.
⑤ 20X0년 대비 20X1년 매출액 비중의 변화폭이 가장 큰 것은 식품군이다.

10. 다음 신혼부부의 자녀 보육형태 현황 도표를 통해 알 수 있는 사실이 아닌 것은?

(단위 : 명, %)

연도 \ 보육형태		합계	가정양육	어린이집	유치원	아이돌봄(종일제)	혼합				기타(미상 등)
							소계	가정양육+돌봄	어린이집+돌봄	유치원+돌봄	
2021년 (구성비)		956,623 (100.0)	483,168 (50.5)	388,388 (40.6)	28,002 (2.9)	1,208 (0.1)	30,595 (3.2)	13,056 (1.4)	16,499 (1.7)	1,040 (0.1)	25,262 (2.6)
2022년 (구성비)		917,883 (100.0)	458,208 (49.9)	393,205 (42.8)	28,767 (3.1)	1,147 (0.1)	23,617 (2.6)	8,485 (0.9)	14,221 (1.5)	911 (0.1)	12,939 (1.4)
전년 대비	증감	-38,740	-24,960	4,817	765	-61	-6,978	-4,571	-2,278	-129	-12,323
	증감률	-4.0	-5.2	1.2	2.7	-5.0	-22.8	-35.0	-13.8	-12.4	-48.8
	비중차(%p)	0.0	-0.6	2.2	0.2	0.0	-0.6	-0.4	-0.2	0.0	-1.2

① 혼합형 보육형태는 2021년 대비 2022년에 모든 유형에 있어 그 수가 감소하였다.
② 2021년과 2022년의 전체 혼합형 보육형태 중 '유치원+돌봄'의 비중은 동일하다.
③ 2021년 대비 2022년의 인원수 차이는 기타 항목을 제외하고 가정양육이 가장 크다.
④ 2021년 '가정양육+돌봄'과 아이 돌봄의 차이는 2021년 전체의 약 1.2%를 차지한다.
⑤ 전년 대비 2022년의 어린이집 비중차는 가장 크나, 전년 대비 증가율은 유치원보다 작다.

11. 다음 유료방송서비스 가입자에 관한 표에 대한 설명으로 옳은 것은?

(단위 : 명)

구분				2019년	2020년	2021년
유료방송서비스 전체				19,419,782	22,062,740	22,294,159
유선방송	종합유선방송	디지털 방송	유료시청	1,901,770	2,662,677	2,853,398
			무료시청	10,981	12,386	12,400
		아날로그 방송	유료시청	12,900,924	12,093,121	11,894,754
			무료시청	199,552	285,671	277,092
		총계		15,013,227	15,053,855	15,037,644
	중계유선방송			216,573	176,106	184,178
	총계			15,229,800	15,229,961	15,221,822
일반위성방송				2,338,378	2,457,408	2,486,922
위성DMB				1,851,604	2,001,460	2,007,293
IPTV	실시간 IPTV			–	1,741,455	1,963,784
	Pre IPTV(VOD)			–	632,456	614,338
	총계			–	2,373,911	2,578,122

※ 유료방송서비스 중 둘 이상의 유료방송에 가입한 중복 가입자를 제외하지 않고 단순 합산함.

① 2021년도 IPTV의 가입자 수는 전년 대비 약 10% 이상 증가하였다.

② 아날로그방송의 유 · 무료시청 가입자 수 모두 지속적으로 감소하고 있다.

③ 2019년 유선방송에서 중계유선방송이 차지하는 비율은 1.5%가 채 되지 않는다.

④ 2019 ~ 2021년간 유료방송 전체 가입자 수의 평균은 약 2천 2백만 명이다.

⑤ 아날로그 방송의 유료시청 가입자 수가 해마다 감소하는 원인은 디지털 방송의 유료시청 가입자 수 증가에서 찾을 수 있다.

12. 다음 자료에 대한 설명으로 적절하지 않은 것은?

〈우리나라 1인당 온실가스 배출원별 배출량〉

(단위 : 100만 톤 CO_2eq, 톤 CO_2eq/10억 원, 톤 CO_2eq/명)

구분		1995년	2000년	2005년	2010년	2015년	2020년
온실가스 총배출량		292.9	437.3	500.9	558.8	656.2	690.2
	에너지	241.4	354.2	410.6	466.6	564.9	601.0
	산업공장	19.8	44.1	49.9	54.7	54.0	52.2
	농업	21.3	23.2	21.6	20.8	22.2	20.6
	폐기물	10.4	15.8	18.8	16.7	15.1	16.4
GDP 대비 온실가스 배출량		698.2	695.7	610.2	540.3	518.6	470.6
1인당 온실가스 배출량		6.8	9.2	10.7	11.6	13.2	13.5

① 온실가스 배출원 중 주된 배출원은 에너지 부문이다.

② 2020년 1인당 온실가스 배출량은 1995년에 비해 약 2배 증가하였다.

③ 2005년 온실가스 총배출량 중 에너지 부문을 제외한 나머지 부문이 차지하는 비율은 16%이다.

④ 온실가스 총배출량은 계속해서 증가하고, 2020년 온실가스 총배출량은 1995년 대비 2배 이상 증가하였다.

⑤ GDP 대비 온실가스 배출량이 감소한 것은 온실가스 배출량의 증가 속도보다 GDP 증가 속도가 상대적으로 더 빨랐기 때문이다.

13. 다음 자료에 대한 설명으로 옳지 않은 것은?

〈S사 연구기관 직종별 인력 현황〉

구분 \ 연도			20X5	20X6	20X7	20X8	20X9
정원(명)		연구 인력	80	80	85	90	95
		지원 인력	15	15	18	20	25
		계	95	95	103	110	120
현원(명)		연구 인력	79	79	77	75	72
		지원 인력	12	14	17	21	25
		계	91	93	94	96	97
	박사학위 소지자(명)	연구 인력	52	53	51	52	55
		지원 인력	3	3	3	3	3
		계	55	56	54	55	58
	평균 연령 (세)	연구 인력	42.1	43.1	41.2	42.2	39.8
		지원 인력	43.8	45.1	46.1	47.1	45.5
	평균 연봉 지급액(만 원)	연구 인력	4,705	5,120	4,998	5,212	5,430
		지원 인력	4,954	5,045	4,725	4,615	4,540

※ 충원율(%) = $\frac{\text{현원}}{\text{정원}} \times 100$

① 지원 인력의 충원율이 100%를 초과하는 해가 있다.

② 연구 인력과 지원 인력의 평균 연령 차이는 전년 대비 계속해서 커지고 있다.

③ 지원 인력 가운데 박사학위 소지자의 비율은 매년 줄어들고 있다.

④ 20X6년 이후로 지원 인력의 평균 연봉 지급액이 연구 인력을 앞지른 해는 없다.

⑤ 20X5년 대비 20X9년의 정원 증가율은 26%를 초과한다.

14. 다음 자료에 대한 설명으로 옳은 것은?

〈한국, 중국, 일본의 배타적 경제수역(EEZ) 내 조업현황〉

(단위 : 척, 일, 톤)

해역	어선 국적	구분	2021년 12월	2022년 11월	2022년 12월
한국 EEZ	일본	입어척수	30	70	57
		조업일수	166	1,061	277
		어획량	338	2,176	1,177
	중국	입어척수	1,556	1,468	1,536
		조업일수	27,070	28,454	27,946
		어획량	18,911	9,445	21,230
중국 EEZ	한국	입어척수	68	58	62
		조업일수	1,211	789	1,122
		어획량	463	64	401
일본 EEZ	한국	입어척수	335	242	368
		조업일수	3,992	1,340	3,236
		어획량	5,949	500	8,233

① 2022년 12월 중국 EEZ 내 한국어선 조업일수는 전월 대비 감소하였다.

② 2022년 11월 한국어선의 일본 EEZ 입어척수는 전년 동월 대비 감소하였다.

③ 2022년 12월 일본 EEZ 내 한국어선의 조업일수는 같은 기간 중국 EEZ 내 한국어선 조업일수의 3배 이상이다.

④ 2022년 12월 일본어선의 한국 EEZ 내 입어척수당 조업일수는 전년 동월 대비 증가하였다.

⑤ 2022년 11월 일본어선과 중국어선의 한국 EEZ 내 어획량 합은 같은 기간 중국 EEZ와 일본 EEZ 내 한국어선 어획량 합의 20배 이상이다.

15. 다음 자료에 대한 분석 중 ㉠에 들어갈 수치로 옳은 것은? (단, 소수점 아래 둘째 자리에서 반올림한다)

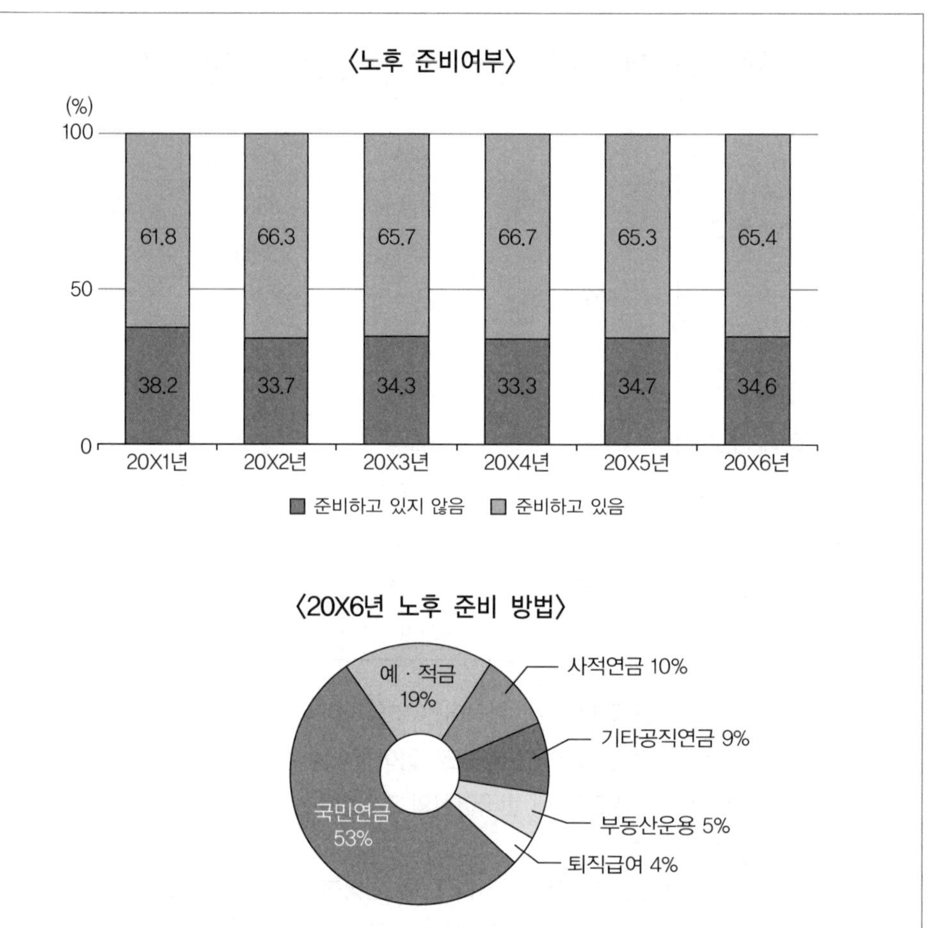

20X6년 조사에서 노후를 준비하고 있다고 대답한 사람의 비중은 20X1년보다 3.6%p 증가했다. 20X6년 노후를 준비하는 사람들에게 노후 준비 방법에 대해 질문하였다. 국민연금으로 노후 준비를 하는 인원이 가장 많았으며, 이는 전체 조사대상자 중 약 (㉠)에 해당한다.

① 6.3%
② 9.8%
③ 22.9%
④ 34.7%
⑤ 53.5%

영역 3 분석력

15문항/15분

01. 다음 결론이 참이 될 때, 빈칸에 들어갈 전제로 적절한 것은?

> [전제] 은둔 생활을 지속하면 이웃과 사이가 나빠진다.
> 질투하는 마음이 많으면 정서가 불안하다.
> ______________________________
> [결론] 질투하는 마음이 많으면 이웃과 사이가 나빠진다.

① 정서가 불안하면 은둔 생활을 지속하지 않는다.
② 이웃과 사이가 좋아지면 은둔 생활을 지속한다.
③ 정서가 불안하면 이웃과 사이가 나빠지지 않는다.
④ 은둔 생활을 지속하지 않으면 정서가 불안하지 않다.
⑤ 질투하는 마음이 많으면 은둔 생활을 지속하지 않는다.

02. A ~ E는 각각 독일어, 스페인어, 일본어, 중국어 중 1개 이상의 언어를 구사할 수 있다. 다음 진술들을 토대로 E가 구사할 수 있는 언어를 모두 고른 것은?

> A : 내가 구사할 수 있는 언어는 C와 겹치지 않아.
> B : 나는 D가 구사할 수 있는 언어와 독일어를 제외한 언어를 구사할 수 있어.
> C : 나는 스페인어를 제외하고 나머지 언어를 구사할 수 있어.
> D : 3개 언어를 구사할 수 있는 C와 달리 내가 구사할 수 있는 언어는 A와 동일해.
> E : 나는 B와 C를 비교했을 때, C만 구사할 수 있는 언어만 구사할 수 있어.

① 독일어
② 스페인어
③ 독일어, 스페인어
④ 일본어, 중국어
⑤ 독일어, 일본어, 중국어

03. 갑 ~ 정 4명 중 2명은 학생, 2명은 회사원이다. 4명은 〈보기〉와 같이 말했으며, 회사원 2명은 모두 거짓말을 하고 학생 2명은 모두 사실을 말하고 있다. 다음 중 진실을 말하는 학생 2명은 누구인가?

| 보기 |

- 갑 : 저와 정은 학생입니다.
- 을 : 저는 회사를 다니지 않습니다.
- 병 : 갑은 회사를 다니지 않습니다.
- 정 : 병은 회사를 다닙니다.

① 갑, 을　　② 갑, 병　　③ 갑, 정
④ 을, 정　　⑤ 병, 정

04. 다음 명제가 모두 참이라고 할 때, 〈결론〉에 대한 설명으로 옳은 것은?

- 장갑을 낀 사람은 운동화를 신지 않는다.
- 양말을 신은 사람은 운동화를 신는다.
- 운동화를 신은 사람은 모자를 쓴다.
- 장갑을 끼지 않은 사람은 목도리를 하지 않는다.
- 수민이는 목도리를 하고 있다.

| 결론 |

(가) 장갑을 낀 사람은 양말을 신지 않는다.
(나) 수민이는 운동화를 신고 있다.
(다) 양말을 신은 사람은 목도리를 하지 않는다.

① (가)만 항상 옳다.　　② (나)만 항상 옳다.
③ (다)만 항상 옳다.　　④ (나), (다)는 항상 옳다.
⑤ (가), (다)는 항상 옳다.

05. 다음 명제가 모두 성립할 때, 반드시 참인 것은?

- 지금 출전하는 선수는 공격수이다.
- 유효슈팅이 많은 선수는 골을 많이 넣는다.
- 공격수는 골을 많이 넣는다.

① 지금 출전하는 선수는 골을 많이 넣는 선수이다.
② 공격수가 아니면 골을 많이 넣지 않는 선수이다.
③ 골을 많이 넣는 선수는 유효슈팅이 많은 선수이다.
④ 유효슈팅이 많지 않으면 지금 출전하는 선수이다.
⑤ 지금 출전하지 않는 선수는 골을 많이 넣지 않는다.

06. A, B, C, D, E, F 여섯 사람은 공동명의로 8층짜리 건물을 매입하여 각자 한 층씩 사용하고 있다. 사용하는 층에 대한 정보가 〈조건〉과 같을 때, 항상 옳은 것은?

| 조건 |

㉠ A와 E가 사용하는 층 사이에 B가 사용하는 층이 있다.
㉡ D는 A보다 높은 층을 사용하고, C는 5층을 사용한다.
㉢ A가 사용하는 층의 아래층 또는 위층은 누구도 사용하지 않는다.
㉣ F가 사용하는 층은 C가 사용하는 층보다 낮고, 2층은 E가 사용한다.
㉤ 3층과 4층 중 하나는 아무도 사용하지 않는다.

① A는 6층을 사용한다.
② B가 사용하는 층은 3층이다.
③ F는 E보다 높은 층을 사용한다.
④ D가 사용하는 층은 8층이다.
⑤ 4층을 사용하는 사람은 없다.

07. A ~ E 다섯 사원은 이번 주 평일에 당직 근무를 선다. 하루에 두 명씩 당직을 서고 근무 배정은 다음과 같을 때, 반드시 참인 것은? (단, 다섯 명 모두 당직을 서는 횟수는 동일하다)

- E는 금요일 당직을 선다.
- 수요일은 A와 C가 함께 당직을 선다.
- D는 수요일 이후로 당직 근무를 서지 않는다.
- A와 E는 이번 주에 한 번씩 D와 함께 당직을 선다.

① A는 두 번 연이어 당직을 선다.
② B는 화요일과 목요일에 당직을 선다.
③ E는 월요일과 금요일에 당직을 선다.
④ 목요일에는 B와 C가 함께 당직을 선다.
⑤ 이번 주에 B와 E는 함께 당직을 서지 않는다.

08. 다음 명제가 모두 참일 때, '외향적인 성격인 사람은 외국어를 쉽게 배운다'가 성립하기 위해서 필요한 명제는? (단, 말하는 것을 좋아하거나 싫어하는 경우만 고려한다)

- 성격이 외향적이지 않은 사람은 사람을 사귀는 것이 어렵다.
- 외국어를 쉽게 배우지 못하는 사람은 말하는 것을 싫어한다.
- ______________________________

① 내향적인 성격인 사람은 말하는 것을 싫어한다.
② 내향적인 성격인 사람은 외국어를 쉽게 배우지 못한다.
③ 외향적인 성격인 사람은 말하는 것을 좋아한다.
④ 외향적인 성격인 사람은 사람을 사귀는 것이 쉽다.
⑤ 외국어를 쉽게 배우는 사람은 말하는 것을 좋아한다.

09. A와 B는 계단 오르기 게임을 했다. 다음 〈정보〉를 토대로 할 때, 〈보기〉에서 항상 옳은 것을 모두 고르면?

| 정보 |

- A와 B는 10번째 계단에서 가위바위보 게임을 시작했다.
- 가위바위보를 하여 이기는 사람은 3계단을 오르고, 진 사람은 1계단을 내려가기로 하였다.
- A와 B는 가위바위보를 10번 하였고, 비긴 경우는 없었다.

| 보기 |

가. A가 가위바위보에서 3번 졌다면 B보다 16계단 위에 있을 것이다.
나. B가 가위바위보에서 6번 이겼다면 A보다 8계단 위에 있을 것이다.
다. B가 가위바위보에서 10번 모두 이겼다면 30번째 계단에 올라가 있을 것이다.

① 가 ② 나 ③ 다
④ 가, 나 ⑤ 나, 다

10. 송 차장, 김 과장, 이 대리, 정 사원이 각각 서로 다른 색상의 우산(노란색, 빨간색, 파란색, 검은색)을 쓰고 횡단보도를 사이에 두고 마주 보거나 나란히 서 있다. 서 있는 위치와 쓰고 있는 우산의 〈조건〉이 다음과 같을 때, 사실인 것은?

| 조건 |

- 김 과장은 노란색 우산을 쓰고 있다.
- 이 대리는 맞은편에 노란색과 검은색 우산을 쓴 직원이 나란히 보인다.
- 정 사원은 맞은편에 빨간색 우산을 쓴 직원만 보인다.
- 이 대리가 볼 때 송 차장은 검은색 우산을 쓴 직원의 왼편에 있다.

① 이 대리는 검은색 우산을 쓰고 있다.
② 김 과장과 정 사원은 나란히 서 있다.
③ 송 차장은 김 과장과 마주 보고 서 있다.
④ 정 사원은 빨간색 우산을 쓰고 있다.
⑤ 이 대리와 정 사원은 나란히 서 있다.

[11 ~ 12] 다음 금융상품 안내 자료를 보고 이어지는 질문에 답하시오.

〈○○정기예금(개인)〉

<table>
<tr><td>상품특징</td><td>가입자가 이율, 이자지급, 만기일 등을 직접 설계하여 저축할 수 있는 다기능 맞춤식 정기예금입니다.
※ 직장인우대종합통장, 명품여성종합통장 가입자가 인터넷뱅킹을 통하여 신규 가입 시 연 0.3%p 우대</td></tr>
<tr><td>가입대상</td><td>제한 없음(단, 무기명으로는 가입하실 수 없습니다).</td></tr>
<tr><td>계약기간</td><td>고정금리형 : 1 ~ 12개월 이내에서 월 또는 일 단위(인터넷뱅킹 신규는 월 단위만 가능)</td></tr>
<tr><td>적립방법 및 저축금액</td><td>- 신규 시 최저 100만 원 이상 원 단위로 예치
- 건별 10만 원 이상 원 단위로 추가입금 가능(신규 포함 30회까지 가능)</td></tr>
<tr><td>세금</td><td>비과세종합저축으로 가입 가능
※ 단, 관련 세법 개정 시 세율이 변경되거나 세금이 부과될 수 있음.
※ 계약기간 만료일 이후의 이자는 과세됨.</td></tr>
<tr><td>분할인출</td><td>- 대상계좌 : 가입일로부터 1개월 이상 경과된 고정금리형 계좌(단위기간금리연동형 불가)
- 분할인출횟수 : 계좌별 3회(해지 포함) 이내에서 총 15회 한도
- 적용이율 : 가입당시 예치기간별 고정금리형 ○○정기예금 기본이율
- 인출금액 : 제한 없음. 단, 분할인출 후 계좌별 잔액 100만 원 이상 유지</td></tr>
<tr><td>이율</td><td>- 기본이율 3.8%
- 중도해지 시 이율
<table><tr><th>예치기간</th><th>이율(연 %)</th></tr><tr><td>1개월 미만</td><td>0.1</td></tr><tr><td>1 ~ 3개월 미만</td><td>기본이율×50%×경과월수÷계약월수(최저 0.3)</td></tr><tr><td>3개월 이상</td><td>기본이율×50%×경과월수÷계약월수(최저 0.5)</td></tr></table></td></tr>
</table>

11. 다음 중 위 예금 상품에 대한 설명으로 바르지 않은 것은?

① 인터넷뱅킹을 통하여 신규 가입 시 누구나 우대금리를 적용받는 것은 아니다.
② 30회 분할적립을 할 경우, 최소 추가 가능 금액의 합은 최초 100만 원의 예치금을 제외하고 290만 원이다.
③ 7개의 계좌를 가지고 있을 경우, 해지를 포함하여 매 계좌당 3회 분할인출이 가능하다.
④ 분할인출은 횟수와 시기, 잔여금액에 제한 사항이 있다.
⑤ 비과세로 가입해도 경우에 따라 과세될 수 있다.

12. 1월 10일 계약기간 12개월로 위의 상품에 가입하여 같은 해 11월 11일에 중도해지를 하였을 때 적용되는 중도해지 이율은 얼마인가? (단, 소수점 아래 셋째 자리에서 반올림한다)

① 1.35% ② 1.45% ③ 1.52%
④ 1.58% ⑤ 1.67%

[13 ~ 15] 다음 자료를 보고 이어지는 질문에 답하시오.

본사 직원 P는 물류창고와 가맹점의 물류 흐름 관리 업무를 수행하고 있다.

〈각 가맹점과 물류창고의 위치 및 장소 간 이동시간〉

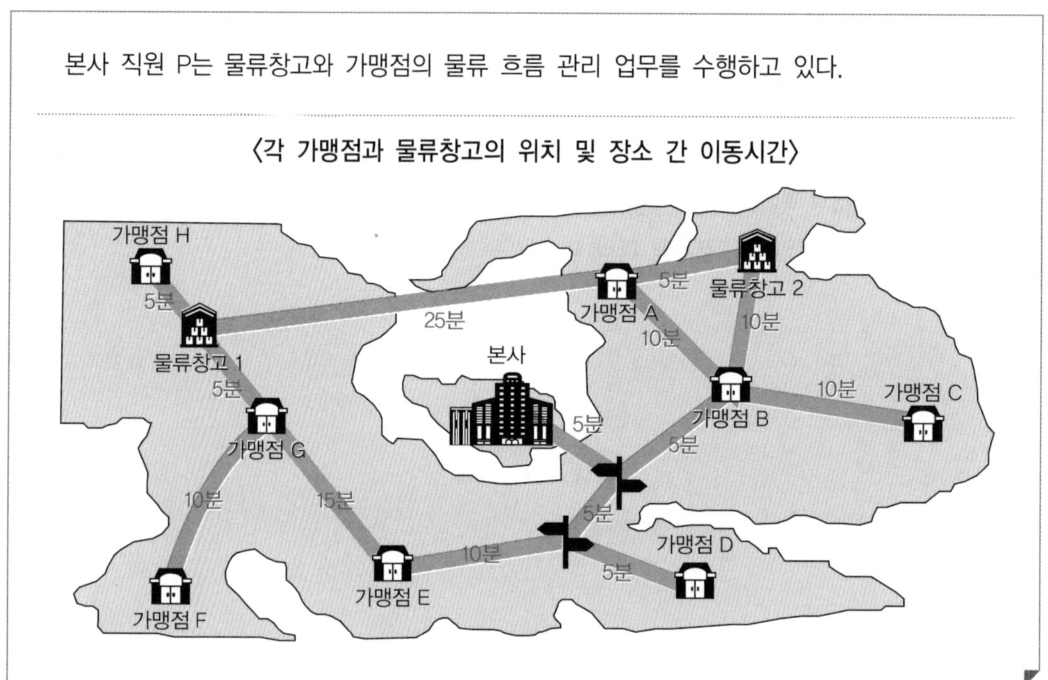

13. 다음 중 직원 P가 본사에서 물류창고 1과 2 순으로 시찰하고 본사로 복귀하는 데 걸리는 최소 이동시간은? (단, 시찰로 소요되는 시간은 고려하지 않는다)

① 1시간 20분 ② 1시간 25분 ③ 1시간 30분

④ 1시간 35분 ⑤ 1시간 40분

14. 본사는 가맹점을 두 물류창고 중 이동시간이 더 짧은 곳과 연결하여 운영하고 있다. 다음 중 물류창고 1, 2와 연결된 각 가맹점 개수를 바르게 짝지은 것은?

	물류창고 1	물류창고 2
①	2개	6개
②	3개	5개
③	4개	4개
④	5개	3개
⑤	6개	2개

15. 직원 P는 시제품을 모든 가맹점과 물류창고에 지급하기 위해 오전 9시에 본사에서 출발하여 모든 가맹점과 물류창고에 방문하고 다시 본사로 복귀하려 한다. 다음 중 직원 P가 가장 빠르게 본사에 도착하는 시각은? (단, 이동 외의 소요시간은 고려하지 않는다)

① 11시 15분　② 11시 30분　③ 11시 45분
④ 12시 00분　⑤ 12시 15분

영역 4 지각력

15문항/15분

[01 ~ 05] 다음의 문자 · 기호 · 숫자군 중에서 왼쪽에 제시된 문자, 기호, 숫자의 개수를 고르시오.

01.

멶

맙 뭄 맽 맥 멤 몀 뭅 맞 몝 뮾 몊 멤 먑 먼 멸 망 맵 몹 밉 멶
멭 맵 밈 맨 맢 믑 몡 몝 멶 멉 맥 멒 멎 몇 먼 멑 맵 맾 몉 먭
멶 멱 멕 몰 몊 몇 멱 맵 맾 멑 뮬 맙 믐 먹 멶 멸 맬 멀 맹 맾

① 3개 ② 4개 ③ 5개
④ 6개 ⑤ 7개

02.

Ⅸ

Ⅱ Ⅵ Ⅺ Ⅸ Ⅶ Ⅲ Ⅵ Ⅻ Ⅹ Ⅶ Ⅳ Ⅰ Ⅶ Ⅴ Ⅲ Ⅱ Ⅴ Ⅺ Ⅵ Ⅲ
Ⅸ Ⅶ Ⅴ Ⅵ Ⅲ Ⅰ Ⅺ Ⅸ Ⅻ Ⅵ Ⅲ Ⅴ Ⅷ Ⅺ Ⅱ Ⅻ Ⅹ Ⅲ Ⅳ Ⅸ
Ⅶ Ⅻ Ⅶ Ⅱ Ⅷ Ⅹ Ⅵ Ⅶ Ⅳ Ⅸ Ⅴ Ⅷ Ⅶ Ⅲ Ⅹ Ⅰ Ⅸ Ⅺ Ⅳ Ⅻ

① 2개 ② 3개 ③ 4개
④ 5개 ⑤ 6개

03.

♤

♤◐◉△☆◎♧▷◁♡◎★♣▨▦▩▤※◎◇♥▣♧♤▦◐◈□≒▤◐▣
∀▩∈∽
♣▨▲※▦Σ£△♤◆◉∋Å∬~◁℉¢¿◑♨¢Σ☎∵◇▽≡⇔○℉‰▩
♨♠¥§

① 2개 ② 3개 ③ 4개
④ 5개 ⑤ 6개

04.

KF

FKFPGKDHMFBGMRI WJHSHVJDTP
POEJFFKFDLSITUVNDFKDMVNPK
DKJFJROTYQXZMNBLFOGJDOTWO

① 1개 ② 2개 ③ 3개
④ 4개 ⑤ 5개

05.

하라

파차	타자	아가	사하	바자	나바	카라	하라	사아	가파	차다
자아	나가	사하	파아	나나	가자	카나	바라	아아	차나	아가
사차	자아	바나	가나	라하	파차	타아	가다	나타	하라	바나

① 1개 ② 2개 ③ 3개
④ 4개 ⑤ 5개

[06 ~ 10] 다음 제시된 문자 · 기호 · 숫자군 중에서 찾을 수 없는 문자, 기호, 숫자를 고르시오.

06.

545	258	844	169	847	561	432	184	864	730
158	132	564	583	454	235	655	445	256	397
542	341	889	478	468	897	899	156	651	138
498	784	184	279	920	384	713	398	520	473

① 478　② 398　③ 781
④ 156　⑤ 655

07.

⠄ ⠕ ⠠ ⡚ ⠸ ⠵ ⡅ ⡃ ⠖ ⠻ ⠶
⡪ ⡦ ⡄ ⡂ ⠧ ⠺ ⠵ ⡘ ⢃ ⠲ ⡖
⢁ ⢨ ⡳ ⠥ ⠐ ⠀ ⠼ ⡙ ⡖ ⠴ ⡖

① ⠕　② ⡃　③ ⠐
④ ⠲　⑤ ⣾

08.

╡ ╢ ╖ ╕ ╣ ║ ╨ ╤ ╥ ╙ ╘ ╒ ╓ ╫
║ ╝ ╜ ╛ ╞ ╟ ╝ ╜ ╛ ╞ ╟ ╚ ╔ ╘
╒ ╓ ╫ ╠ ═ ╬ ╧ ╚ ╔ ╠ ═ ╬ ╡ ╢
╖ ╕ ╣ ╧ ╨ ╤ ╥ ╙ ╞ ╟ ╝ ╣ ║ ╨

① ╢　② ╘　③ ╠
④ ╪　⑤ ╙

09.

伽	儺	多	喇	摩	乍	亞	仔	且	他	坡	下
佳	娜	茶	懶	瑪	事	俄	刺	侘	咤	婆	何
假	懦	癩	痲	些	兒	咨	借	唾	巴	厦	亞
仔	且	他	瑪	事	俄	娜	茶	懶	瑪	些	兒

① 伽　② 侘　③ 假
④ 價　⑤ 咨

10.

gho	xuh	vie	zim	oer	znb	ydv	nbd	ons	etr	bhz	oey	iyq
hbu	mxe	gfz	eht	vcx	jfs	edp	guy	sgf	mte	uwo	wgf	ryv
cjs	wru	bmn	fuh	bzo	ytg	plw	gie	one	tbq	pbg	acu	ghf
auf	egl	rwi	uds	lkf	blk	dhr	wqa	eoi	hrl	uga	ski	rhe

① oms　② wqa　③ mte
④ zim　⑤ fuh

11. 다음 중 오탈자는 몇 개인가?

국제사법재판소(International Court of Justice)는 국가에만 소송당사자의 지위를 인정하고 있다. 따라서 투자자의 본국이 정치적인 이유에서 투자유치국을 상대로 국제사법재판소에 소를 제기하지 않는다면 투자자의 권리가 구재되지 못하게 된다. 이러한 문제를 해결하기 위해 '국가와 타방국가 국민 간의 투자분쟁의 해결에 관한 협약'(이하 '1965년 협약')에 따라 투자유치국의 법원보다 공정하고 중립적이며 사건을 신속하게 해결하기 위한 중재기관으로 국제투자분쟁해결센터(ICSID : International Centre for Settlement of Investment Disputes)가 설립되었다. ICSID는 투자자와 투자유치국 사이의 투자분쟁 중재절차 진행을 위한 시설을 제공하고 중재절차 규칙을 두고 있다. ICSID의 소재지는 미국의 워싱턴 D.C.이다.

한편 투자유치국이 '1965년 협약'에 가입했다고 해서 투자자가 곧바로 그 국가를 상대로 ICSID 중재를 신청할 수는 없다. 투자자와 투자유치국이 ICSID 중재를 통해 투자 분쟁을 해결한다고 합이를 했을 때 ICSID 중재가 개시될 수 있다. 이처럼 분쟁당사자들이 ICSID에서 중재하기로 합의한 경우에는 원칙적으로 당사자들은 자국법원에 제소할 수 없다. 다만 당사자들이 ICSID 중재나 법원에의 제소 중 하나를 선택할 수 있다고 합의한 때에는 당사자는 후자를 선택하여 자국법원에 제소할 수 있다. 그리고 ICSID 중재에 관해 일단 당사자들이 동의하면, 당사자들은 해당 동의를 일방적으로 철회할 수 없다. 따라서 투자유치국이 자국법율을 통해 사전에 체결한 중재합의를 철회하는 것은 무효이다.

ICSID 중재판정부는 단독 또는 홀수의 중재인으로 구성되며, 그 수는 당사자들이 합의한다. 당사자들이 중재인의 수에 관해 합의하지 않으면 3인의 중재인으로 구성된다. 당사자들 사이에 중재지에 관한 별도의 합의가 없으면 ICSID 소재지에서 중재절차가 진행된다. 중재판정부가 내린 중재판정은 당사자들에 대해서 구속력과 집행력을 가지며, 이로서 당사자들 사이의 투자분쟁은 최종적으로 해결된다.

① 없음
② 2개
③ 3개
④ 4개
⑤ 5개

12. 다음 글에서 숫자 '20'이 몇 회 나오는지 고르면?

다양한 세대론을 규정짓는 신조어는 대부분 언론에 의해 만들어졌다. 신조어가 언론에서 지속적으로 생겨나는 이유에 대해 문화평론가인 경희대학교 영미문화전공 이택광 교수는 20대를 상대화함으로써 기성세대가 자기 세대의 정체성을 더욱 선명하게 부각시킬 수 있기 때문이라고 주장했다. 이어서 '우리 때는 이러지 않았다'는 식으로 발화함으로써 도덕적 우위를 점할 수 있는 이점이 있기 때문이라고 말했다. 또한 20대를 특징짓는 시도를 '20대에 대한 이데올로기적 포섭 전략'으로 보고 자신의 규정에 해당되지 못하는 20대를 정상적 범주가 아닌 것으로 생각하게 만드는 역할을 하기도 한다고 밝혔다.

20대 세대론이 지속되는 이유를 '언론의 정치적 필요'로 보는 시각도 있다. 즉, 언론사의 세대론이 20대에 대해 자기들끼리 갑론을박한 다음 마지못해 그들의 가치관을 들어주는 척하는 것과 비슷하다는 것이다. 다른 관점으로는 세태를 규정하는 일을 맡아야 하는 것이 언론의 숙명이라고 보는 견해도 있다. 즉, 언론에서는 새로운 세대의 모습을 짚어내려는 노력이 필요하다는 것이다.

① 4회 ② 5회 ③ 6회
④ 7회 ⑤ 8회

13. 알파벳 배열을 숫자 배열로 바꾸는 암호화 규칙이 있다. 이 규칙을 적용하면 [K−O−R−E−A]는 [11−15−18−5−1]이 된다. 같은 규칙을 [S−E−O−U−L]에 적용했을 때 나타나는 숫자는?

① [19−5−15−21−12] ② [19−14−1−20−4]
③ [24−13−9−5−16] ④ [20−2−23−11−4]
⑤ [1−15−20−17−3]

[14 ~ 15] 다음 내용을 보고 이어지는 질문에 답하시오.

	권장 규칙	회피 규칙
문자구성 및 길이	• 3가지 종류 이상의 문자구성으로 8자리 이상의 길이로 구성된 패스워드 • 2가지 종류 이상의 문자구성으로 10자리 이상의 길이로 구성된 패스워드 ※ 문자 종류는 알파벳 대문자와 소문자, 특수기호, 숫자의 4가지	• 2가지 종류 이하의 문자구성으로 8자리 이하의 길이로 구성된 패스워드 • 문자구성과 관계없이 7자리 이하 길이로 구성된 패스워드 ※ 문자 종류는 알파벳 대문자와 소문자, 특수기호, 숫자의 4가지
패턴조건	• 한글, 영어 등의 사전적 단어를 포함하지 않은 패스워드 • 널리 알려진 단어를 포함하지 않거나 예측이 어렵도록 가공한 패스워드 ※ 널리 알려진 단어인 컴퓨터 용어, 기업 등의 특정 명칭을 가공하여 사용하는 경우 ※ 속어, 방언, 은어 등을 포함한 경우 • 사용자 ID와 연관성이 있는 단어구성을 포함하지 않은 패스워드 • 제3자가 쉽게 알 수 있는 개인정보를 포함하지 않은 패스워드 ※ 개인정보는 가족, 생일, 주소, 휴대전화 번호 등을 포함	• 키보드상에서 연속한 위치에 있는 문자로 구성된 패스워드 • 한글, 영어 등을 포함한 사전적인 단어로 구성된 패스워드 ※ 스펠링을 거꾸로 구성한 패스워드도 포함 ※ 한글 단어를 영어 모드에서 타이핑한 패스워드도 포함(반대의 경우도 동일) • 널리 알려진 단어로 구성된 패스워드 ※ 컴퓨터 용어, 사이트, 기업 등의 특정 명칭으로 구성된 패스워드도 포함 • 사용자 ID를 이용한 패스워드 ※ 사용자 ID 혹은 사용자 ID를 거꾸로 구성한 패스워드도 포함 • 제3자가 쉽게 알 수 있는 개인정보를 바탕으로 구성된 패스워드 ※ 가족, 생일, 주소, 휴대전화 번호 등을 포함하는 패스워드

※ 악성 프로그램이나 해킹 프로그램으로 패스워드가 노출될 경우를 대비하기 위해 네트워크를 통해 패스워드를 전송할 때에는 반드시 패스워드를 암호화하거나 암호화된 통신 채널을 이용하도록 한다.

14. 다음 중 제시된 안내문에 따라 만든 가장 적절한 패스워드는?

① 12345!@#$%　　② Pass_Word789　　③ Cgm&eK5@

④ rebmun_2863　　⑤ dF!$2@

15. 다음 중 제시된 안내문에 따라 만든 가장 적절한 패스워드는?

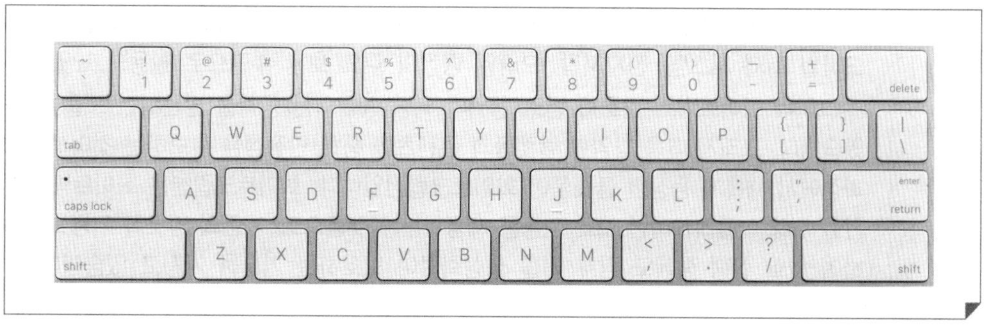

① bo3$&K　　② S37qnd?sx@4@　　③ @ytisrevinu!

④ 77ncs—cookie8　　⑤ Qwerty!@#$%^

전국수협 4회

기출유형문제

문항수 | 60문항
시험시간 | 60분

▸정답과 해설 41쪽

영역 1 언어력

15문항/15분

01. 다음은 ○○기업에서 진행된 IT 강의 내용이다. 강의를 들은 청중의 반응으로 적절하지 않은 것은?

> 블랙박스 암호란 물리적인 하드웨어로 만들어진 암호화 장치를 기반으로 작동되는 암호 기술을 말합니다. 하드웨어로 구성된 암호화 장치가 외부의 공격으로부터 보호받을 수 있다는 가정하에 암호 키를 암호 장치 내부에 두고 보안하도록 설계하는 방식입니다. 언뜻 보면 완벽한 보안 장치로 보이지만 공격자에게 그 내부가 공개되는 순간 암호와 키가 모두 유출될 위험이 있습니다.
>
> 화이트박스 암호는 이런 블랙박스 암호의 한계를 보완하기 위해 등장한 기술로 암호화 기술에 소프트웨어 개념을 도입하여 암호 알고리즘의 중간 연산 값 및 암호 키를 안전하게 보호할 수 있다는 장점이 있습니다. 암호와 키에 대한 정보가 소프트웨어로 구현된 알고리즘 상태로 화이트박스에 숨겨져 있기 때문에 내부 해킹을 시도해도 알고리즘을 유추할 수 없는 것입니다. 또한 화이트박스 암호는 다른 저장 매체에 비해 운용체계에 따른 개발과 관리가 용이합니다. 애플리케이션 업데이트를 통해 원격으로 암호 알고리즘에 대한 오류 수정 및 보완이 가능하기 때문에 블랙박스 암호의 한계를 더욱 보완할 수 있습니다. 최근에는 패스(PASS), 모바일 결제 시스템, 전자지갑, 모바일 뱅킹의 주요 보완 수단으로 활용되고 있습니다.
>
> 그러나 화이트박스 암호도 변조 행위나 역공학에 의한 공격을 받는다면 노출될 가능성이 있습니다. 그래서 더욱 다양한 플랫폼과 콘텐츠를 통해 안정성을 확보하는 것이 중요하며 그 과정에서 새롭게 등장한 플랫폼이 화이트크립션입니다. 화이트크립션은 화이트박스 암호 보안을 위해 애플리케이션 보호 기능을 제공하는 플랫폼으로, 기존의 암호화 기능을 더욱 강화하여 암호 실행 중에도 암호 키를 활성화하여 보호하는 기술을 가지고 있습니다.

① 화이트박스 암호는 전자 서명 서비스나 핀테크 산업에도 사용될 수 있겠군.

② 외부의 공격으로 내부가 뚫리더라도 화이트박스 암호는 쉽게 유출될 수 없겠군.

③ 해킹의 성공 여부에 있어 중요한 포인트는 암호화 키가 어떻게 숨겨져 있는지겠어.

④ 화이트박스 암호는 블랙박스 암호를 보완하기 위해 등장한 기술로 외부 공격에 노출될 위험이 전혀 없겠군.

⑤ 화이트박스 암호는 애플리케이션의 업데이트를 통해 원격으로 암호 알고리즘에 대한 오류 수정 및 보완이 가능하겠군.

[02 ~ 04] 밑줄 친 단어와 같은 의미로 사용된 것을 고르시오.

02.

> 개발에 따른 공해 문제가 심각해졌다.

① 민사소송법에 따라 일을 처리할 예정이다.
② 사용 목적에 따른 분류 기준을 세워 정리해야 한다.
③ 증시가 회복됨에 따라 경제도 서서히 회복될 것으로 보인다.
④ 혜교는 최신 유행 스타일을 따라 짧은 미니스커트를 입었다.
⑤ 수현이는 수백 명의 경찰이 범인의 뒤를 따르는 사진을 찍었다.

03.

> 나는 부모님이 돌아가셔서 할머니의 손에서 자랐다.

① 그는 사업에서 손을 뗀 지 오래이다.
② 범인은 경찰의 손이 미치지 않는 곳으로 도망갔다.
③ 이제는 일이 손에 익어서 빠르고 정확하게 처리할 수 있다.
④ 우리 부부가 처음 만났을 때 남편이 먼저 나에게 손을 내밀어 왔다.
⑤ 그가 가진 논은 너무 넓어서 마을 사람들의 손을 빌리지 않고는 가을걷이를 할 수가 없다.

04.

> 여행을 가면 지금 하는 걱정들이 모두 씻은 듯이 사라질 거야.

① 그 선수는 한동안의 부진함을 씻어내는 듯 연신 유효타를 날렸다.
② 상처를 깨끗하게 씻어내지 않아서인지 이미 상태가 심각했다.
③ 속세와의 인연을 씻고 산으로 들어가 자연인이 되었다.
④ 단골 치킨집 사장님이 사실 범죄 조직에서 손을 씻고 가게를 차린 거래.
⑤ 네가 받아 간 게 얼만데 입을 씻고 모른 체하려던 건 아니겠지?

[05 ~ 06] 다음은 I 은행의 「통장프린터 도입」에 관한 공고문이다. 이를 바탕으로 이어지는 질문에 답하시오.

「통장프린터 도입」 관련 입찰 공고

ICT시스템 구축 역량과 경험이 있는 업체는 대기업 및 중소기업을 불문하고 누구나 제한 없이 참여할 수 있도록 폭넓은 장을 만들었습니다.

1. 목적
   (1) 당행에서 사용할 영업점 통장프린터 관련 사업 수행이 가능한 업체를 파악하고자 합니다.
   (2) 제안자료는 당행의 요구사항에 대한 충족 여부, 수행 능력 등을 확인하여 사업을 추진하기 위한 기초자료로 사용할 예정입니다.

2. 제안 스팩 및 예정 수량

구분	기기사양	예정 수량
통장프린터	• 다국어 지원(한국어, 중국어, 일본어 필수) • 고항자력 지원 • USB 연결방식 지원 • 무게 12kg 이하 • 인자방식 : 24 PIN DOT • LCD창 및 알람 기능 지원 • 운영체제 : Windows 10(32bit, 64bit)	0000대

3. 업체 선정방법 : 제한경쟁입찰
   (1) 낙찰자 결정 방법 : 2단계 입찰(가격 및 기술(규격) 분리)
      - 품목별 BMT 평가를 수행하여 배점 한도의 85% 이상인 자를 협상적격자로 선정함. 협상적격자를 대상으로 예정가격 이하의 최저가 제안 업체를 우선 순위자로 선정함.
      - 동일가격의 낙찰자가 2인 이상인 경우 즉시 추첨으로 낙찰자를 결정

4. 자격 조건
   (1) 최근 3년간 제1금융권 납품 실적이 있는 제조사 또는 그 제조사가 지정한 총판사
      - 최근 3년간(누적 기준) 100대 이상 납품한 실적 필요
   (2) 제한자격 : 공고 게시일 현재 부도, 화의, 워크아웃, 법정관리 중에 있는 사업자와 당행의 부정당업자로 제재를 받고 있는 사업자

   ※ 공고 게시일 : 본 사업공시 게시일로부터 최종 계약서 체결 전일까지의 기간임.

5. 참가 의향서 제출 내용
(1) 제출기한 : 5월 10일 17:00까지
(2) 제출방법 : 인편
(3) 제출장소 : 첨부 참조
(4) 제출서류 : ① 참가 의향서, ② 청렴계약 및 상생이행 확인서, ③ 사업자등록증 사본, ④ 법인등기부 등본 및 정관, ⑤ 법인인감증명서 및 사용인감계, ⑥ 국세 및 지방세 완납증명서 또는 미과세증명, ⑦ 전년도 재무제표 및 외부기관 신용평가서, ⑧ "4. 자격 조건"의 수행 실적 현황(제조사 아닐 경우 제조사 기술 지원공문)

05. 다음 중 위 공고문의 내용과 일치하지 않는 것은?

① 3년간의 납품 실적은 총판사가 아닌 제조사의 필수 자격조건이다.
② 참가 의향서는 이메일이나 인터넷 등의 방법으로 접수받지 않는다.
③ I 은행에서는 자력 물질을 전혀 사용하지 않은 안전한 통장프린터를 원한다.
④ 낙찰자로 선정되기 위해서는 가격뿐만 아니라 기술적인 면에서도 우수성을 인정받아야 한다.
⑤ 협상적격자 중 동일가격의 낙찰자가 2인 이상인 경우 추첨을 통해 낙찰자를 결정한다.

06. 다음 중 통장프린터 입찰에 참가할 자격이 없는 업체는? (단, 이외에 언급되지 않은 사항은 모두 적격한 것으로 간주한다)

① 공고 게시 한 달 전까지 워크아웃 상태였으나 가까스로 회생에 성공한 G 기업
② USB 연결방식으로 사용이 가능하며 무게가 10kg 내외인 제품을 생산하는 J 제조사
③ 한국어, 영어, 중국어, 독일어 등 4개 국어를 지원하며 최근 3년간 납품 실적 350대인 F 중소기업
④ I 은행의 경쟁사에 최근 납품 실적이 있고 고항자력 자화테이프 통장을 사용할 수 있는 제품을 제조하는 N 업체
⑤ LCD창 및 알람 기능을 지원하는 제품을 최근 3년간 250대 납품한 S 제조사

[07 ~ 08] 다음 글을 읽고 이어지는 질문에 답하시오.

○○부 직원 L은 면접시험 안내문을 열람하고 있다.

〈○○부 서류전형 합격자 대상 면접시험 안내〉

일시	202X년 2월 3일 토요일 13시
장소	○○부 △△건물 로비 ※ 담당자 안내에 따라 면접대기실 및 시험장으로 이동
시험 안내	개별면접 후 평정요소별 평가가 이루어짐. • 총 세 가지 평정요소에 대하여 상 · 중 · 하로 평가 • 평정요소 : ① 의사표현능력, ② 성실성, ③ 창의력 및 발전가능성
당일 제출서류	면접 당일에 원서접수 시 작성하였던 경력 전부에 대한 증빙자료 제출해야 함. ※ 서류는 반드시 시험장 이동 전 담당자에게 제출할 것 • 4대 보험 자격득실 이력확인서 중 1종 제출 : 고용보험, 국민연금, 건강보험, 산재보험 중 1종 • 소득금액증명서(☆☆청 발급) 제출 : 무인민원발급기, 인터넷 또는 세무서에서 발급 가능 • 폐업자 정보 사실증명서 제출 : 작성한 경력이 폐업회사인 경우 제출
유의사항	• 면접 당일 ○○부 △△건물 로비에서 출입증을 발급받아야만 면접대기실 및 시험장 입실이 가능함. • 출입증 발급 시 반드시 신분증(주민등록증, 운전면허증, 여권만 인정)이 필요함. • 면접대기실에서 담당자에게 출석을 확인한 뒤 안내에 따라 시험장으로 이동함. • 불참 시 채용을 포기한 것으로 간주함.
최종 합격자 발표	• 202X년 2월 20일 화요일 15시 • 합격자 명단은 ○○부 홈페이지에 게재됨(개별통지 하지 않음). ※ 시험 결과, 적합한 대상이 없는 경우 선발하지 않을 수 있음.

07. 다음 중 직원 L이 안내문을 이해한 내용으로 적절하지 않은 것은?

① 평정요소 중 의사표현능력이 창의력 및 발전가능성보다 중요하다.
② 원서접수 시 기재한 경력에 대한 증빙서류를 당일 제출하여야 한다.
③ 폐업회사에서의 경력이 있는 경우 추가로 제출하여야 하는 서류가 있다.
④ 시험장에 입실하기 위해서 반드시 신분증이 필요하다.
⑤ 시험장 이동 전 담당자에게 출석을 확인하여야 한다.

08. 직원 L은 안내문에 대해 〈보기〉와 같은 질문을 받았다. 다음 중 (가) ~ (마)에 대한 답변으로 올바른 것은?

| 보기 |

〈면접시험 관련 질문〉

(가) 면접은 어디에서 진행되나요?
(나) 경력 증빙자료는 당일 누구에게 제출하면 되나요?
(다) 소득금액증명서는 어디서 발급 가능한가요?
(라) 세 가지 평정요소에 대한 평가는 어떻게 이루어지나요?
(마) 최종 합격자 발표 결과는 어떻게 알 수 있나요?

① (가) ○○부 □□건물 로비에서 진행됩니다.
② (나) 시험장에 입실하여 앞에 앉은 면접관에게 제출하시면 됩니다.
③ (다) 세무서에 직접 방문해야만 발급받을 수 있습니다.
④ (라) 개별면접 이후 면접관이 상 · 하로 평가합니다.
⑤ (마) 최종 합격자 발표는 ○○부 홈페이지에서 확인할 수 있습니다.

[09 ~ 10] 다음은 ○○은행의 지원상품 안내문 초안이다. 이어지는 질문에 답하시오.

(가) '수출 · 기술 강소기업 육성자금 대출'은 글로벌 기술경쟁력을 가진 중소 · 중견기업 육성을 위한 상품입니다. ○○은행은 수출 · 기술 강소 500개 기업을 선정하여 해외기술인증규격 획득자금, 특허 · 유망기술 보유 기업의 기술개발 및 상품화 자금 등 경상적인 영업활동에 필요한 운전자금 및 시설자금을 지원합니다. 특히 영업점장 전결권 확대, 금리 감면 등의 우대조건이 부여되어 있어 글로벌 강소기업 육성 지원에 큰 도움이 되고 있습니다.

(나) '산업단지별 분양자금 대출'은 민간분양 산업단지 입주기업을 지원하는 상품입니다. 특정 업종에 밀집되어 있는 지역 산업단지 특성에 맞는 특례를 제공할 예정이며, 해외 청산 투자자금 환율 우대, 기업부동산 자문서비스 등을 제공하여 해외투자 기업이 국내 복귀 시 필요한 자금 및 서비스를 지원하는 해외U턴기업대출도 개발할 예정입니다.

(다) '창업섬김대출'은 전년도에 실시한 '창업지원사업'의 계속 사업으로 보증기관과 협력하여 소상공인, 기술혁신형 벤처기업, 전문 인력 및 경력자 창업으로 분류하여 지원하는 상품입니다. 대출금리 우대 등 금융비용 절감 혜택은 물론, 창업컨설팅 등 특화 서비스를 지원하고 있으며 상품의 총공급규모는 1조 원입니다.

(라) '청년전용창업대출'은 정부의 청년창업지원사업에 적극 동참하고 사회적으로 심각한 청년실업 문제를 해결하기 위해 ○○은행, △△공단, □□재단이 연계하여 개발한 상품입니다. 성원에 힘입어 총 약 800억 원의 대출펀드를 조기에 소진하였고, '청년드림대출'은 은행권 청년창업재단설립에 동참하여 창업초기 기업, 벤처 · 우수기술 기업 등에 대한 보증 및 직간접 투자를 통해 일자리 창출에 기여하고 있습니다. '새싹기업대출'은 문화콘텐츠, 신성장동력 부문에서의 기술력 우수 창업기업에 대한 여신우선지원으로 미래성장 기반을 확보하였으며, '시니어전용창업대출'은 40 ~ 50대를 위한 창업 전용 상품으로 전 연령층의 활발한 창업활동 붐업(Boom-up)을 유도하는 등 다양한 상품을 개발하였습니다. 이 밖에도 재창업 희망 중소기업을 위한 '재창업지원대출' 등 다양하고 폭넓은 창업 지원상품을 개발하고 있습니다.

09. ○○은행 홍보팀에서 근무하는 오 대리는 다음과 같은 주제로 중소기업 지원상품 소개에 대한 간단한 안내문을 (가) ~ (라)와 같이 작성하였다. 제시된 주제의 순서에 맞게 단락을 재배열한 것은?

〈중소기업 지원상품 소개〉

Ⅰ. 중소기업 일자리 창출 등 사회적 이슈 해결을 위한 상품 개발
Ⅱ. 창업기업 지원상품 개발
Ⅲ. 설비투자 활성화를 위한 상품 개발
Ⅳ. 글로벌 경쟁력 갖춘 기업을 위한 상품 개발

① (가)－(다)－(나)－(라)
② (가)－(다)－(라)－(나)
③ (라)－(나)－(다)－(가)
④ (라)－(다)－(가)－(나)
⑤ (라)－(다)－(나)－(가)

10. 다음 중 ○○은행에서 이미 개발하여 대출 업무를 수행하였거나 수행 중에 있는 대출의 종류가 아닌 것은?

① 청년드림대출
② 창업섬김대출
③ 수출 · 기술 강소기업 육성자금 대출
④ 산업단지별 분양자금 대출
⑤ 청년전용창업대출

[11 ~ 12] △△은행 홍보팀에서 근무하는 A 사원은 하반기 경영전략에 관한 언론 배포용 보도자료 초안을 작성하고 있다. 이어지는 질문에 답하시오.

(가)

△△은행이 하반기 디지털 창구 서비스를 전 점포로 확대한다. △△은행은 "익숙한 종이 서식 기반에서 디지털 기반 업무처리 방식으로의 전환을 빠르게 추진하고자 한다."라며 디지털 경쟁력 강화를 위해 각종 비대면 서비스를 직원이 먼저 사용해 디지털에 능숙해질 것을 강조하는 한편, 디지털 직무순환 기회 및 다양한 학습지원을 약속했다.

△△은행은 작년 10월부터 3개 영업점에서 디지털 창구를 시범 운영한 것으로 시작해 현재 50개점에서 이를 운영 중이고, 올해 말까지 780개 영업점으로 확대할 계획이다. 디지털 창구는 디지털 서식 기반의 종이 없는 창구로, 디지털 서식 운영을 통해 고객과 직원 중심의 거래 편의성을 제고하는 프로세스이다.

△△은행의 디지털 창구는 고객이 금융 거래 시 작성하는 수많은 서식을 디지털화해 고객 입장에서 쉽게 작성할 수 있도록 했으며 서명 간소화 기능을 적용해 서명을 중복적으로 작성해야 하는 경우에도 1회만 하면 되도록 편의성을 더했다. 직원 역시 거래에 필요한 서식을 찾거나 검색하여 출력하는 번거로움에서 벗어나 본연의 금융 상담에 집중할 수 있고 마감 업무 최소화로 일과 삶의 균형을 맞추는 근무문화 형성에도 도움을 줄 것으로 보인다. 또한, 각종 서식을 만들거나 고객 장표를 보관하는 데 지출되는 관리비용도 절감할 수 있게 됐다.

이러한 영업점 창구의 디지털 서비스 강화는 특히 스마트 기기에 익숙하지 않아 비대면 서비스를 받는 것에 어려움을 느끼는 중 · 장년층 고객과 영업점 방문을 선호하는 고객에게 높은 수준의 대면 금융상담 서비스를 제공할 수 있다.

△△은행 관계자는 "디지털 창구 프로세스 도입으로 고객은 보다 스마트한 금융서비스를 편리하게 이용할 수 있을 것"이라며 "앞으로도 고객 니즈에 따라 서비스를 확대하고 지속적으로 개선해 나갈 것"이라고 말했다. 디지털 뱅킹의 확대와 비대면 영업의 강화로 은행들의 '지점 다이어트'가 계속되고 있지만 △△은행은 디지털 금융은 물론 일반 지점 영업의 효율성을 끌어올려 고객을 잡겠다는 전략을 펼칠 계획이다

11. A 사원은 아래와 같은 상사의 가이드에 따라 (가)에 들어갈 보도자료 초안의 제목을 작성하려고 한다. 다음 중 가장 적절한 것은?

> 언론 배포용 보도자료의 제목에는 우선 시행 주체를 명확하게 드러내 주는 것이 좋습니다. 그리고 불필요한 수식어나 모호한 표현을 사용하지 않도록 주의하며 보도자료의 핵심 내용을 포괄할 수 있는 메시지를 담아야 합니다.

① △△은행은 지금-디지털화로 '지점 다이어트' 중

② △△은행, 디지털 서식 기반의 '종이 없는 창구' 단계적 구현

③ △△은행, 오프라인 서비스에서 온라인 서비스로 도약

④ △△은행, 직원 편의를 위한 디지털 창구 도입

⑤ 보다 스마트한 금융서비스를 위하여!-종이 신청서의 소멸

12. 제시된 보도자료의 요약본을 △△은행 홈페이지에 게시하려고 한다. 다음 중 그 내용이 옳은 것은?

> 등록일 20XX. XX. XX. | 조회수 25
>
> (가)
>
> △△은행은 디지털 경쟁력 강화에 대한 포부를 밝혔다.
>
> (중략)
>
> ① 앞으로 디지털 시대에 발맞춰 오프라인보다 온라인 고객을 잡는 전략을 펼치려는 것이다. ② 현재 △△은행은 총 780개 영업점에서 디지털 창구를 시범 운영하고 있다. 이러한 디지털 창구의 확대는 ③ 고객편의성 향상, 직원 업무 절감, 관리비용 절감 등 긍정적인 변화를 가져올 것이라 예상된다. ④ 특히 스마트 기기에 익숙한 청년층 고객들을 사로잡을 수 있을 것으로 기대되고 있다. ⑤ 디지털 창구는 일반 영업 창구에 비해 유지비를 더 필요로 하지만, 서비스 질의 향상을 위해 △△은행은 향후에도 투자를 아끼지 않을 예정이다.

[13 ~ 14] 다음 글을 읽고 이어지는 질문에 답하시오.

대부분의 경우, 과거에 일어난 금융 위기의 원인에 대해 의견이 모아지지 않는다. 이것은 금융 위기가 여러 차원의 현상이 복잡하게 얽혀 발생하는 문제이기도 하지만, 사람들의 행동이나 금융 시스템의 작동 방식을 이해하는 시각이 다양하기 때문이기도 하다. 은행 위기를 중심으로 금융 위기에 관한 주요 시각을 분류하면 다음의 네 가지와 같다.

우선, 많은 예금주들이 은행의 지불 능력이 취약하다고 예상하게 되면 실제로 은행의 지불능력이 취약해지는 현상, 즉 ㉠'자기실현적 예상'이라 불리는 현상을 강조하는 시각이 있다. 예금주들이 예금을 인출하려는 요구에 대응하기 위해 은행이 예금의 일부만을 지급 준비금으로 보유하는 부분 준비 제도는 현대 은행 시스템의 본질적 측면이다. 이 제도에서는 은행의 지불 능력이 변화하지 않더라도 예금주들의 예상이 바뀌면 예금인출이 쇄도하는 사태가 일어날 수 있다. 예금은 만기가 없고 선착순으로 지급하는 독특한 성격의 채무이기 때문에, 지불 능력이 취약해져서 은행이 예금을 지급하지 못할 것이라고 예상하는 사람이라면 남보다 먼저 예금을 인출하는 것이 합리적이기 때문이다. 이처럼 예금 인출이 쇄도하는 상황에서 예금 인출 요구를 충족시키려면 은행들은 현금 보유량을 늘려야 한다. 이를 위해 은행들이 앞다투어 채권이나 주식, 부동산과 같은 자산을 매각하려고 하면 자산 가격이 하락하게 되므로 은행들의 지불 능력은 실제로 낮아진다.

둘째, ㉡은행의 과도한 위험 추구를 강조하는 시각이 있다. 주식회사에서 주주들은 회사의 모든 부채를 상환하고 남은 자산의 가치에 대한 청구권을 갖는 존재이고 통상적으로 유한책임을 진다. 따라서 회사의 자산 가치가 부채액보다 더 커질수록 주주에게 돌아올 이익도 커지지만, 회사가 파산할 경우에 주주의 손실은 그 회사의 주식에 투자한 금액으로 제한된다. 이러한 ⓐ비대칭적인 이익 구조로 인해 수익에 대해서는 민감하지만 위험에 대해서는 둔감하게 된 주주들은 고위험 · 고수익 사업을 선호하게 된다. 결과적으로 주주들이 더 높은 수익을 얻기 위해 감수해야 하는 위험을 채권자에게 전가하는 것인데, 자기자본비율이 낮을수록 이러한 동기는 더욱 강해진다. 은행과 같은 금융 중개 기관들은 대부분 부채비율이 매우 높은 주식회사 형태를 띤다.

셋째, ㉢은행가의 은행 약탈을 강조하는 시각이 있다. 최근에는 은행가들에 의한 은행 약탈의 결과로 은행이 부실해진다는 인식이 강해지고 있다. 과도한 위험 추구는 은행의 수익률을 높이려는 목적으로 은행의 재무 상태를 악화시킬 위험이 큰 행위를 은행가가 선택하는 것이다. 이에 비해 은행 약탈은 은행가가 자신에게 돌아올 이익을 추구하여 은행에 손실을 초래하는 행위를 선택하는 것이다. 예를 들어 은행가들이 자신이 지배하는 은행으로부터 남보다 유리한 조건으로 대출을 받는다거나, 장기적으로 은행에 손실을 초래할 것을 알면서도 자신의 성과급을 높이기 위해 단기적인 성과만을 추구하는 행위 등은, 지배 주주나 고위 경영자의 지위를 가진 은행가가 은행에 대한 지배력을 사적인 이익을 위해 사용한다는 의미에서 약탈이라고 할 수 있다.

넷째, ㉣이상 과열을 강조하는 시각이 있다. 이 시각은 위의 세 가지 시각과 달리 경제 주체의 행동이 항상 합리적으로 이루어지는 것은 아니라는 관찰에 기초하고 있다. 예컨대 많은 사람들이 자산 가격이 일정 기간 상승하면 앞으로도 계속 상승할 것이라 예상하고, 일정 기간 하락하면 앞으로도 계속 하락할 것이라 예상하는 경향을 보인다. 이 경우 자산 가격 상승은 부채의 증가를 낳고 이는 다시 자산 가격의 더 큰 상승을 낳는다. 이러한 상승 작용으로 인해 거품이 커지는 과정은 경제 주체들의 부채가 과도하게 늘어나 금융 시스템을 취약하게 만들게 되므로, 거품이 터져 금융 시스템이 붕괴하고 금융 위기가 일어날 현실적 조건을 강화시킨다.

13. ⓐ에 대한 설명으로 적절하지 않은 것은?

① 파산한 회사의 자산 가치가 부채액에 못 미칠 경우 주주들이 져야 할 책임은 한정되어 있다.
② 회사의 자산 가치에서 부채액을 뺀 값이 0보다 클 경우 그 값은 원칙적으로 주주의 몫이 된다.
③ 회사가 자산을 다 팔아도 부채를 다 갚지 못할 경우, 갚지 못하는 액수는 주주들의 이해와 무관하다.
④ 주주들이 선호하는 고위험 · 고수익 사업은 성공한다면 회사가 큰 수익을 얻지만, 실패한다면 회사가 큰 손실을 입을 가능성이 높다.
⑤ 주주들이 고위험 · 고수익 사업을 선호하는 이유는 이러한 사업이 회사의 자산 가치와 부채액 사이의 차이를 좁혀 줄 수 있기 때문이다.

14. 제시된 ㉠ ~ ㉣ 네 가지 시각으로 〈보기〉의 사례를 평가할 때 가장 적절한 것은?

| 보기 |

1980년대 후반 A국에서 장기 주택 담보 대출에 전문화한 은행인 저축대부조합들이 대량 파산하였다. 이 사태와 관련한 다음 사실들이 주목받았다.

- 1970년대 이후 석유 가격 상승으로 인해 부동산 가격이 많이 오른 지역에서 저축대부조합들의 파산이 가장 많았다.
- 부동산 가격의 상승을 보고 앞으로도 자산 가격의 상승이 지속될 것이라 예상하고 빚을 얻어 자산을 구입하는 경제 주체들이 늘어났다.
- A국의 정부는 투자 상황을 낙관하여 저축대부조합이 고위험 채권에 투자할 수 있도록 규제를 완화하였다.
- 예금주들이 주인이 되는 상호회사 형태였던 저축대부조합들 중 다수가 1980년대에 주식회사 형태로 전환하였다.
- 파산 전에 저축대부조합의 대주주와 경영자들에 대한 보상이 대폭 확대되었다.

① ㉠은 위험을 감수하고 고위험 채권에 투자한 정도와 고위 경영자들에게 성과급 형태로 보상을 지급한 정도가 비례했다는 점을 들어, 은행의 고위 경영자들을 비판할 것이다.
② ㉡은 부동산 가격 상승에 대한 기대 때문에 예금주들이 책임질 수 없을 정도로 빚을 늘려 은행이 위기에 빠진 점을 들어, 예금주의 과도한 위험 추구 행태를 비판할 것이다.
③ ㉢은 저축대부조합들이 주식회사로 전환한 점을 들어, 고위험 채권 투자를 감행한 결정이 예금주의 이익을 증가시켰다고 은행을 옹호할 것이다.
④ ㉢은 저축대부조합이 정부의 규제 완화를 틈타 고위험 채권에 투자하는 공격적인 경영을 한 점을 들어, 저축대부조합들의 행태를 용인한 예금주들을 비판할 것이다.
⑤ ㉣은 차입을 늘린 투자자들, 고위험 채권에 투자한 저축대부조합들, 규제를 완화한 정부 모두 투자 상황을 낙관했다는 점을 비판할 것이다.

15. 다음 글을 읽고 추론할 수 없는 것을 〈보기〉에서 모두 고르면?

배기가스는 내연기관이 배출하는 기체를 말한다. 내연기관은 밀폐된 실린더 속에 연료와 공기의 혼합기를 가두고 압축 · 점화하여 연료 속의 탄소를 급속히 연소시키고, 연소 후 생성되는 가스는 외부로 배출한다. 이때 외부로 버려지는 기체가 바로 배기가스이다. 배기가스는 대기를 오염시키고 인체에 해로운 성분이 포함되어 있기 때문에 환경문제의 중요 키워드로 대두되고 있다.

UN 유럽경제위원회는 배기가스 시험방식을 강화한 국제표준배출가스시험방식(WLTP)을 도입하기로 결정했다. 이는 유럽에서 실시하고 있는 유럽연비측정방식(NEDC)보다 조건을 까다롭게 설정하여 배기가스를 측정한다. 제조사가 자동차를 최적의 상태에서 검사할 수 있도록 허용하고 있어, 배출량 검사에 결점이 있다는 비판을 받아온 기존의 NEDC를 보완한 방법이다. WLTP를 적용하면 NEDC 기준 테스트 주행거리는 11km에서 23.26km로, 주행시간은 1,180초에서 1,800초로 늘어나고, 평균 속도는 33.6km/h에서 46.5km/h로, 최고속도는 120km/h에서 131.3km/h로 높아진다. 주행거리가 늘어나고 속도가 빨라지면 엔진 온도가 올라가 배출가스가 더 많이 나오는 것이 당연하지만, 배기가스 허용 기준은 질소산화물(NOx) 배출량을 km당 0.08g에 맞춰야 하는 것으로 기존 측정방식과 같다.

한국은 2017년 9월부터 NEDC로 해 오던 디젤차 배출가스 측정 방식을 WLTP로 바꾸었다. 이에 2017년 9월부터 이미 인증을 받고 판매 중인 차량도 새 기준에 따라 다시 인증을 받아야 했으며, 인증을 받지 못할 경우 판매가 중단되었다. 그러나 한국이 2017년 9월부터 이 방식을 도입한 것에 반해 일본은 도입 시점을 3년 후로 연기했고 미국은 아예 도입하지 않기로 했다. 심지어 유럽도 이미 판매한 차량은 2019년 9월까지 판매할 수 있도록 허용했지만, 한국 개정안은 2018년 9월까지만 판매를 허용하고 있어 논란이 일고 있다.

| 보기 |

㉠ 각 나라마다 배기가스를 측정하는 방식에 차이가 있다.
㉡ 같은 차량이더라도 NEDC보다 WLTP로 측정할 때 허용이 더 수월하다.
㉢ 내연기관에서 연료 속의 탄소를 연소시키면 질소산화물이 생성된다.
㉣ WLTP가 도입되기 직전 출시된 차량이더라도 WLTP의 인증을 받지 못하면 바로 판매를 중단해야 한다.

① ㉠, ㉡　② ㉡, ㉣　③ ㉢, ㉣
④ ㉠, ㉡, ㉣　⑤ ㉡, ㉢, ㉣

영역 2 수리력

15문항/15분

01. ○○극장의 1일 평균 관람객 수는 12,000명, 상영료는 8,000원이다. 만일 상영료를 x% 인상했을 때 1일 평균 관람객 수가 가격 인상 전보다 $\frac{x}{2}$% 감소한다면, 1일 평균 상영료를 전보다 612만 원 더 많이 얻기 위해서는 상영료를 몇 % 인상해야 하는가?

① 12% ② 15% ③ 17%
④ 25% ⑤ 30%

02. A ~ F 여섯 명이 회의를 하기 위해 원형 탁자에 둘러앉았다. 이 중 A와 B가 서로 이웃하게 앉는 경우의 수는?

① 30가지 ② 38가지 ③ 45가지
④ 48가지 ⑤ 50가지

03. 회사에서 3km 떨어진 거래처에 가기 위해 분당 60m의 속도로 걷던 도중 약속시간에 늦을 것 같아 카페에서부터는 분당 80m의 속도로 바꿔 걸었더니 40분 만에 거래처에 도착하였다. 회사에서 카페까지의 거리는 얼마인가?

① 600m ② 800m ③ 1,000m
④ 1,100m ⑤ 1,200m

04. 수조에 물을 채우고 그 안에 기둥 A와 B를 넣어 세웠더니 A는 기둥 높이의 $\frac{4}{5}$, B는 기둥 높이의 $\frac{2}{3}$까지 물에 잠겼고 물이 잠긴 높이는 두 개가 똑같았다. 기둥 하나가 다른 것보다 6cm 더 길다면, 짧은 기둥의 길이는 몇 cm인가? (단, 기둥의 부피는 고려하지 않는다)

① 24cm ② 28cm ③ 30cm
④ 32cm ⑤ 36cm

05. 눈이 온 다음 날 또다시 눈이 내릴 확률은 $\frac{2}{5}$이고, 눈이 오지 않은 다음 날에 눈이 내릴 확률은 $\frac{1}{6}$이다. 만약 월요일에 눈이 내렸다면 이틀 후인 수요일에 눈이 내릴 확률은?

① $\frac{13}{50}$ ② $\frac{29}{50}$ ③ $\frac{11}{30}$
④ $\frac{17}{30}$ ⑤ $\frac{19}{30}$

06. 컴퓨터를 생산하는 A, B 두 공장의 작년 생산량은 총 2,500대였고 올해 생산량은 A 공장과 B 공장 각각 전년 대비 10%, 20% 증가하였다. 증가한 컴퓨터 대수의 비율이 1 : 3이라면 올해 A 공장의 컴퓨터 생산량은 얼마인가?

① 900대 ② 950대 ③ 1,000대
④ 1,100대 ⑤ 1,200대

07. 각 자릿수의 합이 7인 두 자리의 자연수에서 십의 자리의 숫자와 일의 자리의 숫자를 바꾸면 처음 수의 2배보다 2가 크다고 한다. 이때 처음의 수는?

① 16　　② 25　　③ 34

④ 43　　⑤ 45

08. 다음은 통계청에서 발표한 20XX년 1월부터 20XX년 7월까지의 전국 소비자동향조사에서 가계수입전망지수와 소비지출전망지수를 나타낸 자료이다. 자료에 대한 이해로 적절하지 않은 것은?

구분		7월	6월	5월	4월	3월	2월	1월
가계수입 전망지수	봉급 생활자	94	93	90	89	92	101	106
	자영업자	84	79	77	67	73	87	95
소비지출 전망지수	봉급 생활자	100	97	95	92	98	111	114
	자영업자	84	82	78	74	81	97	101

※ 전망지수가 100보다 높으면 긍정적 전망을 예측한 인구가 증가한 것이고 100보다 낮으면 부정적 전망을 예측한 인구가 증가한 것이다.

① 20XX년 1월에 장래의 가계수입전망이 긍정적일 것이라고 응답한 봉급생활자 수가 부정적일 것이라고 응답한 봉급생활자 수보다 많다.

② 20XX년 1월에 장래의 가계수입전망이 긍정적일 것이라고 응답한 자영업자 수가 부정적일 것이라고 응답한 자영업자 수보다 적다.

③ 20XX년 1월부터 20XX년 7월까지 장래의 가계수입전망이 부정적일 것이라고 응답한 자영업자 수는 긍정적일 것이라고 응답한 자영업자 수보다 꾸준히 많다.

④ 소비지출전망이 긍정적일 것이라고 응답한 봉급생활자 수가 더 많은 달은 20XX년 1월과 2월이다.

⑤ 가계수입과 소비지출부문에서 평균적으로 봉급생활자보다 자영업자가 전망을 더 긍정적으로 예측하는 경향을 보인다.

09. 다음은 A ~ E 마을 주민의 재산상황 자료이다. 이에 대한 설명으로 옳은 것을 〈보기〉에서 모두 고르면?

〈A ~ E 마을 주민의 재산상황〉

(단위 : 가구, 명, ha, 마리)

마을	가구 수	주민 수	재산 유형					
			경지		젖소		돼지	
			면적	가구당 면적	개체 수	가구당 개체 수	개체 수	가구당 개체 수
A	244	1,243	( )	6.61	90	0.37	410	1.68
B	130	572	1,183	9.10	20	0.15	185	1.42
C	58	248	( )	1.95	20	0.34	108	1.86
D	23	111	( )	2.61	12	0.52	46	2.00
E	16	60	( )	2.75	8	0.50	20	1.25
전체	471	2,234	( )	6.40	150	0.32	769	1.63

※ 소수점 아래 셋째 자리에서 반올림한 값임.

※ 경지면적=가구 수×가구당 면적

| 보기 |

㉠ B 마을의 경지면적은 D 마을과 E 마을 경지면적의 합보다 크다.

㉡ 가구당 주민 수가 가장 많은 마을은 가구당 돼지 수도 가장 많다.

㉢ A 마을의 젖소 수가 80% 감소한다면, A ~ E 마을 전체 젖소 수는 A ~ E 마을 전체 돼지 수의 10% 이하가 된다.

㉣ 젖소 1마리당 경지면적과 돼지 1마리당 경지면적은 모두 D 마을이 E 마을보다 좁다.

① ㉠, ㉡　② ㉠, ㉢　③ ㉠, ㉣

④ ㉡, ㉢　⑤ ㉢, ㉣

10. 다음 중 제시된 자료에 대한 설명으로 적절하지 않은 것은?

〈근로장려금 신청 및 지급 현황〉

(단위 : 천 가구, 억 원)

구분	신청		지급	
	가구	금액	가구	금액
20X7년	1,658	14,195	1,281	10,565
20X8년	1,738	13,204	1,439	10,573
20X9년	1,883	14,175	1,570	11,416

※ 근로장려금 : 열심히 일하지만 소득이 적어 생활이 어려운 자영업자 또는 근로자의 사업 또는 근로를 장려하고 소득과 자녀양육비를 지원하는 제도

〈근로유형별 근로장려금 지급 현황〉

(단위 : 천 가구, 억 원)

구분		전체	상용	일용	상용+일용	기타 사업소득
20X7년	가구	1,281	398	360	95	428
	금액	10,565	3,441	2,472	918	3,734
20X8년	가구	1,439	403	434	110	492
	금액	10,573	3,216	2,520	926	3,911
20X9년	가구	1,570	390	509	114	557
	금액	11,416	3,248	2,795	962	4,411

※ 상용+일용은 상용근로와 일용근로를 겸하는 근로유형을 의미한다.

① 20X8년 근로장려금을 지원받은 기타 사업소득 가구는 전년 대비 약 15% 증가하였다.

② 조사 기간 동안 근로장려금을 받는 일용근로 가구의 전년 대비 증가량을 비교하면 20X8년보다 20X9년의 증가량이 더 많았다.

③ 20X9년 상용근로 가구의 근로장려금이 당해 전체 지급액에서 차지하는 비율은 30% 이상이다.

④ 20X9년에는 근로장려금을 지급받는 일용근로 가구가 50만 가구를 상회하였다.

⑤ 조사 기간 중 20X8년부터 상용근로와 일용근로를 겸함에도 불구하고 근로장려금을 받는 가구의 수는 매년 증가하고 있다.

11. 다음 도표를 참고하여 작성한 〈보고서〉의 ㉠ ~ ㉤ 중 옳지 않은 것은?

〈국민연금기금의 자산배분과 자산군별 수익률〉

(단위 : %)

구분	자산배분 비중 (2017. 3.)	수익률		
		2016년	2014 ~ 2016년	1988 ~ 2016년
전체 자산(570조 원)	100.0	4.7	4.8	5.9
복지부문	0.0	-1.3	-1.7	6.6
금융투자부문	99.7	4.8	4.9	5.7
국내주식	19.6	5.6	0.7	5.7
해외주식	15.5	10.6	8.6	7.7
국내채권	49.3	1.8	4.2	5.3
해외채권	4.0	4.1	4.7	4.9
대체투자	10.9	9.9	11.3	9.0
단기자금	0.4	2.0	1.8	4.6
기타 부문	0.3	0.6	0.9	1.9

〈보고서〉

2017년 3월 말 기준 국민연금기금의 자산배분은 다음과 같다. 우선 국내채권에 전체 자산 570조 원의 49.3%인 약 281조 원이 투자되어 있다. ㉠ 다른 자산군의 자산배분을 보면 국내주식에 19.6%, 해외주식에 15.5%, 해외채권에 4.0% 그리고 대체투자에 10.9%가 투자되어 있다.

자산군별 수익률을 살펴보면 먼저 ㉡ 2016년을 기준으로 최근 3년간 대체투자의 수익률이 11.3%로 가장 높게 나타나고 있으며, 다음으로 해외주식 수익률이 8.6%를 기록하고 있다. ㉢ 반면 2016년 기준 최근 3년간 국내채권의 수익률은 4.2%이었으며 국내주식의 수익률은 0.7%에 그치고 있다. ㉣ 기간을 확대하여 1988 ~ 2016년을 살펴보면 국내 및 해외주식의 수익률이 국내 및 해외채권의 수익률보다 다소 높게 나타나고 있다. ㉤ 매년 해외주식의 수익률은 대체로 상승 추세에 있어 국내주식에 대한 투자수익률 또한 높아질 전망이다.

① ㉠ ② ㉡ ③ ㉢
④ ㉣ ⑤ ㉤

12. 다음 자료에 대한 설명으로 옳은 것을 〈보기〉에서 모두 고르면?

〈202X년 1 ~ 4월 행정구역별 순이동인구〉

(단위 : 명)

구분	202X. 01.	202X. 02.	202X. 03.	202X. 04.
서울특별시	3,946	3,305	-3,404	-7,117
부산광역시	-1,378	-223	-399	-958
대구광역시	-1,325	-3,422	984	-1,719
인천광역시	-913	-1,275	-2,391	-1,951
광주광역시	220	-511	-447	388
대전광역시	-714	-1,059	-1,323	-230
울산광역시	-1,135	-1,470	-1,319	-648
세종특별자치시	1,495	1,303	746	210
경기도	9,341	13,798	21,855	20,454
강원도	-497	-535	-672	-595
충청북도	-423	-497	-725	-850
충청남도	-944	-1,114	-1,007	-1,069
전라북도	-1,034	-1,569	-1,670	-970
전라남도	-3,328	-2,067	-2,026	-1,640
경상북도	-2,413	-2,729	-4,717	-1,700
경상남도	-614	-2,013	-3,123	-1,696
제주특별자치도	-284	78	-362	91

※ 순이동인구(명) = 전입인구 − 전출인구

| 보기 |

ㄱ. 202X년 4월에 전입인구가 가장 많은 행정구역은 경기도이다.
ㄴ. 202X년 3월에 전출인구가 가장 많은 행정구역은 전라남도이다.
ㄷ. 해외 전 · 출입이 없다면 전국의 순이동인구는 항상 0명이다.
ㄹ. 경상남도의 1월부터 4월까지 전출인구는 전입인구보다 많다.
ㅁ. 세종특별자치시의 1월부터 4월까지 전출인구는 전입인구보다 적다.

① ㄱ, ㄴ, ㄷ　② ㄱ, ㄴ, ㄹ　③ ㄱ, ㄹ, ㅁ
④ ㄴ, ㄷ, ㅁ　⑤ ㄷ, ㄹ, ㅁ

13. 다음 자료에 대한 설명으로 적절하지 않은 것은?

〈우리나라의 연도별 석유 수입량〉

(단위 : 백만 배럴)

구분	2016년	2017년	2018년	2019년	2020년	2021년
이란	56.1	48.2	44.9	42.4	111.9	147.9
이라크	93.1	90.7	71.2	126.6	138.3	126.2
쿠웨이트	137.6	139.9	136.5	141.9	159.3	160.4
카타르	103.8	86.1	100.1	123.2	88.2	64.9
아랍에미리트	86.5	110.8	108.5	99.8	87.7	91.0
사우디아라비아	303.0	286.6	292.6	305.8	324.4	319.2

〈연도별 국제 유가(WTI)〉

(단위 : 달러/배럴)

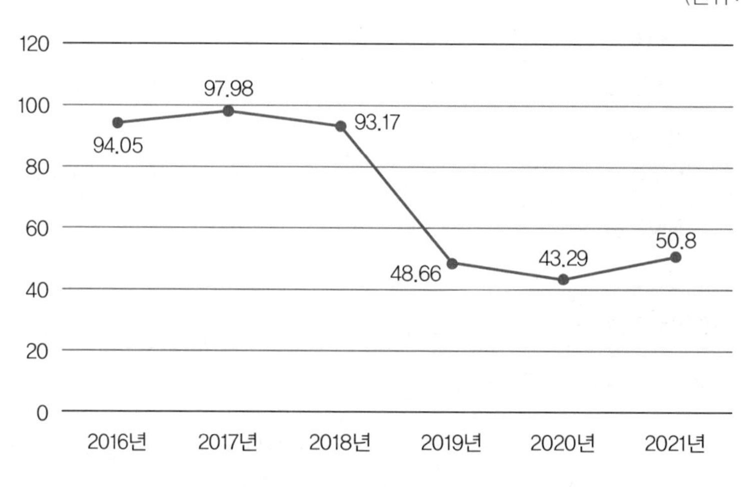

① 매년 사우디아라비아로부터 수입한 석유의 양이 가장 많다.

② 2018년 이후 쿠웨이트로부터 수입한 석유의 가격은 매년 상승한다.

③ 국제 유가가 배럴당 90달러를 초과한 해에 석유 수입이 가장 적은 국가는 이란이다.

④ 각 나라로부터 수입한 석유량의 순위는 매년 다르다.

⑤ 국제 유가가 전년 대비 가장 많이 감소한 해에는 이란과 아랍에미리트를 제외한 모든 국가에서 석유 수입량이 증가하였다.

14. 다음은 이동통신시장 추이에 대한 자료이다. 이에 대한 설명으로 옳지 않은 것을 〈보기〉에서 모두 고른 것은?

〈자료 1〉 4대 이동통신사업자 매출액

(단위 : 백만 달러)

구분	A사	B사	C사	D사	합계
20X6년	3,701	3,645	2,547	2,958	12,851
20X7년	3,969	3,876	2,603	3,134	13,582
20X8년	3,875	4,084	2,681	3,223	13,863
20X9년 1～9월	2,709	3,134	1,956	2,154	9,953

〈자료 2〉 이동전화 가입 대수 및 보급률

(단위 : 백만 대, %)

구분	20X4년	20X5년	20X6년	20X7년	20X8년
가입 대수	52.9	65.9	70.1	73.8	76.9
보급률	88.8	109.4	115.5	121.0	125.3

※ 보급률(%) = $\frac{\text{이동전화 가입 대수}}{\text{전체 인구}} \times 100$

| 보기 |

㉠ 20X7년 4대 이동통신사업자 중 A사와 C사의 매출액 합은 전체 매출액 합계의 50%를 넘는다.

㉡ 20X8년에 A사와 B사의 매출액 순위가 역전된 것을 제외하고는, 20X6년부터 20X8년까지의 매출액 순위는 동일하다.

㉢ A사의 20X9년 10～12월 월평균 매출액이 1～9월의 월평균 매출액과 동일하다면, A사의 20X9년 전체 매출액은 약 3,612백만 달러가 된다.

㉣ 20X8년 보급률을 통해 그 해의 전체 인구가 약 7천만여 명임을 알 수 있다.

① ㉠, ㉡　② ㉠, ㉣　③ ㉡, ㉢

④ ㉡, ㉣　⑤ ㉢, ㉣

15. 다음 자료에 대한 설명으로 적절하지 않은 것은?

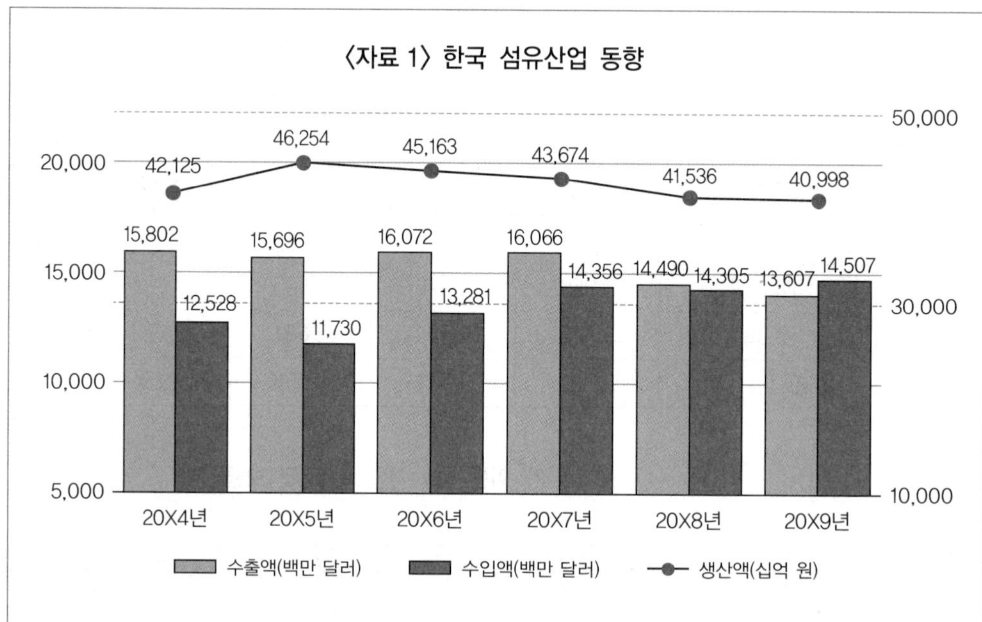

〈자료 2〉 20X9년 세계 주요국별 섬유 수출 현황

(단위 : 억 달러)

순위	국가	금액	순위	국가	금액
	세계	7,263	8	홍콩	236
1	중국	2,629	9	미국	186
2	인도	342	10	스페인	170
3	이탈리아	334	11	프랑스	150
4	베트남	308	12	벨기에	144
5	독일	307	13	대한민국	136
6	방글라데시	304	14	네덜란드	132
7	터키	260	15	파키스탄	128

※ 기타 국가는 위 목록에서 제외함.

① 20X5년부터 20X9년까지 한국 섬유산업의 생산액은 지속적으로 감소하고 있다.
② 20X5년 한국 섬유산업 수출액은 전년 대비 236백만 달러 감소했다.
③ 20X8년 한국 섬유산업 수입액은 20X5년 대비 2,575백만 달러 증가했다.
④ 20X9년 이탈리아 섬유 수출액은 한국 섬유 수출액보다 약 145% 더 많다.
⑤ 20X6년 한국 섬유 수출액은 20X9년 프랑스의 섬유 수출액보다 더 많다.

영역 3 분석력

15문항/15분

01. 각각 직업이 판사, 검사, 변호사인 A, B, C 세 사람이 다음과 같이 진술하였다. A는 진실만 말하고 B는 거짓만 말할 때, 반드시 참인 것은?

- A : 검사는 거짓말을 하고 있다.
- B : C는 검사이다.
- C : B는 변호사이다.

① 검사는 A이다.
② C의 진술은 거짓이다.
③ 변호사는 거짓말을 하고 있다.
④ 모든 경우의 수는 세 가지이다.
⑤ 판사는 진실을 말하고 있다.

02. 다음 〈조건〉이 성립할 때, 반드시 참인 것은?

| 조건 |

- 안경을 쓰면 사물이 또렷하게 보인다.
- 헤드폰을 쓰면 소리가 크게 들린다.
- 안경을 쓰면 소리가 작게 들린다.
- 헤드폰을 쓰면 사물이 흐리게 보인다.

① 안경을 쓰면 헤드폰을 쓴 것이다.
② 소리가 크게 들리면 헤드폰을 쓴 것이다.
③ 헤드폰을 쓰면 안경을 쓰지 않은 것이다.
④ 사물이 또렷하게 보이면 안경을 쓴 것이다.
⑤ 소리가 작게 들리면 사물이 또렷하게 보인다.

03. 다음 명제가 참일 때, 항상 옳은 것은?

- 음악을 좋아하면 기타를 잘 친다.
- 창의력이 높으면 작곡을 잘한다.
- 음악을 좋아하면 창의력이 높다.

① 창의력이 높으면 기타를 잘 친다.
② 작곡을 잘하면 음악을 좋아한다.
③ 창의력이 높으면 음악을 좋아한다.
④ 음악을 좋아하지 않으면 작곡을 잘하지 못한다.
⑤ 작곡을 잘하지 못하면 음악을 좋아하지 않는다.

04. L 기업의 야유회에서 10명의 사원들을 5명씩 두 팀으로 나누어 보물찾기를 하고 있다. 한 팀이 먼저 보물을 숨기고 다른 팀에게 다음과 같이 힌트를 주었는데 두 명은 거짓을 말하고 있다. 거짓을 말하는 사람은 누구인가? (단, 보물은 한 개다)

- A : 보물은 풀숲 안에 숨겼습니다.
- B : 텐트 안에 보물이 있습니다.
- C : D는 진실만 말하고 있습니다.
- D : 풀숲 안에 보물을 숨기는 것을 보았습니다.
- E : 저희는 나무 아래에 보물을 숨겼습니다.

① A, B　② A, D　③ B, C
④ B, E　⑤ C, E

05. 다음 〈사실〉에 근거하여 추론한 내용으로 옳지 않은 것은?

| 사실 |

- a, b, c, d, e 다섯 명이 아파트에 입주를 시작한다.
- e는 세 번째 입주자이며, b가 그 바로 다음으로 입주한다.
- c는 b보다 먼저 입주한다.
- a와 d 사이에는 두 명의 입주자가 있다.
- d와 e는 연달아 입주하지 않는다.

① a는 e보다 먼저 입주한다.
② b는 d보다 먼저 입주한다.
③ d는 마지막 입주자이다.
④ a는 첫 번째 입주자이다.
⑤ c의 뒤에는 세 명 이상의 입주자가 있다.

06. 기획팀원들을 2개 팀으로 나누어 프로젝트를 진행하려고 한다. 다음 조건을 참고할 때, 같은 팀이 될 수 없는 구성은?

- 기획팀원은 A, B, C, D, E, F 6명이다.
- 각 팀은 3명씩 구성한다.
- C와 E는 같은 팀이 될 수 없다.
- B가 속한 팀에는 A와 F 중 반드시 한 명이 속해 있어야 한다.

① A, B, C ② A, D, E ③ A, E, F
④ B, C, F ⑤ D, E, F

07. 어느 댄스 오디션 프로그램에서 팀별 미션을 진행하려고 한다. 장르별 인원은 비보잉 2명, 댄스 스포츠 2명, 현대무용 3명, 한국무용 4명, 발레 4명이다. 다음 〈조건〉을 만족할 때 항상 옳은 것은?

| 조건 |

- 총 다섯 팀으로 구성하며 팀별 미션 조장은 각 장르에서 1명씩 맡을 수 있다.
- 한 팀에는 반드시 두 장르 이상의 인원이 속해야 하며, 같은 장르를 2명 이상 포함할 수 없다.

① 비보잉이 속한 팀에 항상 발레가 들어가 있다.
② 발레가 속한 팀에는 항상 현대무용이 속해 있다.
③ 한국무용이 속한 팀에 현대무용이 속하지 않는 경우는 없다.
④ 댄스스포츠가 속한 팀에 한국무용이 속하지 않는 경우가 있다.
⑤ 발레가 속한 팀에 한국무용이 속하지 않는 경우는 없다.

08. 다음 조건이 성립한다고 가정할 때, 반드시 참인 것은?

- 안경을 쓴 사람은 가방을 들지 않았다.
- 안경을 쓰지 않은 사람은 키가 크지 않다.
- 스카프를 맨 사람은 가방을 들었다.

① 가방을 들지 않은 사람은 안경을 썼다.
② 안경을 쓰지 않은 사람은 스카프를 맸다.
③ 안경을 쓴 사람은 키가 크다.
④ 키가 큰 사람은 스카프를 매지 않았다.
⑤ 가방을 든 사람은 스카프를 맸다.

09. A, B, C, D 네 명이 12시에 만날 약속을 하였다. 다음 사항이 참일 때, 이에 따른 추론으로 적절한 것은? (단, 모든 시계의 속도는 정상이다)

- A는 자신의 시계로 5분 늦게 도착했다.
- B는 A의 도착 후에 2분 지나서 도착하였고 자신의 시계로 정오 7분 전이라고 말했다.
- C는 B의 도착 후에 2분 지나서, D는 B의 도착 후에 5분 지나서 도착하였다.
- D는 자신이 정시에 도착했다고 말했다.
- 얼마 후에 정확한 12시를 알리는 종이 울렸고 D가 자신의 시계를 보니 3분이 빨랐다.

① A가 도착한 실제 시각은 11시 52분이다.
② C는 실제 정오보다 10분 늦게 도착했다.
③ A, B, D의 시계 중 실제 시간과 가장 오차가 적은 것은 B의 시계이다.
④ C가 도착한 것은 B의 시계로 12시 5분이었다.
⑤ A가 도착하고 5분 후에 12시 종이 울렸다.

[10 ~ 11] 다음 글을 읽고 이어지는 질문에 답하시오.

○○기관 직원 H는 20X2년 상반기 역사 운영에 대한 평가를 정리하고 있다.

〈20X2년 상반기 역사 운영 실적〉

구분	A 역	B 역	C 역	D 역	E 역
지면 광고 매출(백만 원)	1,300	900	450	2,200	430
매출 흑자 상점 수(개)	15	6	2	17	12
전체 상점 수(개)	28	17	11	23	35
20X1년 하반기 이용객(만 명)	7,500	7,200	6,500	9,100	7,500
20X2년 상반기 이용객(만 명)	8,000	8,100	6,800	12,200	8,600

〈평가 항목별 점수 산출 기준〉

평가항목 \ 점수	1점	2점	3점	4점
지면 광고 매출(백만 원)	500 미만	500 이상 1,000 미만	1,000 이상 2,000 미만	2,000 이상
역내 상점 지수	0.1 미만	0.1 이상 0.4 미만	0.4 이상 0.7 미만	0.7 이상
이용객 증가율	5% 미만	5% 이상 10% 미만	10% 이상 20% 미만	20% 이상

- 역내 상점 지수 $= \dfrac{\text{매출 흑자 상점 수}}{\text{전체 상점 수}}$
- 이용객 증가율(%) $= \dfrac{\text{20X2년 상반기 이용객} - \text{20X1년 하반기 이용객}}{\text{20X1년 하반기 이용객}} \times 100$
- 최종 평가등급은 평가 항목별 점수를 합산한 총점이 높은 순서대로 S 등급, A 등급, B 등급, C 등급, D 등급을 부여한다.

10. 위 자료를 바탕으로 역내 상점 지수를 점수로 산출하였을 때, 다음 중 각 역과 그에 해당하는 역내 상점 지수 점수의 연결이 적절하지 않은 것은?

① A 역－3점　② B 역－2점　③ C 역－1점
④ D 역－4점　⑤ E 역－2점

11. 위 자료를 바탕으로 최종 평가등급을 산출할 때, A 등급에 해당하는 역은?

① A 역　② B 역　③ C 역
④ D 역　⑤ E 역

12. 다음 자료와 조건에 따라 지수가 선정할 시공업체로 적절한 곳은?

지수는 사무실 인테리어 업체 선정을 위해 관련 자료를 검토 중이다.

기준 / 업체명	경영상태	공사기간	비용	후기/점수	A/S기간
K 시공	보통	4주	350만 원	3.5/5	1년
G 시공	매우 좋음	3주	400만 원	4/5	2년
H 시공	좋음	3주	380만 원	3.5/5	1년
M 시공	좋지 않음	4주	330만 원	4.5/5	1년
U 시공	매우 좋음	5주	370만 원	5/5	3년

〈순위－점수 환산표〉

순위	1위	2위	3위	4위	5위
점수	5점	4점	3점	2점	1점

- 5개의 기준에 따라 5개의 업체 간 순위를 매기고 순위－점수 환산표에 의한 점수를 부여함.
- 경영상태가 좋을수록, 공사기간이 짧을수록, 비용이 낮을수록, 후기 점수가 높을수록, A/S 기간이 길수록 높은 순위를 부여함.
- 2개 이상의 업체의 순위가 동일할 경우, 그 다음 순위의 업체는 순위가 동일한 업체 수만큼 순위가 밀려남(예 A, B 업체가 모두 1위일 경우, 그 다음 순위인 C 업체는 3위).
- 환산 점수의 합이 가장 높은 업체를 선정함.
- 환산 점수의 합이 가장 높은 업체가 2개 이상일 경우, 경영상태가 더 좋은 업체를 선정함.

① K 시공 ② G 시공 ③ H 시공
④ M 시공 ⑤ U 시공

[13 ~ 15] 다음 자료를 보고 이어지는 질문에 답하시오.

박 사원은 상품 생산에 필요한 자원에 대한 자료를 살펴보고 있다.

〈상품별 1개 생산 시 자원 사용량과 개당 이익〉

구분	자원 1	자원 2	자원 3	개당 이익
상품 A	20원	60원	15원	1,200원
상품 B	24원	20원	60원	600원

〈자원별 가용 예산〉

구분	자원 1	자원 2	자원 3
가용 예산	2,300원	5,000원	5,000원

• 상품 생산은 자원별 가용 예산 범위 내에서 이루어지며, 상품 A, B는 자연수 단위로 생산 가능하다.
• 상품 생산 시 모든 자원은 동일한 개수가 필요하다.
※ 가용 예산은 상품을 생산하는 데 사용할 수 있는 최대 예산이다.

13. 다음 중 상품 A를 단독으로 생산하고자 할 때, 최대 생산 가능 개수는?

① 67개 ② 83개 ③ 93개
④ 115개 ⑤ 333개

14. 다음 중 상품 B를 단독으로 생산하고자 할 때, 얻을 수 있는 최대 이익은?

① 36,000원 ② 49,800원 ③ 57,000원
④ 69,000원 ⑤ 150,000원

15. 박 사원은 상품 A, B를 동일한 수량으로 동시에 생산하려고 한다. 이때 박 사원이 얻을 수 있는 최대 이익은?

① 93,600원 ② 111,600원 ③ 118,800원
④ 149,400원 ⑤ 171,000원

영역 4 지각력

15문항/15분

[01 ~ 05] 다음의 문자 · 기호 · 숫자군 중에서 왼쪽에 제시된 문자, 기호, 숫자의 개수를 고르시오.

01.

385

386	305	085	385	935	853	358	385	386	385	306	396
385	395	378	583	358	396	365	368	380	388	305	355
364	391	382	380	368	349	335	345	385	398	356	385

① 4개　② 5개　③ 6개　④ 7개　⑤ 8개

02.

غ

ڽ ز ش ب ة غ ت ظ م ك ج ظ خ د ف ش ي
ب د ح ك ط ف ح ت ظ م ش غ س ط ص ۊ
ظ ع ؤ ٹ ښ ڽ م ن ش و ۆ ة خ ڢ ي ض ط

① 1개　② 2개　③ 3개　④ 4개　⑤ 5개

03.

≫

≇	≪	∩	∨	Δ	∻	≫	⌗	⌘	⌧	≫
⋦	⋒	≫	⋟	▽	⌕	⌧	⌥	⌕	^	⋘
⋣	≫	⌧	⌕	▽	⌗	⌖	⋓	∪	⋟	∻

① 2개　② 3개　③ 4개　④ 5개　⑤ 6개

04.

ONG

GOE	EHB	PLD	BIL	VMX	ODP	ANX	IEU	WSD	PSO
TYI	QMX	OWZ	IGO	WPB	PBI	IVZ	BNS	QPO	AOV
BIW	PRO	SUI	BNX	ONG	QDP	GIE	ONG	WOQ	ZLD
OPW	BID	QNG	UOA	DIX	BXP	WSO	EVP	SIR	XNF
ONG	VZR	PNG	EDO	XLG	WIC	QMU	ZPI	GNO	WOP

① 1개 ② 2개 ③ 3개
④ 4개 ⑤ 5개

05.

$x+y+z^4$

$x+y+z$	$x+y^2-z$	$x \div y-z$	$x^2 \times y-z$
$x-y^2 \div z$	$x \times y^4 \div z$	$x+y+z^4$	$x \times y \times z$
$x+y^2-z$	$x \div y-z$	$x-y^2-z^3$	$x^5 \div y+z$

① 1개 ② 2개 ③ 3개
④ 4개 ⑤ 5개

[06 ~ 10] 다음 제시된 문자 · 기호 · 숫자군에서 찾을 수 없는 문자, 기호, 숫자를 고르시오.

06.

♧ ☆ ◐ Σ ∮ ▥ £ ♡ ▣ ▦ £ ¥ ◈ ♥ ▧ ℃ ☎ ♣
♤ ◑ ▩ ▶ ⊠ ☸ ◁ ♀ ▨ ▶ ♬ ▤ ♭ ◉ ⇒ Ⅷ ◍ ¢
☍ ✪ ∮ ◱ ⊛ ◭ ☊ ☮ ☈ ◒ ◪ Ⓚ ◷ ∋ 〶 ⇔ ⁉ @

① ∮　② £　③ ‰
④ ♭　⑤ ☊

07.

dkakfFheieoDcmBngujCdlrieNbwybcmEfirhdTjfkwkCVpruJUxbghKslloermch

① d　② t　③ i
④ k　⑤ n

08.

콹 솙 흵 찱 겏 틁 댦 봁 굵 젥 홁 즑 밹 춝
껽 윩 멹 딻 쳵 쿩 쪏 핛 폷 꺏 땕 줅 쌝 뀕
뺅 팱 횵 쌟 숡 맭 쥵 쏣 껅 릾 볿 듋 칽 꼷

① 굵　② 꺏　③ 듋
④ 쌝　⑤ 딻

09.

끗 끝 끙 끕 끌 끗 끜 끝 끚 끔 끈 끙 끌 끟 끜 끟 끝 끘 끔
끈 끙 끌 끟 끜 끚 끞 끟 끙 끕 끚 끋 끜 끗 끔 끈 끙 끌 끟
끜 끝 끘 끞 끟 끕 끚 끜 끘 끆 끝 끔 끈 끙 끌 끟 끜 끝 끚
끔 끈 끕 끚 끋 끜 끟 끜 끚 끜 끘 끆 끟 끔 끈 끙 끌 끟 끜
끟 끞 끘 끔 끈 끙 끌 끟 끝 끜 끚 끟 끙 끕 끚 끋 끜 끗 끔

① 끞
② 끆
③ 끟
④ 끗
⑤ 끚

10.

①
②
③
④
⑤

11. A와 B를 비교했을 때 서로 다른 부분은 몇 곳인가?

(A) 옛날이나 지금이나 치세와 난세가 없을 수 없소. 치세에는 왕도정치와 패도정치가 있소. 군주의 재능과 지혜가 출중하여 뛰어난 영재들을 잘 임용하거나, 비록 군주의 재능과 지혜가 모자라더라도 현자를 임용하여, 인의의 도를 실천하고 백성을 교화하는 것은 왕도(王道)정치입니다. 군주의 지혜와 재능이 출중하더라도 자신의 총명만을 믿고 신하를 불신하며, 인의의 이름만 빌려 권모술수의 정치를 행하여 백성들로 하여금 자신의 사익만 챙기고 도덕적 교화를 이루게 하지 못하는 것은 패도(覇道)정치라오. 나아가 난세에는 세 가지 경우가 있소. 속으로는 욕심 때문에 마음이 흔들리고 밖으로는 유혹에 빠져서 백성들의 힘을 모두 박탈하여 자기 일신만을 받들고 신하의 진실한 충고를 배척하면서 자기만 성스러운 체하다가 자멸하는 자는 폭군(暴君)의 경우이지요. 정치를 잘해보려는 뜻은 가지고 있으나 간사한 이를 분별하지 못하고 등용한 관리들이 재주가 없어 나라를 망치는 자는 혼군(昏君)의 경우이지요. 심지어 나약하여 뜻이 굳지 못하고 우유부단하며 구습만 고식적으로 따르다가 나날이 쇠퇴하고 미약해지는 자는 용군(庸君)의 경우이지요.

(B) 옛날이나 지금이나 치세와 난세가 없을 수 없소. 치세에는 왕도정치와 패도정치가 있소. 군주의 재능과 지혜가 출중하여 뛰어난 영재들을 잘 임용하거나, 비록 군주의 재능과 지혜가 모자라더라도 현자를 임용하여, 인의의 도를 실천하고 백성을 교화하는 것은 왕도(王道)정치입니다. 군주의 지혜와 재능이 출중하더라도 자신의 총명만을 믿고 신하를 불신하며, 인의의 이름만 빌려 권모술수의 정치를 행하여 백성들로 하여금 자신의 사익만 챙기고 도덕적 교화를 이루게 하지 못하는 것은 패도(覇道)정치라오. 나아가 난세에는 세 가지 경우가 있소. 속으로는 욕심 때문에 마음이 흔들리고 밖으로는 미혹에 빠져서 백성들의 힘을 모두 박탈하여 자기 일신만을 받들고 신하의 진실한 충고를 배척하면서 자기만 성스러운 체하다가 자멸하는 자는 폭군(暴君)의 경우이지요. 정치를 잘해보려는 뜻은 가지고 있으나 간사한 이를 분별하지 못하고 등용한 관리들이 재주가 없어 나라를 망치는 자는 혼군(昏君)의 경우이지요. 심지어 나약하여 뜻이 굳지 못하고 우유부단하며 구습만 고식적으로 따르다가 나날이 쇠퇴하고 미약해지는 자는 용군(庸君)의 경우이지요.

① 없음.　② 1곳　③ 2곳
④ 3곳　⑤ 4곳

12. 다음 글에서 합성어를 포함하여 '기술'이라는 글자가 몇 개 있는지 고르면?

하지만 기술 혁신을 통한 생산성 향상 시도가 곧바로 수익성 증가로 이어지는 것은 아니다. 기술 혁신 과정에서 비용이 급격히 증가하거나 생각지도 못한 위험이 수반되는 경우가 종종 있기 때문이다. 만약 필킹턴 사 경영진이 플로트 공정의 총개발비를 사전에 알았더라면 기술 혁신을 시도하지 못했을 것이라는 필킹턴 경(卿)의 회고는 이를 잘 보여 준다. 필킹턴 사는 플로트 공정의 즉각적인 활용에도 불구하고 그동안의 엄청난 투자 때문에 무려 12년 동안 손익 분기점에 도달하지 못했다고 한다.

이와 같이 기술 혁신의 과정은 과다한 비용 지출이나 실패의 위험이 도사리고 있는 험난한 길이기도 하다. 그렇지만 그러한 위험을 감수하면서 기술 혁신에 도전했던 기업가와 기술자의 노력 덕분에 산업의 생산성은 지속적으로 향상되었고, 지금 우리는 그 혜택을 누리고 있다. 우리가 기술 혁신의 역사를 돌아보고 그 의미를 되짚는 이유는, 그러한 위험 요인들을 예측하고 적절히 통제할 수 있는 능력을 갖춘 자만이 앞으로 다가올 기술 혁신을 주도할 수 있으리라는 믿음 때문이다.

① 5개　② 6개　③ 7개
④ 8개　⑤ 9개

13. 암호 'ZVFFXBERN'을 해석하면 '미스코리아'라고 읽혔다고 한다. 같은 암호를 사용했을 때, 'ERFBEG'가 나타내는 것은?

① 파티　② 리조트　③ 캐나다
④ 스위스　⑤ 스포츠

[14 ~ 15] 다음 제시된 상황과 자료를 보고 이어지는 질문에 답하시오.

수협 보안팀은 직원들의 회사 계정의 비밀번호와 보안을 위해 비밀번호를 다음과 같이 변환하여 관리하고 있다.

문자	변환문자	문자	변환문자	문자	변환문자	문자	변환문자
A	1a	J	3y	S	1g	1	96
B	4w	K	2c	T	9n	2	23
C	8h	L	5q	U	3o	3	37
D	3r	M	9L	V	4p	4	12
E	7b	N	5i	W	6e	5	85
F	6s	O	4u	X	3x	6	41
G	8i	P	7d	Y	2w	7	54
H	7i	Q	9m	Z	8f	8	69
I	2k	R	1v	!	9z	9	78

• 비밀번호 변환하는 2가지 방식

비밀번호를 입력하세요("ELECTRO") ◇ 방식으로 변환 중 ….. 변환완료! 변환 값 출력	비밀번호를 입력하세요("SUPERB7") □ 방식으로 변환 중 ….. 변환완료! 변환 값 출력
변환 값 : 6s9L6s3r3o1g7d	변환 값 : 544w1v7b7d3o1g

14. 다음 비밀번호를 □ 방식으로 변환하였을 때, 변환 값으로 옳은 것은?

비밀번호	IYFR97!

① 9m54781v6s2w2k
② 9z54781v6s2w2k
③ 9m54411v6e2w2k
④ 9z54691v6e2w2k
⑤ 9m57641v6s2w2k

15. 다음 비밀번호를 ◇ 방식으로 변환하였을 때, 변환 값으로 옳은 것은?

비밀번호	OB37HAB

① 7d8h12692k4w8h
② 7d8h12852k4u8f
③ 7d8n12782k4u8f
④ 7d8n37542k4w8h
⑤ 7d8h12742k4o8f

고시넷 전국수협 최신기출유형모의고사

전공시험 출제키워드

- 경영학
  - ▶ SWOT분석방법 이해하기
  - ▶ 조직과 개인의 관계 파악하기
  - ▶ 경영전략 파악하기
  - ▶ 고객관계관리(CRM) 이해하기
  - ▶ 리더십의 종류 파악하기
- 수협법
  - ▶ 지구별수협의 설립 이유 파악하기
  - ▶ 어업인과 수산가공업자의 관계 이해하기
  - ▶ 수산업협동조합중앙회가 진행하는 사업 파악하기
  - ▶ 수산업협동조합의 회계결산 규정 이해하기
  - ▶ 수협은행과 타 금융기관의 차이 이해하기

전국수협 적성검사 + 전공시험

파트 2 전공시험 기출유형모의고사

- 경영학 전공시험
- 수협법 전공시험

전국수협
전공

경영학 전공시험

문항수 | 50문항
시험시간 | 50분

▸ 정답과 해설 54쪽

01. 다음 〈보기〉에서 주식회사에 대한 설명으로 옳지 않은 것은 모두 몇 개인가?

| 보기 |

ㄱ. 주식회사의 출자자는 모두 무한책임을 진다.
ㄴ. 출자의 단위를 소액 균등화하여 소액자본 보유자도 출자가 가능하다.
ㄷ. 일반적으로 소유와 경영이 분리되어 있다.
ㄹ. 주주총회와 이사회 등의 기관을 보유하고 있다.
ㅁ. 증권을 통한 자본조달이 가능하다.
ㅂ. 발행한 주식은 자유롭게 매매할 수 있다

① 1개　② 2개　③ 3개　④ 4개　⑤ 5개

02. 다음 중 SWOT 분석에 대한 설명으로 적절하지 않은 것은?

① 약점(W)은 조직이 잘하지 못하는 활동이나 필요하지만 소유하지 못한 자원을 포함한다.
② 기회(O)는 내 · 외부 환경요인에서 긍정적인 경향들을 포함한다.
③ SO 전략은 내부의 강점을 이용해 외부의 기회를 포착하는 전략이다.
④ WT 전략은 내부의 약점과 외부의 위협을 최소화하여 사업을 축소하거나 철수하는 전략이다.
⑤ ST 전략은 내부의 강점을 활용하여 외부의 위험을 회피하는 전략이다.

03. 지식경영에 대한 설명으로 옳은 것은?

① 언어로 표현하기 힘든 주관적 지식을 형식지라고 한다.
② 암묵지에서 형식지로 지식이 전환되는 과정을 내면화라고 한다.
③ 수집된 데이터를 문제해결과 의사결정에 도움이 될 수 있도록 일정한 패턴으로 정리한 것을 정보라고 한다.
④ 지식경영은 형식지를 기업 구성원들에게 체화시킬 수 있는 암묵지로 전환하여 공유하는 경영방식이다.
⑤ SECI 모델은 암묵지와 형식지라는 두 종류의 지식이 독립화, 표출화, 연결화, 내면화라는 네 가지 변환과정을 거치며 지식이 창출된다는 이론이다.

04. 수요가 공급을 초과할 때 수요를 감소시키는 것을 목적으로 하는 마케팅관리기법은?

① 전환적 마케팅(Conversional Marketing)
② 동시화 마케팅(Synchro Marketing)
③ 자극적 마케팅(Stimulational Marketing)
④ 개발적 마케팅(Developmental Marketing)
⑤ 디마케팅(Demarketing)

05. 다음 중 포터의 가치사슬모형의 지원 활동(Support Activities)에 해당하는 것은?

① A/S 등 고객에 대한 서비스 활동
② 투입요소를 최종제품의 형태로 만드는 생산 활동
③ 제품을 구입할 수 있도록 유도하는 활동
④ 생산한 물품을 저장하고 배송하는 활동
⑤ 기계, 설비, 사무장비, 건물 등의 자산을 구입하는 활동

06. 다음 중 강화이론(Reinforcement Theory)에 대한 설명으로 옳지 않은 것은?

① 적극적 강화는 긍정적인 행동에 따른 보상을 이용한다.
② 도피학습과 회피학습은 소극적 강화에 해당한다.
③ 기존에 주어졌던 혜택이나 이익을 제거하는 것은 소거에 해당한다.
④ 학습 초기 단계에서 연속적 강화는 단속적 강화에 비해 효과적이나 현실 적용이 어렵다.
⑤ 간격법은 비율법에 비해 더 효과적인 강화방법이다.

07. 다음 동기부여이론 중 내용이론이 아닌 것은?

① 브룸(Vroom)의 기대이론
② 허즈버그(Herzberg)의 2요인이론
③ 맥그리거(McGregor)의 X · Y 이론
④ 매슬로우(Maslow)의 욕구단계이론
⑤ 아지리스(Argyris)의 성숙 · 미성숙이론

08. 다음 임금 및 보상에 관한 설명 중 적절하지 않은 것은?

① 직무급은 종업원이 맡은 직무의 상대적 가치에 따라 임금을 결정하는 방식이다.
② 해당 기업의 종업원이 받는 임금수준을 타 기업 종업원의 임금수준과 비교하는 것은 임금의 외부 공정성과 관련이 있다.
③ 해당 기업 내 종업원 간의 임금수준의 격차는 임금의 내부 공정성과 관련이 있다.
④ 직능급은 종업원이 보유하고 있는 직무수행능력을 기준으로 임금을 결정하는 방식이다.
⑤ 기업의 임금체계와 임금의 내부 공정성은 해당 기업의 지불능력, 생계비 수준, 노동시장에서의 임금수준에 의해 결정된다.

09. 조직에서 개인의 태도와 행동에 관한 설명으로 적절한 것은?

① 조직몰입에서 지속적 몰입은 조직구성원으로서 가져야 할 의무감에 기반한 몰입이다.
② 정적 강화에서 강화가 중단될 때, 변동비율법에 따라 강화된 행동이 고정비율법에 따라 강화된 행동보다 빨리 사라진다.
③ 감정지능이 높을수록 조직몰입은 증가하고 감정노동과 감정소진은 줄어든다.
④ 직무만족이 높을수록 이직의도는 낮아지고 직무 관련 스트레스는 줄어든다.
⑤ 조직시민행동(Organizational Citizenship Behavior)은 신사적 행동, 예의바른 행동, 이타적 행동, 전문가적 행동의 네 가지 요소로 구성된다.

10. 페이욜(H. Fayol)이 제시한 경영조직의 일반원칙으로 옳지 않은 것은?

① 명령일원화의 원칙 ② 분업의 원칙 ③ 동작경제의 원칙
④ 권한과 책임의 원칙 ⑤ 집권화의 원칙

11. 다음 중 구성원에게 실시하는 교육훈련 방법에 대한 설명으로 적절하지 않은 것은?

① 직무현장훈련(OJT)은 직무에 종사하면서 감독자 지도하에 훈련을 받을 수 있는 현장실무중심훈련이다.
② 모든 교육훈련은 훈련 현장과 직무 현장 간, 직무내용 간 유사성을 유지해야 한다.
③ 집단구축기법을 통해 아이디어와 경험을 공유할 수 있다.
④ 인터넷이나 인트라넷을 통해 학습하는 e-러닝을 실시할 수 있다.
⑤ 비즈니스 게임을 통해 주어진 사례나 문제의 실제 인물을 연기함으로써 당면한 문제를 체험해 볼 수 있다.

12. 상품 성과 분석방법 중 하나인 ABC분석에 대한 설명으로 알맞지 않은 것은?

① 가장 중요한 성과 측정치인 공헌이익은 매출액에서 변동비를 차감한 금액을 의미한다.
② 재고 결정을 위해 상품에 등위를 매기는 방법이다.
③ 단품 수준에서는 적용이 가능하나 상품 부문에서는 적용이 불가능하다.
④ 재고관리나 자재관리뿐만 아니라 원가관리, 품질관리에도 이용할 수 있다.
⑤ 상품의 수가 많아 모든 재고품목을 관리하기 어려운 경우에 이용된다.

13. 다음 중 브랜드 자산가치를 측정하는 방법으로 거리가 먼 것은?

① 매출액 배수를 이용한 측정
② 초과가치 분석을 통한 측정
③ 무형자산의 가치추정을 통한 측정
④ 브랜드 플랫폼 분석을 통한 측정
⑤ 취득원가에 기초한 측정

14. 다음 경우에서 적합하게 사용될 수 있는 가격결정전략은?

- 잠재 구매자들이 가격-품질 연상을 강하게 갖고 있는 경우
- 가격을 높게 매겨도 경쟁자들이 들어올 가능성이 낮은 경우

① 사양제품 가격결정
② 시장침투가격
③ 혼합 묶음제품 가격
④ 이중요율
⑤ 스키밍가격

15. 다음 중 기업의 소유자와 경영자 사이에서 발생하는 대리인 비용(Agency Problem)과 관련이 없는 것은 모두 몇 개인가?

ㄱ. 감시비용(Monitoring Cost)
ㄴ. 지배원리(Dominance Principle)
ㄷ. 스톡옵션(Stock Option)
ㄹ. 정보의 비대칭성(Information Asymmetry)
ㅁ. 기업지배권(Corporate Governance)

① 1개
② 2개
③ 3개
④ 4개
⑤ 5개

16. 시장세분화에 대한 설명 중 옳지 않은 것은?

① 효과적인 시장세분화를 위해서는 세분시장의 규모가 측정 가능하여야 한다.
② 시장세분화를 통해 소비자들의 다양한 욕구를 보다 정확하게 파악할 수 있다.
③ 동일한 세분시장 내에 있는 소비자들은 이질성이 극대화되며, 세분시장 간에는 동질성이 존재한다.
④ 욕구가 비슷하거나 동일한 시장을 묶어서 세분화한 것으로 소비자들의 다양한 욕구를 충족시키기에 적합하다.
⑤ 역세분화(Counter-Segmentation)는 시장세분화로 인해 발생한 마케팅비용의 증가를 완화하기 위해 세분시장을 통합하는 과정을 의미한다.

17. 인사평가상의 오류와 그 방지책에 대한 설명으로 옳지 않은 것은?

① 현혹효과(Halo Effect)는 평가 대상이 가진 어떤 분야의 호의적 인상이 다른 분야의 평가에도 영향을 미치는 것으로 평가요소별 평가를 통해 오류를 방지할 수 있다.
② 연공오류(Seniority Errors)는 평가 대상의 학력, 근속연수, 연령 등의 연공에 의해 평가가 결정되는 것으로, 서류평가 단계에서 의도적으로 이를 기재하지 않도록 하는 방법으로 오류를 방지할 수 있다.
③ 상동적 태도(Stereotyping)는 사람을 평가함에 있어서 그 사람이 가지는 특성에 기초하지 않고 그 사람이 속한 집단의 특징으로 그 사람을 평가하는 것으로, 그 사람에 대한 정보가 충분할 경우 오류를 방지할 수 있다.
④ 가혹화 경향(Severity Tendency)이란 평가 대상을 지나치게 가혹하게 평가하는 것을 말하며 강제할당법을 사용하여 오류를 방지할 수 있다.
⑤ 중심화 경향(Central Tendency)은 평가 대상을 평균치에 집중하여 평가하는 경향으로 강제할당법을 사용하여 오류를 방지할 수 있다.

18. ○○기업 기획팀은 BCG 매트릭스를 활용하여 전략사업단위를 평가하기 위한 회의를 열었다. 다음 대화 내용 중 가장 옳지 않은 발언을 한 사람은?

> 박일번 팀장 : 오늘 회의는 BCG 매트릭스의 특징을 기반으로 사업 전략을 제시하도록 합시다.
>
> 배대로 대리 : 시장성장률과 사업의 강점을 축으로 구성된 매트릭스를 말씀하시는 거죠?
>
> 보태도 과장 : Question Mark 사업부는 많은 현금을 필요로 하므로 경쟁력이 없을 것으로 판단되는 사업 단위는 회수나 철수 등의 정책을 취해야 합니다.
>
> 손바른 차장 : 시장점유율이 매우 큰 Star 사업부는 유지전략이 사용될 수 있지만, 시장점유율이 크지 않으면 육성전략이 사용될 수도 있습니다.
>
> 이미도 차장 : Cash Cow 사업부는 저성장시장에 있으므로 신규설비투자를 멈추고 유지정책을 사용해야 합니다.
>
> 현재연 대리 : Dog 사업부는 시장전망이 좋지 않으니 회수나 철수정책을 사용해야 합니다.

① 배대로 대리 ② 보태도 과장 ③ 손바른 차장
④ 이미도 차장 ⑤ 현재연 대리

19. 다음 중 포터(Porter)의 산업구조분석기법의 5가지 요소에 해당하지 않는 것은?

① 기업지배구조의 변동성 ② 잠재적 진입자의 위협
③ 대체재의 위협 ④ 구매자의 교섭력
⑤ 현재 산업 내의 경쟁

20. 다음 중 생산시설 배치(Facility Layout)에 대한 설명으로 옳지 않은 것은?

① 제품형 시설배치(Product Layout)는 특정 제품을 생산하는 데 필요한 작업순서에 따라 시설을 배치하는 방식이다.
② 공정형 시설배치(Process Layout)는 다품종 소량생산에 적합하고 범용기계 설비의 배치에 많이 이용된다.
③ 항공기, 선박의 생산에 효과적인 생산시설 배치의 유형은 고정형 시설배치(Fixed-Position Layout)이다.
④ 제품형 시설배치는 재공품 재고의 수준이 상대적으로 높으며 작업기술이 복잡하다.
⑤ 셀룰러 배치(Cellular Layout)는 제조셀을 이용한 제품별 배치의 한 유형이다.

21. 다음 중 재고관리에서 안전재고(Safety Stock)에 관한 설명 중 옳지 않은 것은?

① 수요, 공급 및 리드타임(Lead Time) 등의 변동성이 작을수록 안전재고의 필요성이 감소한다.
② 과다한 안전재고의 보유는 불필요한 재고보유비용을 발생시킨다.
③ 수요예측의 정확도를 향상시키려는 노력과 납품업체와의 생산계획 공유를 통해 공급의 불확실성을 감소시키려는 노력은 안전재고를 감축하는 데 도움이 된다.
④ 고정주문량 모형(Q-모형)을 이용하는 경우, 리드타임 동안에 재고부족이 발생할 수 있으므로 품절 위험에 대비한 안전재고를 고려해야 한다.
⑤ 기업에서 요구되는 서비스 수준(Service Level)이 낮을수록 이를 달성하는 데 필요한 안전재고의 수준이 높아진다.

22. 해리스(F. W. Harris)가 제시한 EOQ(경제적 주문량) 모형의 가정으로 옳은 것은?

① 단일 품목만을 대상으로 한다.
② 조달기간은 분기 단위로 변동한다.
③ 수량할인이 적용된다.
④ 주문비용은 주문량에 정비례한다.
⑤ 단위기간 중의 수요는 예측할 수 없다.

23. 품질경영에 관한 설명으로 적절하지 않은 것은?

① QC 서클은 품질, 생산성, 원가 등과 관련된 문제를 해결하기 위해 모이는 작업자 그룹이다.

② ZD(Zero Defect) 프로그램은 불량이 발생되지 않도록 통계적 품질관리의 적용을 강조한다.

③ 품질비용은 일반적으로 통제비용과 실패비용의 합으로 계산된다.

④ 관리도는 정기적으로 추출한 표본자료의 움직임으로 공정의 이상유무를 판단하는 통계적 관리 기법이다.

⑤ 6시그마 품질수준은 공정평균이 규격의 중심에서 '1.5×공정표준편차'만큼 벗어났다고 가정하였을 때 100만 개당 3.4개 정도의 불량이 발생하는 수준을 의미한다.

24. 신제품 수용과 제품수명주기에 관한 설명으로 옳은 것을 〈보기〉에서 모두 고르면?

| 보기 |

㉠ 후기 다수 수용자(Late Majority)는 조기 수용자(Early Adopters) 바로 다음에 신제품을 수용하는 소비자 집단이다.

㉡ 단순성(Simplicity)은 신제품의 이해나 사용상의 용이한 정도를 의미하며 신제품 수용에 영향을 미치는 요인들 중의 하나이다.

㉢ 시장규모는 성숙기보다 성장기에서 더 크고, 제품원가는 도입기보다 성장기에서 더 높다.

㉣ 전형적인 제품수명주기는 도입기, 성장기, 성숙기, 쇠퇴기의 단계를 갖는다.

㉤ 최종수용층(Laggards)은 주로 제품수명주기상 쇠퇴기에 제품을 수용한다.

① ㉠, ㉡, ㉢　② ㉡, ㉣, ㉤　③ ㉡, ㉢, ㉤
④ ㉠, ㉣, ㉤　⑤ ㉢, ㉣, ㉤

25. 다음 사례를 통해 알 수 있는 유통의 기능을 〈보기〉에서 모두 고르면?

> 감자를 재배하는 A 씨는 매점상인 B 씨에게 자신의 밭에 심은 감자를 1,000만 원에 판매하였다. B 씨는 구매한 감자를 중앙 도매시장으로 가져가 경매를 통해 도매인인 C 씨에게 1,500만 원에 판매하였다.

| 보기 |

㉠ 정보 불일치를 해소하는 기능
㉡ 소유권을 이전시키는 기능
㉢ 장소적 불일치를 해소하는 기능
㉣ 품질적 거리를 조절하는 기능

① ㉠, ㉡
② ㉠, ㉢
③ ㉡, ㉢
④ ㉡, ㉣
⑤ ㉢, ㉣

26. 기업이 사용하는 멀티브랜드(Multibrand) 전략에 대한 설명으로 적절하지 않은 것은?

① 기업이 동일 시장 내에서 두 가지 이상의 브랜드를 출시하는 전략이다.
② 자사의 시장점유율을 올리고 경쟁사에 대한 진입 장벽을 높이는 전략이다.
③ 경쟁사의 제품으로 고객이 유출되는 것을 막을 수 있다는 이점이 있다.
④ 특정한 니즈(Needs)를 가진 소수의 단일 고객층에 집중하기 위해 사용하는 전략이다.
⑤ 브랜드 간에 이미지가 겹칠 경우 자사 제품 간의 경쟁이 유도된다는 위험이 있다.

27. 다음에서 설명하는 기업결합의 형태로 옳은 것은?

> • 동종 또는 유사 기업이 상호 간 경쟁의 제한 또는 완화를 목적으로 시장통제에 관한 협정을 맺음으로써 이루어지는 기업연합
> • 이 형태의 기업결합은 기업 상호 간에 아무런 자본적 지배를 하지 않으므로 기업 간의 독립성이 유지되며 기업 간 구속력이 낮다.

① 트러스트(Trust)
② 콘체른(Konzern)
③ 콤비나트(Kombinat)
④ 카르텔(Cartel)
⑤ 지주회사(Holding Company)

28. 다음 중 창의성 개발기법에 대한 설명으로 알맞지 않은 것은?

① 창의성 개발기법에는 자유연상법, 분석적 기법, 강제적 관계기법 등이 있다.
② 브레인스토밍과 고든법은 둘 다 아이디어의 질을 중시하는 기법이다.
③ 강제적 기법은 서로 관계가 없는 둘 이상의 물건이나 아이디어를 강제로 연결시키는 방법이다.
④ 집단 내에서 창의적인 의사결정을 증진시키는 방법으로 델파이법과 명목집단법도 포함시킬 수 있다.
⑤ 자유연상법에서는 아이디어를 내는 과정에서의 내용에 대한 비평은 일절 금지된다.

29. 다음 중 직무평가에 대한 설명으로 적절한 것은?

① 직무평가의 목적은 조직에 필요한 직무인지 여부를 평가하고 개선점을 찾아내는 것이다.
② 직무급 도입을 위한 핵심적인 과정이다.
③ 직무수행에 필요한 인적 요건에 관한 정보를 구체적으로 기록한 것이 직무기술서이다.
④ 서열법은 직무를 세부요소로 구분하여 직무들의 상대적 가치를 판단한다.
⑤ 사전에 등급이나 기준을 만들고 그에 맞게 직무를 판정하는 방법을 요소비교법이라고 한다.

30. 기업에서 필요한 인력의 풀(Pool)을 구성하는 방식에는 크게 내부모집과 외부모집이 있다. 다음 중 내부모집과 외부모집의 특성에 관한 설명으로 적절하지 않은 것은?

① 내부모집은 내부인끼리의 경쟁이라서 선발에 탈락되어도 불만이 적으며 과다경쟁도 거의 없다.
② 내부모집의 경우 이미 지원자들에 대해 많은 정보를 가지고 있어서 정확한 평가와 결정을 내릴 수 있다.
③ 내부모집은 내부인들 개인이 경력개발을 위해 계획을 세우고 실천하도록 함으로써 사내직원 전체의 능력향상을 도모할 수 있다.
④ 외부모집은 외부인이 자기직무에 잘 적응하기까지의 비용과 시간이 많이 든다.
⑤ 외부모집을 통해 기업은 조직 내부의 분위기에 신선한 충격을 줄 수 있다.

31. 다음 중 공급사슬에서의 채찍효과(Bullwhip Effect)에 대한 설명으로 가장 적절한 것은?

① 고객으로부터 소매점, 도매점, 제조업체, 부품업체의 순으로 사슬의 상류로 가면서 최종 소비자의 수요 변동에 따른 수요 변동폭이 증폭되어 가는 현상을 말한다.
② 부품업체, 제조업체, 유통업체의 순으로 하류방향으로 가면서 부품업체의 생산량 변동에 대한 정보에서 생산량 변동폭이 증폭되어 나타나는 현상을 말한다.
③ 부품업체, 제조업체, 유통업체의 순으로 하류방향으로 가면서 상류에서 협력의 경제적 효과가 증폭되어 나타나는 현상을 말한다.
④ 생산정보를 공유하는 경우 부품업체, 제조업체, 유통업체의 순으로 하류방향으로 가면서 생산정보시스템의 도입에 대한 한계비용 효과가 증폭되어 나타나는 현상을 말한다.
⑤ 소매점, 도매점, 제조업체, 부품업체의 순으로 사슬의 상류로 가면서 재고수준에 대한 정보공유 효과가 증폭되어 가는 현상을 말한다.

32. 다음 중 고객관계관리(CRM)에 대한 설명으로 적절하지 않은 것은?

① 상거래관계를 통한 고객과의 신뢰 형성을 강조한다.
② 단기적인 영업성과 향상보다 중 · 장기적인 마케팅 성과 향상에 중점을 둔다.
③ 시장 점유율 향상을 목표로 하기보다 고객 점유율 향상을 위해 총력을 기울이고자 한다.
④ 평생고객을 유치하여 기업의 수익안정성을 확보하고 기업수익과 기업가치의 상승을 추구한다.
⑤ 기존 고객에 대한 만족도 향상 및 지속적인 관계 형성에 대한 관리도 중요하지만 성장을 위한 신규고객의 확보에 더욱 중요성을 둔다.

33. 다음 중 마케팅조사에 대한 설명으로 적절하지 않은 것은?

① 자료유형 중에서 1차자료는 조사자가 특정 조사목적을 위해 직접 수집한 자료이다.
② 단어연상법은 개방형 질문 유형에 해당한다.
③ 명목척도는 측정대상이 속한 범주나 종류를 구분하기 위한 척도이다.
④ 표본조사는 전수조사보다 비용이 적게 든다는 장점이 있다.
⑤ 편의표본추출법에서는 모집단을 구성하는 모든 측정치들에 동일한 추출기회를 부여한다.

34. 다음 중 제품에 대한 설명이 바르지 않은 것은?

① 선매품은 예약을 통하여 구매하는 제품을 말한다.
② 편의품은 보통 고객이 수시로 또한 최소의 노력으로 구매하는 소비용품을 말한다.
③ 전문품은 상당한 수의 구매자집단이 특징적으로 애착심을 가지며 특수한 구매노력을 기울이는 소비용품이다.
④ 필수품은 일상생활에 없어서는 안 되며 반드시 필요한 물건이다.
⑤ 산업재는 추가적인 가공을 목적으로 구매하는 제품이다.

35. 다음 중 서비스마케팅이 제품마케팅과 다른 점으로 적절하지 않은 것은?

① 서비스를 계획하고 촉진하는 데 있어 컨트롤이 용이하다.
② 제품에 대한 특허권과 달리 서비스는 특허권을 낼 수 없다.
③ 종업원이 서비스 결과에 크게 영향을 준다.
④ 고객이 거래과정에 직접적으로 참여할 뿐만 아니라 상당한 영향을 미친다.
⑤ 서비스는 시간의 경과에 큰 영향을 받는다.

36. 리더십에 관한 설명으로 적절하지 않은 것은?

① 거래적 리더십은 리더와 종업원 사이의 교환이나 거래관계를 통해 발휘된다.
② 서번트 리더십은 목표달성이라는 결과보다 구성원에 대한 서비스에 초점을 둔다.
③ 카리스마적 리더십은 비전달성을 위해 위험감수 등 비범한 행동을 보인다.
④ 변혁적 리더십은 장기비전을 제시하고 구성원들의 가치관 변화와 조직몰입을 증가시킨다.
⑤ 슈퍼 리더십은 리더가 종업원들을 관리하고 통제할 수 있는 힘과 기술을 가지도록 하는 데 초점을 둔다.

37. 다음 중 제조업체와 소매유통업체 사이의 두 가지 극단적인 관계인 풀(Pull) 전략과 푸시(Push) 전략에 관한 설명으로 알맞은 것은?

① 유통업체의 경제성 측면, 즉 마진율은 푸시 전략이 풀 전략보다 상대적으로 낮다.
② 제조업체가 자사신규제품에 대한 시장 창출을 주로 소매유통업체에게 의존하는 것은 푸시 전략에 가깝다.
③ 소비자가 제품의 브랜드 명성을 보고 판매매장으로 찾아오도록 소비자의 등을 미는 것을 푸시 전략이라고 한다.
④ 잘 알려지지 않은 브랜드의 제품을 손님이 많이 드나드는 매장에 전시함으로써 고객들을 끌어 당기는 것을 풀 전략이라고 한다.
⑤ 푸시 전략을 이용하기 위해서는 많은 수의 소비자를 대상으로 하는 마케팅 비용을 제조업체가 직접 부담할 수 있어야 한다.

38. 개인이 혼자 일할 때보다 집단으로 일할 때 발생할 수 있는 무임승차(Social Loafing) 현상을 줄이기 위한 방안으로 적절하지 않은 것은?

① 과업을 전문화시켜 책임소재를 분명하게 한다.
② 개인별 성과를 측정하여 비교할 수 있게 한다.
③ 팀의 규모를 늘려서 각자의 업무 행동을 쉽게 관찰할 수 있게 한다.
④ 본래부터 일하려는 동기수준이 높은 사람을 고용한다.
⑤ 직무충실화를 통해 직무에서 흥미와 동기가 유발되도록 한다.

39. 다음 중 촉진믹스에 해당하지 않는 것은?

① 광고　② 인적 판매　③ 제품
④ PR　⑤ 판매촉진

40. 인적자원의 모집 방법 중 사내공모제(Job Posting System)의 특징으로 옳지 않은 것은?

① 종업원의 상위직급 승진기회가 제한된다.

② 외부인력의 영입이 차단되어 조직이 정체될 가능성이 있다.

③ 지원자의 소속부서 상사와의 인간관계가 훼손될 수 있다.

④ 특정부서의 선발 시 연고주의를 고집할 경우 조직 내 파벌이 조성될 수 있다.

⑤ 선발과정에서 여러 번 탈락되었을 때 지원자의 심리적 위축감이 고조된다.

41. 단위당 소요되는 표준작업시간과 실제작업시간을 비교하여 절약된 작업시간에 대한 생산성 이득을 노사가 각각 50 : 50의 비율로 배분하는 성과급제도는?

① 임프로쉐어 플랜

② 스캔론 플랜

③ 럭커 플랜

④ 메리크식 복률성과급

⑤ 테일러식 차별성과급

42. 소비자들이 좋아하는 음악을 상품광고에 등장시키는 것은 소비자들이 해당 음악에 대해 가지는 좋은 태도가 상품에 대한 태도로 이전되기를 기대하기 때문이다. 이를 가장 잘 설명하는 학습이론으로 적절한 것은?

① 내재적 모델링(Covert Modeling)

② 작동적 조건화(Operant Conditioning)

③ 수단적 조건화(Instrumental Conditioning)

④ 대리적 학습(Vicarious Learning)

⑤ 고전적 조건화(Classical Conditioning)

43. 제품유통 의사결정에 필요한 내용으로 옳지 않은 것은?

① 중간상의 자질에 관한 문제나 유통마진의 크기에 관한 문제 등으로 경로구성원들 사이에서 발생하는 갈등은 목표불일치에 의한 수직적 갈등이다.
② 물적 유통의 목표는 고객만족을 극대화할 수 있도록 적절한 상품을 적시적소에 최소비용으로 배달하는 것이다.
③ 선택적 유통경로정책은 소비자들에게 제품의 노출을 선택적으로 제한함으로써 제품의 명성을 어느 정도 유지하면서 적정수준의 판매량을 확보하고자 할 때 사용할 수 있다.
④ 기술수준이 높은 상품의 유통경로 길이는 사후서비스의 편리성 등을 고려하여 짧은 것이 바람직하다.
⑤ 경로형태선택 시에 판매원을 이용한 직접 판매는 대리상을 이용한 판매에 비하여 매출량에 비례해서 늘어나는 변동비는 많으나 고정비는 상대적으로 적다는 점을 고려하여야 한다.

44. 제품 구매에 대한 심리적 불편을 겪게 되는 인지부조화(Cognitive Dissonance)에 관한 설명으로 옳은 것은?

① 반품이나 환불이 가능할 때 많이 발생한다.
② 구매제품의 만족수준에 정비례하여 발생한다.
③ 고관여 제품에서 많이 발생한다.
④ 제품 구매 전에 경험하는 긴장감과 걱정의 감정을 뜻한다.
⑤ 사후서비스(A/S)가 좋을수록 많이 발생한다.

45. 경영조직론 관점에서 기계적 조직과 유기적 조직에 대한 설명으로 옳지 않은 것은?

① 기계적 조직은 효율성과 생산성 향상을 목표로 한다.
② 기계적 조직에서는 공식적 커뮤니케이션이 주로 이루어지고, 상급자가 조정자 역할을 한다.
③ 유기적 조직에서는 주로 분권화된 의사결정이 이루어진다.
④ 대량생산기술을 적용할 때에는 유기적 조직이 적합하며, 소량주문생산기술을 적용할 때에는 기계적 조직이 적합하다.
⑤ 유기적 조직은 기계적 조직에 비해 공식화와 분업화의 정도가 낮은 편이다.

46. 협동조합(Cooperatives)에 대한 설명으로 옳지 않은 것은?

① 자신들의 경제적 권익을 보호하기 위해 두 명 이상이 공동출자로 조직한 공동기업이다.
② 조합원에게는 출자액에 비례하여 의결권이 부여된다.
③ 영리보다 조합원의 이용과 편익제공을 목적으로 운영된다.
④ 운영주체 또는 기능에 따라 소비자협동조합, 생산자협동조합 등으로 나눌 수 있다.
⑤ 사업을 통해 이익이 발생하면 주식회사는 출자배당을 우선하지만 협동조합은 이용배당을 우선한다.

47. 베버(M. Weber)가 주장한 이상적인 관료제의 특징으로 옳지 않은 것은?

① 분업화와 전문화
② 명확한 권한체계
③ 문서화된 공식적 규칙과 절차
④ 전문적 자격에 근거한 공식적인 선발
⑤ 개인별 특성을 고려한 관리

48. Big 5 성격 특성을 구성하는 다섯 가지 특성과 그에 대한 설명으로 옳지 않은 것은?

① 개방성(Openness) : 지적 자극이나 변화, 다양성을 선호하는 정도
② 성실성(Conscientiousness) : 규범과 원칙을 지키려고 하는 정도
③ 외향성(Extraversion) : 타인과의 교제를 선호하는 정도
④ 친화성(Agreeableness) : 타인의 관심을 끌려고 하거나 타인을 주도하려고 하는 정도
⑤ 정서불안정성(Neuroticism) : 자신의 정서적 안정, 세상을 위협적으로 느끼지 않는 생각의 정도

49. 기업의 보상관리에 있어 경제적 보상을 직접적 보상과 간접적 보상으로 구분할 때, 〈보기〉에서 직접적 보상에 해당하는 것을 모두 고르면?

| 보기 |

㉠ 임금 ㉡ 스톡옵션
㉢ 유급휴가 ㉣ 상여금
㉤ 의료보험료

① ㉠ ② ㉠, ㉡ ③ ㉢, ㉤
④ ㉠, ㉡, ㉣ ⑤ ㉠, ㉢, ㉣, ㉤

50. 기업이 보유한 브랜드 인지도에 대해 보조인지도(Brand Recognition)와 비보조인지도(Brand Recall)를 기준으로 하는 분석방법에 대한 설명으로 옳지 않은 것은?

① 브랜드의 보조인지도란 소비자에게 브랜드를 직접 제시했을 때 해당 브랜드를 인지하고 있는 정도를 의미한다.
② 브랜드의 비보조인지도란 소비자에게 제품군을 제시했을 때 해당 브랜드를 연관하여 인지하는 정도를 의미한다.
③ 최초상기(Top of Mind)는 제품시장에서 보조인지도가 가장 높은 브랜드를 의미한다.
④ 브랜드의 보조인지도가 높고 비보조인지도가 낮은 브랜드는 알고는 있지만 구매에 있어서 고려되지 않는 그레이브야드 브랜드(Graveyard Brand)로 해석할 수 있다.
⑤ 브랜드의 보조인지도가 낮고 비보조인지도가 높다면 해당 브랜드는 특정 소비층에서 높은 인지도를 가진 니치 브랜드(Niche Brand)로 해석할 수 있다.

전국수협
전공

수협법 전공시험

문항수 | 50문항
시험시간 | 50분

▸ 정답과 해설 63쪽

01. 다음은 「수산업협동조합법」의 목적이다. 빈칸 ㉠, ㉡에 들어갈 내용으로 바르게 연결된 것은?

> 「수산업협동조합법」은 (㉠)의 자주적인 협동조직을 바탕으로 (㉠)의 경제적 · 사회적 · 문화적 지위의 향상과 (㉡)의 경쟁력 강화를 도모함으로써 (㉠)의 삶의 질을 높이고 국민경제의 균형 있는 발전에 이바지함을 목적으로 한다.

	㉠	㉡
①	어업인	수산업
②	어업인과 수산물가공업자	어업 및 수산물가공업
③	어업인과 양식업자	어업과 양식업
④	어업인과 어획물운반업자	어업 및 어획물운반업
⑤	수산물유통업자	수산물유통업

02. 수산업협동조합중앙회의 사업에 대한 설명으로 옳지 않은 것은?

① 수산업협동조합중앙회는 자기자본을 충실히 하고 적정한 유동성을 유지하는 등의 경영의 건전성과 효율성을 확보해야 하는 의무를 지닌다.

② 수산업협동조합중앙회가 회원과 공동출자의 방식으로 사업을 수행하는 것은 회원의 사업과 경합되지 않는다.

③ 수산업협동조합중앙회가 출자한 법인은 회원 또는 회원의 조합원으로부터 판매위탁을 받은 수산물 및 그 가공물의 유통, 가공, 판매 및 수출을 적극적으로 추진한다.

④ 수산업협동조합중앙회의 사업을 목적으로 하는 재산에 대해서는 국가 및 지방자치단체의 조세 외의 부과금을 면제한다.

⑤ 국가는 수산업협동조합중앙회의 자율성을 침해해서는 안 되며, 사업에 필요한 경비를 보조하거나 융자할 수 없다.

03. **다음 중 「수산업협동조합법」에서 규정하는 수산물협동조합과 타법과의 관계에 대한 설명으로 옳지 않은 것을 모두 고르면?**

㉠ 수산업협동조합의 재해보상보험사업에 대해서는 「보험업법」의 규정을 준용한다.
㉡ 수산업협동조합의 운수사업에 대해서는 「화물자동차 운수사업법」 제56조(유상운송의 금지)의 적용을 받지 않는다.
㉢ 수산업협동조합의 보관사업에 대해서는 「상법」 제155조부터 제168조까지의 창고업자에 관한 규정의 적용을 받지 않는다.
㉣ 수산업협동조합은 공공기관에 직접 생산하는 물품을 공급하는 경우 「중소기업제품 구매촉진 및 판로지원에 관한 법률」에서 국가와 수의계약으로 납품계약을 체결할 수 있는 자로 본다.

① ㉠ ② ㉣ ③ ㉠, ㉢
④ ㉡, ㉣ ⑤ ㉠, ㉡, ㉢

04. **지구별수협의 설립에 대한 설명으로 옳은 것은?**

① 지구별수협을 설립하기 위해서는 조합원의 자격을 가진 자 3인 이상이 발기인이 되어 정관을 작성하고 의결을 거쳐 해양수산부장관의 인가를 받아야 한다.
② 지구별수협을 설립하기 위해 필요한 출자금납입확약총액의 금액에 대해서는 제한을 두지 않는다.
③ 지구별수협의 성립에는 설립등기를 요구하지 않는다.
④ 설립사무의 인계를 받은 조합장은 정관으로 정한 기일 이내에 조합원이 되려는 자에게 출자금 전액을 납입하게 하여야 한다.
⑤ 지구별수협의 설립무효에 관하여는 「상법」 제328조(설립무효의 소)를 적용하지 아니한다.

05. 다음 중 지구별수협의 정관에 포함되어야 할 사항에 해당하지 않는 것을 모두 고르면?

> ㉠ 지구별수협의 명칭
> ㉡ 지구별수협의 주된 사무소 소재지
> ㉢ 지구별수협의 출자 납입 방법과 지분 계산에 대한 사항
> ㉣ 약정된 현물출자의 명칭과 수량 · 가격 및 출자자의 성명과 주소
> ㉤ 수산금융채권의 발행에 관한 사항

① ㉤　　② ㉠, ㉡　　③ ㉣, ㉤
④ ㉢, ㉣, ㉤　　⑤ ㉠, ㉡, ㉢, ㉣

06. 지구별수협의 조합원 자격에 대한 설명으로 옳지 않은 것은?

① 조합원은 해당 지구별수협의 구역에 주소 · 거소 또는 사업장이 있는 어업인이어야 한다.
② A 지역에 주소 또는 거소만이 있는 어업인이 B 지역의 사업장 소재지를 구역으로 하는 지구별수협의 조합원이 될 경우 A 지역을 구역으로 하는 지구별수협의 조합원이 될 수 있다.
③ 「농어업경영체의 육성 및 지원의 관한 법률」 제16조에 따른 영어조합법인(營漁組合法人)이 주된 사무소를 지구별수협의 구역에 두고 어업을 경영한다면, 지구별수협의 조합원이 될 수 있다.
④ 지구별수협은 정관에 따라 지구별수협의 구역에 주소를 둔 어업인을 구성원으로 하는 해양수산 관련 단체를 준조합원으로 할 수 있다.
⑤ 지구별수협은 준조합원에게 정관에 따라 가입금과 경비를 부담하게 할 수 있고, 준조합원은 탈퇴 시 가입금의 환급을 청구할 수 있다.

07. 다음에서 설명하는 용어는?

> 지구별수협은 사업의 이용 실적에 따라 조합원에게 배당금을 지급하는데, 「수산업협동조합법」은 지구별수협의 조합원이 이 배당액의 전부 또는 일부를 출자금으로 전환하여 이를 출자하게 할 수 있도록 하고 있다. 이를 통해 지구별수협은 배당금 지급에 의한 자금압박을 피하면서 동시에 자기자본을 증가시키는 효과를 기대할 수 있다.

① 현물출자 ② 우선출자 ③ 회전출자
④ 법정적립금 ⑤ 수산금융채권

08. 지구별수협 조합원의 출자에 대한 설명으로 옳지 않은 것은?

① 조합원은 정관으로 정하는 계좌 수 이상을 출자하여야 한다.
② 조합원의 출자금은 질권의 목적이 되지 않는다.
③ 조합원은 지구별수협에 대한 채권과 출자금 납입을 상계할 수 있다.
④ 출자 1계좌의 금액과 조합원 1인의 출자계좌 수의 한도는 정관으로 정한다.
⑤ 지구별수협은 정관에 따라 잉여금 배당에 관한 내용이 다른 종류의 우선적 지위를 가지는 우선출자를 하게 할 수 있다.

09. 지구별수협 조합원의 변동에 대한 설명으로 옳은 것은?

① 지구별수협 조합원의 수는 정관으로 정한다.
② 지구별수협은 1년 이상 지구별수협의 사업을 이용하지 아니한 조합원에 대해 이사회의 의결을 거쳐 제명할 수 있다.
③ 지구별수협의 조합원은 파산을 이유로 탈퇴되지 않는다.
④ 지구별수협의 조합원이 조합원의 자격을 가지고 있지 않은지의 여부는 이사회의 의결로 결정한다.
⑤ 사망으로 인해 탈퇴하게 된 조합원의 상속인은 조합원의 자격이 있더라도 피상속인의 출자를 승계하여 조합원이 될 수는 없다.

10. 다음 중 지구별수협 총회의 의결사항에 해당하지 않는 것은?

① 조합원의 제명 결정
② 지구별수협의 해산 · 합병 및 분할
③ 지구별수협 정관의 변경
④ 정관에 규정하지 않은 어업권에 대한 물권의 설정
⑤ 조합원의 자격 및 가입에 대한 심사

11. 지구별수협 총회의 소집과 의결에 대한 설명으로 옳지 않은 것은?

① 총회에서는 조합원은 출자금에 비례한 의결권을 행사한다.
② 지구별수협 조합원은 조합원 전체의 5분의 1 이상의 동의를 받아 소집의 목적과 이유를 서면에 적어 조합장에게 제출하여 총회의 소집을 청구할 수 있다.
③ 총회 소집이 결정되면 조합원에게 개회 7일 전까지 회의 목적 등을 적은 총회소집통지서를 발송해야 한다.
④ 총회는 특히 정하지 않는 경우 구성원 과반수의 출석으로 개의하고 출석구성원 과반수의 찬성으로 의결한다.
⑤ 조합원은 다른 조합원을 대리인으로 하여 의결권을 행사하게 할 수 있으며, 이 경우 조합원은 출석한 것으로 본다.

12. 지구별수협의 대의원회에 대한 설명으로 옳지 않은 것은?

① 지구별수협은 정관에 따라 총회의 의결을 갈음하는 기관으로 대의회를 둘 수 있다.
② 대의원회는 조합장과 대의원으로 구성하며, 대의원은 조합원이어야 한다.
③ 대의원회는 정관에 정하는 바에 따라 선출하며, 임기는 5년이다.
④ 대의원은 조합장을 제외한 임직원과 다른 조합의 임직원을 겸임할 수 없다.
⑤ 대의원은 대리인을 통해 의결권을 행사할 수 없다.

13. 다음 중 지구별수협 이사회의 의결사항에 해당하는 것을 모두 고르면?

> ㉠ 지구별수협의 업무 집행에 대한 기본방침의 결정
> ㉡ 인사추천위원회의 구성에 관한 사항
> ㉢ 규약의 제정 · 변경 또는 폐지
> ㉣ 지구별수협이 보유한 부동산의 처분결정

① ㉢　　② ㉠, ㉡　　③ ㉡, ㉢
④ ㉠, ㉢, ㉣　　⑤ ㉠, ㉡, ㉢, ㉣

14. 지구별수협 상임이사의 직무에 대한 설명으로 옳지 않은 것은?

① 지구별수협 조합장이 비상임인 경우 상임이사 또는 전무가 조합장의 업무를 집행한다.
② 지구별수협의 신용사업과 공제사업은 상임이사가 전담하여 처리한다.
③ 지구별수협이 부실조합으로 해양수산부장관으로부터 적기시정조치를 받은 경우 상임이사는 적기시행조치의 이행을 마칠 때까지 경제사업을 전담하여 처리한다.
④ 지구별수협 상임이사가 구금되어 직무를 수행할 수 없는 경우에는 조합장이 그 직무를 대행한다.
⑤ 지구별수협 상임이사가 6개월을 초과하여 궐위하게 될 경우 지구별수협 중앙회는 해양수산부장관의 승인을 받아 상임이사의 직무를 수행할 관리인을 파견한다.

15. 지구별수협의 감사에 대한 설명으로 옳지 않은 것은?

① 감사는 지구별수협과 재산과 업무 집행 상황을 감사하여 총회에 보고하여야 하며, 전문적인 회계감사가 필요하다고 인정될 때에는 중앙회에 회계감사를 의뢰할 수 있다.
② 감사는 지구별수협의 재산 상황 또는 업무 집행에서 부정한 사실이 발견되면 이를 총회 및 중앙회 회장에게 보고해야 한다.
③ 지구별수협과 조합장을 포함한 이사와의 계약에 관하여 감사가 조합장을 대표한다.
④ 지구별수협과 조합장을 포함한 이사와의 소송에 관하여 감사가 지구별수협을 대표한다.
⑤ 지구별수협 감사의 임기는 3년으로 한다.

16. 다음 중 지구별수협 임원의 결격사유에 해당하지 않는 것은?

① 금고 이상의 형의 선고유예를 받고 그 선고유예기간 중에 있는 사람
② 임원 선거에서 당선된 후 위탁선거범죄로 인하여 당선무효가 확정된 날로부터 4년이 지나지 않은 사람
③ 「성폭력범죄의 처벌 등에 관한 특례법」 제10조에 규정된 죄를 저지른 사람으로서 300만 원 이상의 벌금형을 선고받고 그 형이 확정된 후 2년이 지나지 않은 사람
④ 임원선거 공고일 현재 해당 지구별수협에 대해 정관으로 정하는 금액과 기간을 초과하여 채무 상환을 연체하고 있는 사람
⑤ 임원선거 공고일 현재 해당 지구별수협에 대해 정관으로 정하는 일정 규모 이상의 사업 이용 실적이 없는 사람

17. 「수산업협동조합법」에 규정된 지구별수협 임원선거에 관한 내용으로 옳지 않은 것은?

① 누구든지 자기 또는 특정인을 지구별수협의 임원으로 당선되지 못하게 할 목적으로 선거인이나 그 가족에 대해 금전 · 물품 · 향응이나 그 밖의 재산상의 이익을 제공하여서는 안 된다.
② 임원 및 대의원 후보자는 선거운동을 위해 선거일 공고일부터 선거일까지의 기간 중에는 조합원을 호별로 방문하거나 특정 장소에 모이게 할 수 없다.
③ 지구별수협의 임직원은 임원후보자의 선거운동의 기획에 참여하거나 그 기획의 실시에 관여하여서는 안 된다.
④ 임원 선거 기간 중 조합의 경비로 지구별수협의 임원 선거 후보자의 관혼상제 의식이나 그 밖의 경조사에 축의 · 부의금품을 제공함에 있어 해당 조합장의 직명 또는 성명을 밝히거나 이를 추정할 수 있다면 이는 조합장의 기부행위로 본다.
⑤ 지구별수협 임원 선거의 관리에 대해서는 정관으로 정하는 바에 따라 그 주된 사무소의 소재지를 관장하는 「선거관리위원회법」에 따른 구 · 시 · 군선거관리위원회에 위탁하여야 한다.

18. **다음 중 지구별수협의 임원 선거 후보자나 후보자가 소속된 기관 · 단체 · 시설이 선거 기간 중 금전 · 물품이나 그 밖의 재산적 이익을 제공하는 '기부행위'에 해당하는 것은?**

① 의례적인 목적으로 자체 사업계획과 예산으로 화환을 제공하는 행위
② 물품 구매, 공사, 서비스 등에 대한 대가의 제공 또는 부담금 납부 등 채무를 이행하는 행위
③ 후보자의 기관 · 단체 · 시설에 소속된 유급사무직원에게 연말 · 설 또는 추석에 의례적인 선물을 제공하는 행위
④ 후보자가 친목단체의 구성원으로 관례상 종전의 범위에서 회비를 내는 행위
⑤ 후보자가 평소에 다니는 교회 · 성당 · 사찰 등에 일반적으로 헌금하는 행위

19. **다음 중 지구별수협이 수행하는 교육 · 지원 사업에 해당하는 것을 모두 고르면?**

㉠ 수산종자의 생산 및 보급
㉡ 어촌지도자 및 후계어업경영인 발굴 · 육성과 수산기술자 양성
㉢ 수산물 유통 조절 및 비축사업
㉣ 조합원의 예금 및 적금의 수납업무

① ㉠, ㉡　② ㉠, ㉢　③ ㉡, ㉢
④ ㉡, ㉣　⑤ ㉢, ㉣

20. **다음 중 지구별수협의 사업수행에 대한 설명으로 옳지 않은 것은?**

① 지구별수협이 국가나 공공단체가 위탁하는 사업을 수행할 때에는 대통령령으로 정하는 바에 따른 위탁 계약의 형식으로 한다.
② 지구별수협이 사업 목적을 달성하기 위해 국가로부터 차입한 자금은 조합원이 아닌 수산업자에게 대출하는 용도로는 사용할 수 없다.
③ 지구별수협이 공제사업을 하려면 공제규정에 대한 해양수산부장관의 인가를 필요로 한다.
④ 지구별수협은 조합원의 이용에 지장이 없는 범위에서 조합원이 아닌 자에게 사업을 이용하게 할 수 있다.
⑤ 지구별수협은 조합원의 공동이익을 위하여 총회의 의결을 거쳐 어업을 직접 경영할 수 있다.

21. 지구별수협의 회계와 그 구분에 대한 설명으로 옳지 않은 것은?

① 지구별수협의 회계연도는 정관으로 정한다.
② 지구별수협의 일반회계는 신용사업 부문 회계와 신용사업 이외의 사업 부문 회계로 구분하여 처리한다.
③ 특별회계는 일반회계와는 구분할 필요가 있는 특정 사업의 운영을 위해 설치한다.
④ 일반회계와 특별회계 간의 재무관계와 그에 대한 재무기준은 해양수산부장관이 정한다.
⑤ 지구별수협의 신용사업 부문과 신용사업 이외의 사업 부문 간의 재무관계와 그에 대한 재무기준은 금융위원회가 정한다.

22. 다음 중 「수산물협동조합법」에서 규정하는 지구별수협의 자금운용규정에 대한 설명으로 옳지 않은 것은?

① 지구별수협의 자기자본에는 회전출자금이 포함된다.
② 지구별수협의 업무자금은 국채·공채 및 대통령령으로 정하는 유가증권을 매입하는 방법으로 운용할 수 있다.
③ 지구별수협은 매 회계연도의 손실 보전을 하고 남은 잉여금에 대하여 자기자본의 3배가 될 때까지 매 사업연도마다 잉여금의 전액을 법정적립금으로 적립하여야 한다.
④ 지구별수협이 보유한 법정적립금과 자본적립금은 지구별수협의 손실금을 보전하기 위해 사용할 수 있다.
⑤ 지구별수협은 출자감소 의결에 대해 이의가 있는 채권자는 이의를 제기하라는 취지의 내용을 공고하고, 이미 알고 있는 채권자에게는 따로 최고하여야 한다.

23. 지구별수협의 합병 및 분할에 대한 설명으로 옳지 않은 것은?

① 지구별수협이 다른 조합과 합병할 경우에는 합병계약서를 작성하고 각 총회의 의결을 거쳐 해양수산부장관의 인가를 받아야 한다.
② 합병 후의 지구별수협의 설립을 위한 설립위원은 20명 이상 30명 이하로 각 조합원 중에서 조합원 수의 비율로 총회에서 선출하여 구성한다.
③ 소멸되는 지구별수협의 권리의무를 합병 후 존속하는 지구별수협은 승계하나, 합병 후 새로 설립되는 지구별수협은 승계하지 아니한다.
④ 지구별수협의 합병은 합병 후 존속하거나 합병으로 설립하는 지구별수협이 주된 사무소의 소재에서 등기를 함으로써 효력을 가진다.
⑤ 지구별수협이 분할 후 설립되는 조합이 승계하는 권리의무의 범위는 총회에서 의결한다.

24. **지구별수협의 해산과 그 청산업무에 대한 설명으로 옳지 않은 것은?**

① 지구별수협은 조합원 수가 100인 미만인 경우 해산한다.

② 해산하는 지구별수협의 청산인은 조합장이며, 총회는 조합장이 아닌 다른 사람을 청산인으로 선임할 수 있다.

③ 청산인은 지구별수협의 재산 상황을 조사하고 재산 처분 방법을 정하여 이를 총회에 제출하여 승인을 받아야 하며, 만일 2회 이상 소집하여도 총회가 구성되지 않는다면 해양수산부장관의 승인으로 이를 갈음할 수 있다.

④ 해산안 지구별수협의 청산 후 남은 재산은 따로 법률로 정하는 것 외에는 정관에 따라 처분한다.

⑤ 청산 사무가 끝난 청산인은 결산보고서를 작성하고 이를 해양수산부에 제출하여 승인을 받아야 한다.

25. **다음 중 지구별수협의 설립등기신청서에 기재해야 하는 내용을 모두 고르면?**

㉠ 임원의 성명 · 주민등록번호 및 주소	㉡ 설립인가의 연월일
㉢ 총 출자계좌 수와 납입출자금의 총액	㉣ 회계연도와 회계에 관한 사항

① ㉡　　② ㉠, ㉣　　③ ㉡, ㉢

④ ㉠, ㉡, ㉢　　⑤ ㉠, ㉡, ㉢, ㉣

26. **다음은 지구별수협의 합병등기에 대한 「수산업협동조합법」 규정의 일부이다. ㉠ ~ ㉢에 들어갈 내용을 바르게 연결한 것은?**

지구별수협이 합병하였을 때에는 해양수산부장관이 합병인가를 한 날로부터 2주 이내에 합병 후 존속하는 지구별수협은 (　㉠　)등기를, 소멸되는 지구별수협은 (　㉡　)등기를, 설립되는 지구별수협은 (　㉢　)등기를 각각 그 사무소의 소재지에서 하여야 한다.

	㉠	㉡	㉢
①	이전	소멸	변경
②	변경	해산	설립
③	이전	청산인	설립
④	변경	청산인	설립
⑤	변경	해산	변경

27. 다음 중 업종별수협에 대한 설명으로 옳지 않은 것은?

① 업종별수협은 어업을 경영하는 조합원의 생산성을 높이고 조합원이 생산한 수산물의 판로 확대 및 유통의 원활화를 도모함을 목적으로 한다.

② 업종별수협은 정관으로 정하는 바에 따라 지사무소를 둘 수 있다.

③ 업종별수협의 조합원은 그 구역에 주소 · 거소 또는 사업장이 있는 자로서 정치망어업, 외끌이 · 쌍끌이대형저인망어업 등 대통령령으로 정하는 종류의 어업을 경영하는 경영인이어야 한다.

④ 업종별수협의 조합원 자격을 가지고 있다면 단일 어업을 경영함을 이유로 업종별수협의 가입을 제한하여서는 안 된다.

⑤ 업종별수협의 구역은 정관으로 정한다.

28. 다음 중 업종별수협의 사업에 해당하는 것을 모두 고르면?

㉠ 어업질서 유지 관련 사업	㉡ 상호금융사업
㉢ 수산물 유통 조절 및 비축사업	㉣ 운송사업
㉤ 어업통신사업	

① ㉠, ㉢ ② ㉡, ㉤ ③ ㉠, ㉢, ㉣

④ ㉡, ㉢, ㉣ ⑤ ㉢, ㉣, ㉤

29. 다음 중 수산물가공수협과 조합공동사업법인에 대한 설명으로 옳지 않은 것은?

① 수산물가공수협은 수산물가공업을 경영하는 조합원의 생산성을 높이고 조합원이 생산한 가공품의 판로 확대 및 유통원활화를 도모하는 것을 목적으로 한다.

② 수산물가공수협의 조합원은 그 구역에 주소 · 거소 또는 사업장이 있는 자로서 대통령령으로 정하는 종류의 수산물가공업을 경영하는 자여야 한다.

③ 조합공동사업법인은 사업의 공동수행을 통하여 수산물의 판매 · 유통 · 가공 등과 관련된 사업을 활성화함으로써 수산업의 경쟁력 강화와 어업인의 이익 증진에 기여하는 것을 목적으로 한다.

④ 조합공동사업법인은 그 명칭으로 지역명과 사업명을 붙인 조합공동사업법인의 명칭을 사용하여야 한다.

⑤ 조합공동사업법인의 회원은 출자금의 많고 적음과 관계없이 평등한 의결권을 가진다.

30. 다음 중 조합공동사업법인의 정관에 포함되어야 하는 사항을 모두 고른 것은?

> ㉠ 조합공동사업법인의 명칭
> ㉡ 조합공동사업법인 회원의 권리와 의무
> ㉢ 조합공동법인 회원의 자격과 가입 · 탈퇴 및 제명에 관한 사항
> ㉣ 사업의 종류와 집행에 관한 사항

① ㉠, ㉡　　② ㉠, ㉣　　③ ㉠, ㉡, ㉢
④ ㉡, ㉢, ㉣　　⑤ ㉠, ㉡, ㉢, ㉣

31. 다음 중 수산업협동조합협의회에 대한 설명으로 옳지 않은 것은?

① 수산업협동조합협의회는 서로 다른 종류의 조합과 연계하는 공동사업을 개발하고 그 권익을 증진하기 위함을 목적으로 한다.
② 수산업협동조합협의회는 소속 회원을 위한 사업의 개발 및 정책 건의와 생산 · 유통 조절 및 시장개척 등의 사업을 수행한다.
③ 수산업협동조합협의회는 그 명칭으로 지역명 · 업종명 또는 수산물가공업명을 붙인 수산업협동조합협의회라는 명칭을 사용해야 한다.
④ 국가는 수산업협동조합협의회의 사업에 필요한 자금을 보조하거나 융자할 수 있다.
⑤ 지구별수협은 특별시 · 광역시 · 도 또는 특별자치도를 단위로 수산업협동조합협의회를 구성할 수 있다.

32. 다음 중 수협중앙회의 회원에 대한 설명으로 옳지 않은 것은?

① 수협중앙회의 회원은 조합이다.
② 수협중앙회의 회원은 수협중앙회의 권리와 의무에 대해 무한책임을 진다.
③ 수협중앙회의 회원은 파산한 경우 당연히 탈퇴한다.
④ 수협중앙회의 회원은 정관으로 정하는 계좌 수 이상의 출자를 하여야 한다.
⑤ 수협중앙회는 정관에 따라 해양수산에 관한 법인 또는 단체를 준회원으로 할 수 있다.

33. 다음 중 수협중앙회의 정관에 포함되어야 하는 사항은?

① 수협중앙회장의 성명 및 주소
② 수산금융채권의 발행에 관한 사항
③ 약정된 현물출자 재산의 명칭 · 수량 · 가격
④ 본점, 지점, 출장소와 대리점에 관한 사항
⑤ 자본금 및 주식에 관한 사항

34. 다음 중 수협중앙회 총회의 의결사항에 해당하지 않는 것은?

① 수협중앙회 정관의 변경
② 수협중앙회의 경영목표 설정
③ 수협중앙회의 사업계획 · 수지예산 및 결산의 승인
④ 수협중앙회장, 사업전담대표이사, 감사위원, 이사의 선출 및 해임
⑤ 수협중앙회 회원의 제명 결정

35. 수협중앙회가 추진하는 유통지원사업에 대한 설명으로 옳지 않은 것은?

① 수협중앙회의 수산물등 판매활성화 사업은 회원 또는 회원의 조합원으로부터 수집하거나 판매위탁을 받은 수산물 및 그 가공품을 효율적으로 판매하기 위한 사업이다.
② 수산업협동조합 경제사업 평가협의회는 수산물등 판매활성화 사업을 점검 및 평가하기 위하여 수협중앙회장이 위촉하는 수산 관련 단체 대표를 포함하여 총 20인의 위원으로 구성한다.
③ 수협중앙회 유통지원자금은 중앙회 회원의 조합원이 생산한 수산물등의 원활한 유통을 지원하기 위하여 조성하고 운용한다.
④ 수협중앙회 유통지원자금은 수협중앙회의 명칭사용료와 임의적립금 등으로 조성한다.
⑤ 국가는 예산의 범위에서 수협중앙회 유통지원자금의 조성을 지원할 수 있다.

36. 수협중앙회의 임원인 사업전담대표이사에 대한 설명으로 옳지 않은 것은?

① 수협중앙회 사업대표이사는 상임이사이며, 지도경제사업대표이사이다.

② 수협중앙회 사업전담대표이사는 수협중앙회의 경제사업과 상호금융사업에 관한 업무를 처리하며, 그 업무에 관하여 중앙회를 대표한다.

③ 수협중앙회 사업전담대표이사는 전담사업에 관한 전문지식과 경험이 풍부한 사람으로서 인사추천위원회에서 추천한 사람으로 이사회에서 선출한다.

④ 수협중앙회 이사회는 경영실적이 부실하여 그 직무를 담당하기 곤란함을 이유로 사업전담대표이사의 해임을 요구할 수 있다.

⑤ 수협중앙회 사업전담대표이사는 업무를 보좌하는 집행간부를 임면할 수 있다.

37. 다음 중 수협중앙회가 수행하는 사업에 해당하는 것을 모두 고르면?

> ㉠ 수협중앙회 회원과 그 조합원의 권익 증진을 위한 사업
> ㉡ 수협중앙회 회원과 그 조합원을 위한 수산물의 처리 · 가공 및 제조 사업
> ㉢ 수협중앙회 회원에 대한 예금 · 적금의 수납 · 운용
> ㉣ 「어선원 및 어선 재해보상보험법」에 따른 어선원 고용 및 복지와 관련된 사업
> ㉤ 어업협정 등과 관련된 국제 민간어업협력사업

① ㉤ ② ㉠, ㉡, ㉢ ③ ㉠, ㉢, ㉣
④ ㉡, ㉢, ㉤ ⑤ ㉠, ㉡, ㉢, ㉣, ㉤

38. 수협중앙회 총회와 이사회의 구성에 대한 설명으로 옳지 않은 것은?

① 수협중앙회의 총회의 의장은 수협중앙회장이 된다.

② 수협중앙회의 정기총회는 회계연도 경과 후 3개월 이내에 회장이 매년 1회 소집한다.

③ 수협중앙회 이사회의 의장은 수협중앙회 사업전담대표이사가 된다.

④ 수협중앙회 이사회의 2분의 1 이상은 수협중앙회 회원인 조합의 조합장이어야 한다.

⑤ 수협중앙회 이사회는 이사 3명 이상 또는 감사위원회의 요구로 소집된다.

39. **수협중앙회의 여신자금 관리에 대한 내용으로 옳지 않은 것은?**

① 수협중앙회가 국가로부터 차입한 자금 중 회원 또는 어업인에 대한 여신자금은 압류의 대상이 될 수 없다.

② 수협중앙회로부터 자금을 차입하는 자가 20톤 미만의 어선을 담보로 제공하는 경우 대통령령이 정한 절차에 따라 채권을 보전한다.

③ 수협중앙회는 국가로부터 사업비의 전부 또는 일부를 보조 또는 융자받아 시행한 사업에 대해서는 그 자금의 사용내용을 공시하여야 한다.

④ 수협중앙회는 사업을 목적으로 신용사업특별회계를 포함한 자기자본의 범위에서 다른 법인에 출자할 수 있다.

⑤ 수협중앙회는 특히 수협은행의 주식 취득을 목적으로 자기자본을 초과하여 출자하여서는 안 된다.

40. **다음에서 설명하는 법인에 대한 설명으로 옳은 것은?**

> 수협중앙회는 어업인과 조합에 필요한 금융을 제공함으로써 어업인과 조합의 자율적인 경제활동을 지원하고 그 경제적 지위의 향상을 촉진하기 위하여 수협중앙회의 신용사업을 분리하여 그 사업을 하는 법인을 설립한다.

① 수협중앙회는 해당 법인의 주식을 보유함에 있어서 「은행법」 제15조(동일인의 주식보유한도 등)의 규정을 적용받지 않는다.

② 해당 법인은 「은행법」 제2조 제1항 제2호의 '은행'에 해당한다.

③ 수협중앙회의 신용사업 분리는 「상법」 제530조의12에 따른 회사의 분할로 보지 않는다.

④ 해당 법인은 「수산업협동조합법」에 특별한 규정이 없다면 「상법」 중 유한책임회사에 관한 규정을 적용한다.

⑤ 해당 법인은 정관을 작성하거나 변경할 때에는 해양수산부장관의 인가를 요구하지 않는다.

41. 다음 중 수협은행의 이사회에 대한 설명으로 옳지 않은 것은?

① 수협은행의 이사회는 수협은행장과 이사로 구성하며, 수협은행의 업무에 관한 중요 사항을 의결한다.

② 수협은행의 이사회는 수협은행장을 의장으로 하며, 구성원 과반수의 출석으로 개의하고 출석구성원 과반수의 찬성으로 의결한다.

③ 이사는 정관에 따라 주주총회에서 선출하되, 예금보험공사가 신용사업특별회계에 출자한 우선출자금이 있는 경우 그 우선출자금이 전액 상환될 때까지 예금보험공사가 추천하는 사람 1명 이상을 포함해야 한다.

④ 수협은행장의 임기는 5년으로 한다.

⑤ 수협은행장은 주주총회에서 선출하되, 정관으로 정하는 추천위원회에서 추천한 사람으로 한다.

42. 다른 금융기관과 구분되는 수협은행의 업무규정에 관한 내용으로 옳은 것은?

① 수협은행은 수협중앙회 및 조합의 전산시스템 운영업무를 위탁받아 수행한다.

② 수협은행은 수산물의 생산 · 유통 · 가공 · 판매를 위하여 어업인이 필요하다고 하는 자금의 대출에 우선적으로 자금을 공급하되, 다른 신용업무에 비하여 금리 등의 거래 조건을 우대할 수 없다.

③ 수협은행은 수협중앙회의 경제사업 활성화에 필요한 자금을 우선적으로 공급할 수 없다.

④ 금융위원회는 수협은행의 업무특수성을 이유로 「은행법」 제34조 제2항에 따른 경영지도기준을 정하는데 그 적용을 달리 하여서는 안 된다.

⑤ 수협은행은 수협중앙회가 위탁하는 공제상품의 판매 및 그 부수업무에 대하여 「보험업법」 제4장 모집에 관한 규정을 적용한다.

43. **수협중앙회 조합감사위원회에 대한 설명으로 옳지 않은 것은?**

① 수협중앙회장 소속으로 회원의 업무를 지도 · 감사할 수 있는 조합감사위원회를 둔다.

② 조합감사위원회의 위원장은 위원 중에서 호선으로 선출하고 수협중앙회장이 임명한다.

③ 조합감사위원회의 위원장과 위원은 감사 또는 회계 업무에 관한 전문지식과 경험이 풍부한 사람으로 회원의 조합장이나 조합원일 것을 요구한다.

④ 조합감사위원회는 회원의 재산 및 업무 집행 상황에 대하여 2년에 1회 이상 회원을 감사하여야 하며, 필요시 회원의 부담으로 회계감사를 요청할 수 있다.

⑤ 조합감사위원회의 감사 결과에 따라 해당 회원에게 시정 또는 업무의 정지, 관련 임직원에 대한 징계 및 문책 등의 조치를 요구할 수 있다.

44. **다음 제도에 대한 설명으로 옳지 않은 것은?**

> 수협중앙회는 자기자본의 확충을 통한 경영의 건전성을 도모하기 위해 정관으로 정하는 바에 따라 회원 또는 임직원 등을 대상으로 잉여금 배당에 관하여 내용이 다른 종류의 우선적 지위를 가지는 출자인 우선출자를 할 수 있으며, 이를 통해 잉여금 배당에서 우선적 지위를 가진 자를 우선출자자라고 한다.

① 우선출자의 총액은 자기자본의 2분의 1을 초과할 수 없으나, 국가와 공공단체의 우선출자금에 대하여는 그 출자계좌 수의 제한을 받지 않는다.

② 우선출자자는 정기총회에서의 의결권과 선거권을 가지지 않는다.

③ 우선출자는 임의로 양도할 수 없으며, 수협중앙회가 발행한 우선출자증권의 점유자는 적법한 소지인으로 추정한다.

④ 우선출자의 배당률은 정관으로 정하는 최저 배당률과 최고 배당률의 사이에서 정기총회를 통해 정한다.

⑤ 수협중앙회는 우선출자자에게 손해를 입히게 되는 정관의 변경에 대해서는 우선출자자로 구성된 우선출자자총회의 의결을 거쳐야 한다.

45. 수협은행이 발행하는 수산금융채권에 대한 설명으로 옳지 않은 것은?

① 수협은행은 자기자본의 5배를 초과하는 수산금융채권을 발행할 수 없으나, 수산금융채권의 차환을 목적으로는 발행 한도를 초과하여 발행할 수 있다.
② 수협은행은 수산금융채권을 할인하는 방법으로 발행할 수 있다.
③ 기명식 수산금융채권의 명의를 변경하여 취득하려는 자는 그 성명과 주소를 채권 원부에 적고 그 성명을 증권에 적지 아니하면 제3자에 대항하지 못한다.
④ 국가는 수산금융채권의 원리금 상환을 전액 보증할 수 있다.
⑤ 수산금융채권의 소멸시효는 원금과 이자 모두 5년으로 한다.

46. 다음 중 수협중앙회의 회계결산에 대한 규정의 내용으로 옳지 않은 것은?

① 수협중앙회는 회계법인의 회계감사를 받은 의견서를 첨부한 결산보고서를 회계연도가 지난 후 3개월 이내에 해양수산부장관에게 제출하여야 한다.
② 수협중앙회의 자기자본은 신용사업특별회계 외의 사업 부문의 자기자본과 신용사업특별회계의 자기자본으로 구분한다.
③ 수협중앙회의 법정적립금과 임의적립금, 지도사업이월금은 정관에 따라 각 사업 부문별로 적립하고 이월할 수 있다.
④ 수산업협동조합의 명칭을 사용하는 법인에 대하여 부과하는 명칭사용료는 다른 수입과 구분하여 관리하여야 한다.
⑤ 수협중앙회의 잉여금 배당은 손실을 보전하고 법정적립금과 임의적립금, 지도사업이월금을 적립한 후에 진행한다.

47. 수협 관련 법인에 대한 해양수산부장관 등의 감독권에 관한 설명으로 옳지 않은 것은?

① 수협은행에 대한 해양수산부장관의 업무 감독은 금융위원회와 협의하여 수행한다.

② 해양수산부장관은 조합등에 대한 감독 업무의 일부를 수협중앙회장에게 위탁할 수 있다.

③ 지방자치단체장은 해양수산부장관의 업무 감독과 별개로 지방자치단체가 보조한 사업에 관련한 업무에 대해 조합등을 감독하고 필요한 조치를 할 수 있다.

④ 해양수산부장관과 금융위원회는 조합, 수협중앙회 또는 수협은행에 대해 필요하다고 인정될 때에는 업무 또는 재산상황에 관한 보고를 받을 수 있다.

⑤ 조합 중 직전 회계연도 말 자산총액이 기준액 이상인 조합은 수협중앙회의 감독과 별도로 매년 「주식회사 등의 외부감사에 관한 법률」 제2조 제7호 및 제9조의 감사인의 감사를 받아야 한다.

48. 다음 〈보기〉의 상황에 대한 행정처분의 내용으로 적절하지 않은 것은?

| 보기 |

해양수산부장관은 A 수산업협동조합에 대한 회계감사 결과 자기자본의 2배를 초과하는 수준의 부실대출이 누적되었음이 확인되었으며 향후 누적적자가 납입자본금을 잠식하는 자본잠식의 위험이 높다는 회계법인의 외부감사 진단결과를 근거로 해당 조합을 대상으로 경영지도를 실시하였다.

① 해양수산부장관은 해당 수산업협동조합에 대한 채무지급 정지와 함께 금융감독원장에게 해당 수산업협동조합의 재산실사를 요청하였다.

② 수협중앙회 사업전담대표이사는 해당 수산업협동조합에 대해 자금 결제 및 지급 보증과 신규수표의 발행을 중지하였다.

③ 금융감독원장은 재산실사 결과 해당 수산업협동조합의 부실대출에 대해 불법자금대출 사실이 확인된 임원 B 씨에 대해 재산 조회 및 가압류 신청을 하였다.

④ 해당 수산업협동조합의 소재지를 구역으로 하는 지방자치단체의 장은 자본잠식이 조합원 또는 제3자에게 중대한 손실이 끼칠 우려가 있다고 판단되어 설립인가의 취소를 위한 청문회를 개시하였다.

⑤ 해양수산부장관은 향후 재산실사 결과에 따라 경영정상화가 가능하다고 판단될 경우 채무 지급 정지 또는 수산업협동조합 임직원에게 내렸던 직무정지처분을 일부 철회할 수 있다.

49. 다음 중 「수산업협동조합법」의 위반사례와 그 벌칙의 연결로 옳지 않은 것은?

① 투기의 목적으로 수협중앙회의 재산을 처분하거나 이용하여 손실을 끼친 자는 10년 이하의 징역 또는 1억 원 이하의 벌금에 처한다.

② 제16조 제1항을 위반하여 해양수산부장관으로부터 설립인가를 받지 않은 지구별수협을 운영하다 적발된 조합장은 3년 이하의 징역 또는 3천만 원 이하의 벌금을 부과한다.

③ 제60조 제1항을 위반하여 수협중앙회로부터 승인을 받지 않은 사업을 운영한 지구별수협의 임원은 3년 이하의 징역 또는 3천만 원 이하의 벌금에 처한다.

④ 제53조의3을 위반하여 조합의 경비를 사용하여 조합장 본인의 성명으로 수협중앙회 임원의 경조사에 축의금을 제공한 경우 3년 이하의 징역 또는 3천만 원 이하의 벌금에 처한다.

⑤ 제7조 제2항을 위반하여 특정 정당을 지지하기 위한 목적으로 소속 직원들에게 선거운동에 참여할 것을 요구한 수협중앙회 임원은 2년 이하의 징역 또는 2천만 원 이하의 벌금에 처한다.

50. 수산업협동조합 및 수협중앙회의 임원 선거에 관한 선거범죄(제178조)에 따른 조치에 관한 설명으로 옳지 않은 것은?

① 당선인이 해당 선거에서 선거범죄에 의해 징역형이 확정된 경우 형량에 관계없이 해당 선거의 당선을 무효로 한다.

② 위탁선거범죄로 인한 당선무효결정의 확정판결 이전에 사직한 사람은 해당 당선무효가 확정되어 이를 실시사유로 하는 보궐선거의 후보자로 등록할 수 없다.

③ 수산업협동조합은 조합이 선거범죄의 사실을 인지하기 전 해당 범죄행위를 신고한 자에게 정관으로 정하는 바에 따라 포상금을 지급할 수 있다.

④ 과태료에 해당하는 선거범죄 신고자 역시 보호대상에 포함되며, 이에 관하여는 「공직선거법」 제262조의2를 준용한다.

⑤ 수협중앙회의 임원 선거에서 제53조를 위반하여 선거운동을 대가로 공사의 직을 제공받기로 승낙하였다면 선거관리위원회에 자수하더라도 형량이 감경되지는 않는다.

파트 3 인성검사

인성검사의 이해

1 인성검사, 왜 필요한가?

채용기업은 지원자가 '직무적합성'을 지닌 사람인지를 인성검사와 적성검사를 통해 판단한다. 인성검사에서 말하는 인성(人性)이란 그 사람의 성품, 즉 각 개인이 가지는 사고와 태도 및 행동 특성을 의미한다. 인성은 사람의 생김새처럼 사람마다 다르기 때문에 몇 가지 유형으로 분류하고 이에 맞추어 판단한다는 것 자체가 억지스럽고 어불성설일지 모른다. 그럼에도 불구하고 기업들의 입장에서는 입사를 희망하는 사람이 어떤 성품을 가졌는지 정보가 필요하다. 그래야 해당 기업의 인재상에 적합하고 담당할 업무에 적격한 인재를 채용할 수 있기 때문이다.

지원자의 성격이 외향적인지 아니면 내향적인지, 어떤 직무와 어울리는지, 조직에서 다른 사람과 원만하게 생활할 수 있는지, 업무 수행 중 문제가 생겼을 때 어떻게 대처하고 해결할 수 있는지에 대한 전반적인 개성은 자기소개서를 통해서나 면접을 통해서도 어느 정도 파악할 수 있다. 그러나 이것들만으로 인성을 충분히 파악할 수 없기 때문에 객관화되고 정형화된 인성검사로 지원자의 성격을 판단하고 있다.

채용기업은 필기시험을 높은 점수로 통과한 지원자라 하더라도 해당 기업과 거리가 있는 성품을 가졌다면 탈락시키게 된다. 일반적으로 필기시험 통과자 중 인성검사로 탈락하는 비율이 10% 내외가 된다고 알려져 있다. 물론 인성검사를 탈락하였다 하더라도 특별히 인성에 문제가 있는 사람이 아니라면 절망할 필요는 없다. 자신을 되돌아보고 다음 기회를 대비하면 되기 때문이다. 탈락한 기업이 원하는 인재상이 아니었다면 맞는 기업을 찾으면 되고, 경쟁자가 많았기 때문이라면 자신을 다듬어 경쟁력을 높이면 될 것이다.

2 인성검사의 특징

우리나라 대다수의 채용기업은 인재개발 및 인적자원을 연구하는 한국행동과학연구소(KIRBS), 에스에이치알(SHR), 한국사회적성개발원(KSAD), 한국인재개발진흥원(KPDI) 등 전문기관에 인성검사를 의뢰하고 있다.

이 기관들의 인성검사 개발 목적은 비슷하지만 기관마다 검사 유형이나 평가 척도는 약간의 차이가 있다. 또 지원하는 기업이 어느 기관에서 개발한 검사지로 인성검사를 시행하는지는 사전에 알 수 없다. 그렇지만 공통으로 적용하는 척도와 기준에 따라 구성된 여러 형태의 인성검사지로 사전 테스트를 해 보고 자신의 인성이 어떻게 평가되는가를 미리 알아보는 것은 가능하다.

인성검사는 필기시험 당일 직무능력평가와 함께 실시하는 경우와 직무능력평가 합격자에 한하여 면접과 함께 실시하는 경우가 있다. 인성검사의 문항은 100문항 내외에서부터 최대 500문항까지 다양하다. 인성검사에 주어지는 시간은 문항 수에 비례하여 30 ~ 100분 정도가 된다.

문항 자체는 단순한 질문으로 어려울 것은 없지만 제시된 상황에서 본인의 행동을 정하는 것이 쉽지만은 않다. 문항 수가 많을 경우 이에 비례하여 시간도 길게 주어지지만 단순하고 유사하며 반복되는 질문에 방심하여 집중하지 못하고 실수하는 경우가 있으므로 컨디션 관리와 집중력 유지에 노력하여야 한다. 특히 같거나 유사한 물음에 다른 답을 하는 경우가 가장 위험하다.

3 인성검사 척도 및 구성

1 미네소타 다면적 인성검사(MMPI)

MMPI(Minnesota Multiphasic Personality Inventory)는 1943년 미국 미네소타 대학교수인 해서웨이와 매킨리가 개발한 대표적인 자기 보고형 성향 검사로서 오늘날 가장 대표적으로 사용되는 객관적 심리검사 중 하나이다. MMPI는 약 550여 개의 문항으로 구성되며 각 문항을 읽고 '예(YES)' 또는 '아니오(NO)'로 대답하게 되어 있다.

MMPI는 4개의 타당도 척도와 10개의 임상척도로 구분된다. 500개가 넘는 문항들 중 중복되는 문항들이 포함되어 있는데 내용이 똑같은 문항도 10문항 이상 포함되어 있다. 이 반복 문항들은 응시자가 얼마나 일관성 있게 검사에 임했는지를 판단하는 지표로 사용된다.

구분	척도명	약자	주요 내용
타당도 척도 (바른 태도로 임했는지, 신뢰할 수 있는 결론인지 등을 판단)	무응답 척도 (Can not say)	?	응답하지 않은 문항과 복수로 답한 문항들의 총합으로 빠진 문항을 최소한으로 줄이는 것이 중요하다.
	허구 척도 (Lie)	L	자신을 좋은 사람으로 보이게 하려고 고의적으로 정직하지 못한 답을 판단하는 척도이다. 허구 척도가 높으면 장점까지 인정받지 못하는 결과가 발생한다.
	신뢰 척도 (Frequency)	F	검사 문항에 빗나간 답을 한 경향을 평가하는 척도로 정상적인 집단의 10% 이하의 응답을 기준으로 일반적인 경향과 다른 정도를 측정한다.
	교정 척도 (Defensiveness)	K	정신적 장애가 있음에도 다른 척도에서 정상적인 면을 보이는 사람을 구별하는 척도로 허구 척도보다 높은 고차원으로 거짓 응답을 하는 경향이 나타난다.
임상척도 (정상적 행동과 그렇지 않은 행동의 종류를 구분하는 척도로, 척도마다 다른 기준으로 점수가 매겨짐)	건강염려증 (Hypochondriasis)	Hs	신체에 대한 지나친 집착이나 신경질적 혹은 병적 불안을 측정하는 척도로 이러한 건강염려증이 타인에게 어떤 영향을 미치는지도 측정한다.
	우울증 (Depression)	D	슬픔·비관 정도를 측정하는 척도로 타인과의 관계 또는 본인 상태에 대한 주관적 감정을 나타낸다.
	히스테리 (Hysteria)	Hy	갈등을 부정하는 정도를 측정하는 척도로 신체 증상을 호소하는 경우와 적대감을 부인하며 우회적인 방식으로 드러내는 경우 등이 있다.
	반사회성 (Psychopathic Deviate)	Pd	가정 및 사회에 대한 불신과 불만을 측정하는 척도로 비도덕적 혹은 반사회적 성향 등을 판단한다.
	남성-여성특성 (Masculinity-Feminity)	Mf	남녀가 보이는 흥미와 취향, 적극성과 수동성 등을 측정하는 척도로 성에 따른 유연한 사고와 융통성 등을 평가한다.

	편집증 (Paranoia)	Pa	과대 망상, 피해 망상, 의심 등 편집증에 대한 정도를 측정하는 척도로 열등감, 비사교적 행동, 타인에 대한 불만과 같은 내용을 질문한다.
	강박증 (Psychasthenia)	Pt	과대 근심, 강박관념, 죄책감, 공포, 불안감, 정리정돈 등을 측정하는 척도로 만성 불안 등을 나타낸다.
	정신분열증 (Schizophrenia)	Sc	정신적 혼란을 측정하는 척도로 자폐적 성향이나 타인과의 감정 교류, 충동 억제불능, 성적 관심, 사회적 고립 등을 평가한다.
	경조증 (Hypomania)	Ma	정신적 에너지를 측정하는 척도로 생각의 다양성 및 과장성, 행동의 불안정성, 흥분성 등을 나타낸다.
	사회적 내향성 (Social introversion)	Si	대인관계 기피, 사회적 접촉 회피, 비사회성 등의 요인을 측정하는 척도로 외향성 및 내향성을 구분한다.

2 캘리포니아 성격검사(CPI)

CPI(California Psychological Inventory)는 캘리포니아 대학의 연구팀이 개발한 성검사로 MMPI와 함께 세계에서 가장 널리 사용되고 있는 인성검사 툴이다. CPI는 다양한 인성 요인을 통해 지원자가 답변한 응답 왜곡 가능성, 조직 역량 등을 측정한다. MMPI가 주로 정서적 측면을 진단하는 특징을 보인다면, CPI는 정상적인 사람의 심리적 특성을 주로 진단한다.

CPI는 약 480개 문항으로 구성되어 있으며 다음과 같은 18개의 척도로 구분된다.

구분	척도명	주요 내용
제1군 척도 (대인관계 적절성 측정)	지배성(Do)	리더십, 통솔력, 대인관계에서의 주도권을 측정한다.
	지위능력성(Cs)	내부에 잠재되어 있는 내적 포부, 자기 확신 등을 측정한다.
	사교성(Sy)	참여 기질이 활달한 사람과 그렇지 않은 사람을 구분한다.
	사회적 자발성(Sp)	사회 안에서의 안정감, 자발성, 사교성 등을 측정한다.
	자기 수용성(Sa)	개인적 가치관, 자기 확신, 자기 수용력 등을 측정한다.
	행복감(Wb)	생활의 만족감, 행복감을 측정하며 긍정적인 사람으로 보이고자 거짓 응답하는 사람을 구분하는 용도로도 사용된다.
제2군 척도 (성격과 사회화, 책임감 측정)	책임감(Re)	법과 질서에 대한 양심, 책임감, 신뢰성 등을 측정한다.
	사회성(So)	가치 내면화 정도, 사회 이탈 행동 가능성 등을 측정한다.
	자기 통제성(Sc)	자기조절, 자기통제의 적절성, 충동 억제력 등을 측정한다.
	관용성(To)	사회적 신념, 편견과 고정관념 등에 대한 태도를 측정한다.
	호감성(Gi)	타인이 자신을 어떻게 보는지에 대한 민감도를 측정하며, 좋은 사람으로 보이고자 거짓 응답하는 사람을 구분한다.
	임의성(Cm)	사회에 보수적 태도를 보이고 생각 없이 적당히 응답한 사람을 판단하는 척도로 사용된다.

제3군 척도 (인지적, 학업적 특성 측정)	순응적 성취(Ac)	성취동기, 내면의 인식, 조직 내 성취 욕구 등을 측정한다.
	독립적 성취(Ai)	독립적 사고, 창의성, 자기실현을 위한 능력 등을 측정한다.
	지적 효율성(Le)	지적 능률, 지능과 연관이 있는 성격 특성 등을 측정한다.
제4군 척도 (제1~3군과 무관한 척도의 혼합)	심리적 예민성(Py)	타인의 감정 및 경험에 대해 공감하는 정도를 측정한다.
	융통성(Fx)	개인적 사고와 사회적 행동에 대한 유연성을 측정한다.
	여향성(Fe)	남녀 비교에 따른 흥미의 남향성 및 여향성을 측정한다.

3 SHL 직업성격검사(OPQ)

OPQ(Occupational Personality Questionnaire)는 세계적으로 많은 외국 기업에서 널리 사용하는 CEB사의 SHL 직무능력검사에 포함된 직업성격검사이다. 4개의 질문이 한 세트로 되어 있고 총 68세트 정도 출제되고 있다. 4개의 질문 안에서 '자기에게 가장 잘 맞는 것'과 '자기에게 가장 맞지 않는 것'을 1개씩 골라 '예', '아니오'로 체크하는 방식이다. 단순하게 모든 척도가 높다고 좋은 것은 아니며, 척도가 낮은 편이 좋은 경우도 있다.

기업에 따라 척도의 평가 기준은 다르다. 희망하는 기업의 특성을 연구하고, 채용 기준을 예측하는 것이 중요하다.

척도	내용	질문 예
설득력	사람을 설득하는 것을 좋아하는 경향	- 새로운 것을 사람에게 권하는 것을 잘한다. - 교섭하는 것에 걱정이 없다. - 기획하고 판매하는 것에 자신이 있다.
지도력	사람을 지도하는 것을 좋아하는 경향	- 사람을 다루는 것을 잘한다. - 팀을 아우르는 것을 잘한다. - 사람에게 지시하는 것을 잘한다.
독자성	다른 사람의 영향을 받지 않고, 스스로 생각해서 행동하는 것을 좋아하는 경향	- 모든 것을 자신의 생각대로 하는 편이다. - 주변의 평가는 신경 쓰지 않는다. - 유혹에 강한 편이다.
외향성	외향적이고 사교적인 경향	- 다른 사람의 주목을 끄는 것을 좋아한다. - 사람들이 모인 곳에서 중심이 되는 편이다. - 담소를 나눌 때 주변을 즐겁게 해 준다.
우호성	친구가 많고, 대세의 사람이 되는 것을 좋아하는 경향	- 친구와 함께 있는 것을 좋아한다. - 무엇이라도 얘기할 수 있는 친구가 많다. - 친구와 함께 무언가를 하는 것이 많다.
사회성	세상 물정에 밝고 사람 앞에서도 낯을 가리지 않는 성격	- 자신감이 있고 유쾌하게 발표할 수 있다. - 공적인 곳에서 인사하는 것을 잘한다. - 사람들 앞에서 발표하는 것이 어렵지 않다.

겸손성	사람에 대해서 겸손하게 행동하고 누구라도 똑같이 사귀는 경향	– 자신의 성과를 그다지 내세우지 않는다. – 절제를 잘하는 편이다. – 사회적인 지위에 무관심하다.
협의성	사람들에게 의견을 물으면서 일을 진행하는 경향	– 사람들의 의견을 구하며 일하는 편이다. – 타인의 의견을 묻고 일을 진행시킨다. – 친구와 상담해서 계획을 세운다.
돌봄	측은해 하는 마음이 있고, 사람을 돌봐 주는 것을 좋아하는 경향	– 개인적인 상담에 친절하게 답해 준다. – 다른 사람의 상담을 진행하는 경우가 많다. – 후배의 어려움을 돌보는 것을 좋아한다.
구체적인 사물에 대한 관심	물건을 고치거나 만드는 것을 좋아하는 경향	– 고장 난 물건을 수리하는 것이 재미있다. – 상태가 안 좋은 기계도 잘 사용한다. – 말하기보다는 행동하기를 좋아한다.
데이터에 대한 관심	데이터를 정리해서 생각하는 것을 좋아하는 경향	– 통계 등의 데이터를 분석하는 것을 좋아한다. – 표를 만들거나 정리하는 것을 좋아한다. – 숫자를 다루는 것을 좋아한다.
미적가치에 대한 관심	미적인 것이나 예술적인 것을 좋아하는 경향	– 디자인에 관심이 있다. – 미술이나 음악을 좋아한다. – 미적인 감각에 자신이 있다.
인간에 대한 관심	사람의 행동에 동기나 배경을 분석하는 것을 좋아하는 경향	– 다른 사람을 분석하는 편이다. – 타인의 행동을 보면 동기를 알 수 있다. – 다른 사람의 행동을 잘 관찰한다.
정통성	이미 있는 가치관을 소중히 여기고, 익숙한 방법으로 사물을 대하는 것을 좋아하는 경향	– 실적이 보장되는 확실한 방법을 취한다. – 낡은 가치관을 존중하는 편이다. – 보수적인 편이다.
변화 지향	변화를 추구하고, 변화를 받아들이는 것을 좋아하는 경향	– 새로운 것을 하는 것을 좋아한다. – 해외여행을 좋아한다. – 경험이 없더라도 시도해 보는 것을 좋아한다.
개념성	지식에 대한 욕구가 있고, 논리적으로 생각하는 것을 좋아하는 경향	– 개념적인 사고가 가능하다. – 분석적인 사고를 좋아한다. – 순서를 만들고 단계에 따라 생각한다.
창조성	새로운 분야에 대한 공부를 하는 것을 좋아하는 경향	– 새로운 것을 추구한다. – 독창성이 있다. – 신선한 아이디어를 낸다.
계획성	앞을 생각해서 사물을 예상하고, 계획적으로 실행하는 것을 좋아하는 경향	– 과거를 돌이켜보며 계획을 세운다. – 앞날을 예상하며 행동한다. – 실수를 돌아보며 대책을 강구하는 편이다.

치밀함	정확한 순서를 세워 진행하는 것을 좋아하는 경향	– 사소한 실수는 거의 하지 않는다. – 정확하게 요구되는 것을 좋아한다. – 사소한 것에도 주의하는 편이다.
꼼꼼함	어떤 일이든 마지막까지 꼼꼼하게 마무리 짓는 경향	– 맡은 일을 마지막까지 해결한다. – 마감 시한은 반드시 지킨다. – 시작한 일은 중간에 그만두지 않는다.
여유	평소에 릴랙스하고, 스트레스에 잘 대처하는 경향	– 감정의 회복이 빠르다. – 분별없이 함부로 행동하지 않는다. – 스트레스에 잘 대처한다.
근심 · 걱정	어떤 일이 잘 진행되지 않으면 불안을 느끼고, 중요한 일을 앞두면 긴장하는 경향	– 예정대로 잘되지 않으면 근심 · 걱정이 많다. – 신경 쓰이는 일이 있으면 불안하다. – 중요한 만남 전에는 기분이 편하지 않다.
호방함	사람들이 자신을 어떻게 생각하는지를 신경 쓰지 않는 경향	– 사람들이 자신을 어떻게 생각하는지 그다지 신경 쓰지 않는다. – 상처받아도 동요하지 않고 아무렇지 않은 태도를 취한다. – 사람들의 비판에 크게 영향받지 않는다.
억제력	감정을 표현하지 않는 경향	– 쉽게 감정적으로 되지 않는다. – 분노를 억누른다. – 격분하지 않는다.
낙관적	사물을 낙관적으로 보는 경향	– 낙관적으로 생각하고 일을 진행시킨다. – 문제가 일어나도 낙관적으로 생각한다.
비판적	비판적으로 사물을 생각하고, 이론 · 문장 등의 오류에 신경 쓰는 경향	– 이론의 모순을 찾아낸다. – 계획이 갖춰지지 않은 것이 신경 쓰인다. – 누구도 신경 쓰지 않는 오류를 찾아낸다.
행동력	운동을 좋아하고, 민첩하게 행동하는 경향	– 동작이 날렵하다. – 여가를 활동적으로 보낸다. – 몸을 움직이는 것을 좋아한다.
경쟁성	지는 것을 싫어하는 경향	– 승부를 겨루게 되면 지는 것을 싫어한다. – 상대를 이기는 것을 좋아한다. – 싸워 보지 않고 포기하는 것을 싫어한다.
출세 지향	출세하는 것을 중요하게 생각하고, 야심적인 목표를 향해 노력하는 경향	– 출세 지향적인 성격이다. – 곤란한 목표도 달성할 수 있다. – 실력으로 평가받는 사회가 좋다.
결단력	빠르게 판단하는 경향	– 답을 빠르게 찾아낸다. – 문제에 대한 빠른 상황 파악이 가능하다. – 위험을 감수하고도 결단을 내리는 편이다.

4 인성검사 합격 전략

1 포장하지 않은 솔직한 답변

"다른 사람을 험담한 적이 한 번도 없다.", "물건을 훔치고 싶다고 생각해 본 적이 없다."

이 질문에 당신은 '그렇다', '아니다' 중 무엇을 선택할 것인가? 채용기업이 인성검사를 실시하는 가장 큰 이유는 '이 사람이 어떤 성향을 가진 사람인가'를 효율적으로 파악하기 위해서이다.

인성검사는 도덕적 가치가 빼어나게 높은 사람을 판별하려는 것도 아니고, 성인군자를 가려내기 위함도 아니다. 인간의 보편적 성향과 상식적 사고를 고려할 때, 도덕적 질문에 지나치게 겸손한 답변을 체크하면 오히려 솔직하지 못한 것으로 간주되거나 인성을 제대로 판단하지 못해 무효 처리가 되기도 한다. 자신의 성격을 포장하여 작위적인 답변을 하지 않도록 솔직하게 임하는 것이 예기치 않은 결과를 피하는 첫 번째 전략이 된다.

2 필터링 함정을 피하고 일관성 유지

앞서 강조한 솔직함은 일관성과 연결된다. 인성검사를 구성하는 많은 척도는 여러 형태의 문장 속에 동일한 요소를 적용해 반복되기도 한다. 예컨대 '나는 매우 활동적인 사람이다'와 '나는 운동을 매우 좋아한다'라는 질문에 '그렇다'고 체크한 사람이 '휴일에는 집에서 조용히 쉬며 독서하는 것이 좋다'에도 '그렇다'고 체크한다면 일관성이 없다고 평가될 수 있다.

그러나 일관성 있는 답변에만 매달리면 '이 사람이 같은 답변만 체크하기 위해 이 부분만 신경 썼구나'하는 필터링 함정에 빠질 수도 있다. 비슷하게 보이는 문장이 무조건 같은 내용이라고 판단하여 똑같이 답하는 것도 주의해야 한다. 일관성보다 중요한 것은 솔직함이다. 솔직함이 전제되지 않은 일관성은 허위 척도 필터링에서 드러나게 되어 있다. 유사한 질문의 응답이 터무니없이 다르거나 양극단에 치우치지 않는 정도라면 약간의 차이는 크게 문제되지 않는다. 중요한 것은 솔직함과 일관성이 하나의 연장선에 있다는 점을 명심하자.

3 지원한 직무와 연관성을 고려

다양한 분야의 많은 계열사와 큰 조직을 통솔하는 대기업은 여러 사람이 조직적으로 움직이는 만큼 각 직무에 걸맞은 능력을 갖춘 인재가 필요하다. 그래서 기업은 매년 신규채용으로 입사한 신입사원들의 젊은 패기와 참신한 능력을 성장 동력으로 활용한다.

기업은 사교성 있고 활달한 사람만을 원하지 않는다. 해당 직군과 직무에 따라 필요로 하는 사원의 능력과 개성이 다르기 때문에, 지원자가 희망하는 계열사나 부서의 직무가 무엇인지 제대로 파악하여 자신의 성향과 맞는지에 대한 고민은 반드시 필요하다. 같은 질문이라도 기업이 원하는 인재상이나 부서의 직무에 따라 판단 척도가 달라질 수 있다.

4 평상심 유지와 컨디션 관리

역시 솔직함과 연결된 내용이다. 한 질문에 오래 고민하고 신경 쓰면 불필요한 생각이 개입될 소지가 크다. 이는 직관을 떠나 이성적 판단에 따라 포장할 위험이 높아진다는 뜻이기도 하다. 긴 시간 생각하지 말고 자신의 평상시 생각과 감정대로 답하는 것이 중요하며, 가능한 건너뛰지 말고 모든 질문에 답하도록 한다. 300 ~ 400개 정도 문항을 출제하는 기업이 많기 때문에, 끝까지 집중하여 임하는 것이 중요하다.

특히 적성검사와 같은 날 실시하는 경우, 적성검사를 마친 후 연이어 보기 때문에 신체적 · 정신적으로 피로한 상태에서 자세가 흐트러질 수도 있다. 따라서 컨디션을 유지하면서 문항당 7 ~ 10초 이상 쓰지 않도록 하고, 문항 수가 많을 때는 답안지에 바로바로 표기하자.

02 인성검사 연습

1 인성검사 출제유형

인성검사는 수협이 추구하는 '협동과 소통, 창의와 혁신, 친절과 배려를 갖춘 인재'라는 내부 기준에 따라 적합한 인재를 찾기 위해 가치관과 태도를 측정하는 것이다. 응시자 개인의 사고와 태도 · 행동 특성 및 유사 질문의 반복을 통해 거짓말 척도 등으로 기업의 인재상에 적합한지를 판단하므로 특별하게 정해진 답은 없다.

2 문항군 개별 항목 체크

1 각 문항의 내용을 읽고 자신이 동의하는 정도에 따라 '① 매우 그렇지 않다 ② 그렇지 않다 ③ 그렇다 ④ 매우 그렇다' 중 해당되는 것을 표시한다.

2 성된 검사지에 문항 수가 많으면 일관된 답변이 어려울 수도 있으므로 최대한 꾸밈없이 자신의 가치관과 신념을 바탕으로 솔직하게 답하도록 노력한다.

인성검사 Tip

1. 직관적으로 솔직하게 답한다.
2. 모든 문제를 신중하게 풀도록 한다.
3. 비교적 일관성을 유지할 수 있도록 한다.
4. 평소의 경험과 선호도를 자연스럽게 답한다.
5. 각 문항에 너무 골똘히 생각하거나 고민하지 않는다.
6. 지원한 분야와 나의 성격의 연관성을 미리 생각하고 분석해 본다.

3 모의 연습

※ 자신의 모습 그대로 솔직하게 응답하십시오. 솔직하고 성의 있게 응답하지 않을 경우 결과가 무효 처리됩니다.

[001~252] 모든 문항에는 옳고 그른 답이 없습니다. 다음 문항을 잘 읽고 ① ~ ④ 중 본인에게 해당되는 부분에 표시해 주십시오.

번호	문항	응답			
		전혀 그렇지 않다	그렇지 않다	그렇다	매우 그렇다
001	고객을 만족시키기 위해서 거짓말을 할 수 있다.	①	②	③	④
002	일을 통해 나의 지식과 기술로 후대에 기여하고 싶다.	①	②	③	④
003	내 의견을 이해하지 못하는 사람은 상대하지 않는다.	①	②	③	④
004	사회에서 인정받을 수 있는 사람이 되고 싶다.	①	②	③	④
005	착한 사람은 항상 손해를 보게 되어 있다.	①	②	③	④
006	내가 잘한 일은 남들이 꼭 알아줬으면 한다.	①	②	③	④
007	나와 다른 의견도 끝까지 듣는다.	①	②	③	④
008	어떤 말을 들을 때 다른 생각이 자꾸 떠오른다.	①	②	③	④
009	조직에서 될 수 있으면 비중 있는 일을 담당하려 노력한다.	①	②	③	④
010	싸운 후 다시 화해하는 데까지 시간이 많이 걸린다.	①	②	③	④
011	인정에 이끌려 내 생각을 변경한 적이 많다.	①	②	③	④
012	상처를 잘 받지 않고 실패나 실수를 두려워하지 않는다.	①	②	③	④
013	나만의 공간에 다른 사람이 침범하는 것을 싫어한다.	①	②	③	④
014	약속을 잊어버려 당황할 때가 종종 있다.	①	②	③	④
015	정해진 내용과 범위에 따라 일하는 것을 좋아한다.	①	②	③	④
016	지시를 받기 전에 먼저 일을 찾아서 하는 성향이다.	①	②	③	④
017	내 뜻에 맞지 않으면 조목조목 따진다.	①	②	③	④
018	하고 싶은 말이 있으면 꼭 해야만 마음이 편하다.	①	②	③	④
019	일 때문에 다른 것을 포기할 때가 많다.	①	②	③	④
020	상대방을 격려하고 고무시키는 일을 잘 못한다.	①	②	③	④
021	잘못을 저질렀을 때 요령 있게 상황을 잘 넘긴다.	①	②	③	④
022	문제를 많이 가지고 있는 사람일수록 덜 행복할 것이다.	①	②	③	④
023	현실에서 벗어나고 싶다는 생각이 들 때가 많다.	①	②	③	④
024	주변에는 감사할 일들이 별로 없다.	①	②	③	④
025	어떤 경우라도 남을 미워하지 않는다.	①	②	③	④

번호	문항	응답			
		전혀 그렇지 않다	그렇지 않다	그렇다	매우 그렇다
026	미래를 예측하거나 추상적인 개념 정립을 좋아한다.	①	②	③	④
027	회사의 일거리를 집에까지 가져가서 일하고 싶지는 않다.	①	②	③	④
028	웬만해서는 자신의 감정을 표현하지 않는다.	①	②	③	④
029	약속을 한 번도 어긴 적이 없다.	①	②	③	④
030	지루하거나 심심한 것은 잘 못 참는다.	①	②	③	④
031	자신의 논리와 법칙에 따라 행동한다.	①	②	③	④
032	옳다고 생각하면 다른 사람과 의견이 달라도 끝까지 의견을 고수한다.	①	②	③	④
033	확실하지 않은 것은 처음부터 시작하지 않는다.	①	②	③	④
034	성공할 것이라고 생각되는 확실한 계획만 실행에 옮긴다.	①	②	③	④
035	지인이나 친구의 부탁을 쉽게 거절하지 못한다.	①	②	③	④
036	잘못한 상대와는 다시 상대하지 않는 편이다.	①	②	③	④
037	나는 무슨 일이든지 잘할 수 있다.	①	②	③	④
038	양보와 타협보다 내 이익이 우선이다.	①	②	③	④
039	속고 사는 것보다 차라리 남을 속이는 것이 좋다.	①	②	③	④
040	새로운 유행이 시작되면 먼저 시도해 본다.	①	②	③	④
041	내 의견과 다르더라도 집단의 의견과 결정에 순응한다.	①	②	③	④
042	사람이 많이 모인 곳에 나가기가 어렵다.	①	②	③	④
043	기분에 따라 행동하는 경우는 거의 없다.	①	②	③	④
044	문제를 해결할 때 제일 먼저 떠오른 생각에 따른다.	①	②	③	④
045	작은 기쁨에도 지나치게 기뻐한다.	①	②	③	④
046	세상에는 감사할 일들이 너무 많다.	①	②	③	④
047	조심스럽게 운전하는 사람을 보면 짜증이 난다.	①	②	③	④
048	타고난 천성은 근본적으로 변화시킬 수 없다.	①	②	③	④
049	혼자보다 함께 일할 때 더 신이 난다.	①	②	③	④
050	식사 전에는 꼭 손을 씻는다.	①	②	③	④
051	문제가 생겼을 때 그 원인을 남에 비해 쉽게 알아낸다.	①	②	③	④
052	세상은 부정부패로 가득 차 있다.	①	②	③	④
053	하고 싶은 일을 하지 않고는 못 배긴다.	①	②	③	④
054	에너지가 넘친다는 말을 자주 듣는다.	①	②	③	④
055	거래처를 방문할 때 조그마한 선물 준비는 기본 예의다.	①	②	③	④

번호	문항	응답			
		전혀 그렇지 않다	그렇지 않다	그렇다	매우 그렇다
056	타인이 나를 비판하는 것을 견디지 못한다.	①	②	③	④
057	다른 사람의 일에는 절대 참견하지 않는다.	①	②	③	④
058	경제적 이득이 없더라도 인맥 구축을 위해 모임에 참석한다.	①	②	③	④
059	많은 사람의 도움이 없었다면 지금의 나도 없었을 것이다.	①	②	③	④
060	기분파라는 말을 자주 듣는다.	①	②	③	④
061	상대방을 생각해서 하고 싶은 말을 다 못할 때가 많다.	①	②	③	④
062	수줍음이 많아 앞에 잘 나서질 못한다.	①	②	③	④
063	내키지 않는 약속이라도 철저히 지킨다.	①	②	③	④
064	모임에서 함께 어울려 놀기보다 조용히 구경하는 것을 더 좋아한다.	①	②	③	④
065	조그마한 소리에도 잘 놀란다.	①	②	③	④
066	부자와 가난한 사람의 주된 차이는 운이다.	①	②	③	④
067	다양한 사람을 만나 소통하는 것을 좋아한다.	①	②	③	④
068	먼저 뛰어 들기보다 남들이 하는 것을 우선 관찰해본다.	①	②	③	④
069	살아있는 하루하루에 대해 감사함을 느낀다.	①	②	③	④
070	다른 사람에 비해 열등감을 많이 느낀다.	①	②	③	④
071	국제적, 정치적 문제에 보수적인 태도를 취한다.	①	②	③	④
072	깊이 생각하는 문제보다 쉽게 다룰 수 있는 문제를 선호한다.	①	②	③	④
073	통제하는 것보다 통제받는 것을 더 선호한다.	①	②	③	④
074	우선순위가 상황에 따라 자주 바뀐다.	①	②	③	④
075	주위 환경이 나를 괴롭히거나 불행하게 만든다.	①	②	③	④
076	좋고 싫음에 대해 내색을 잘하지 못한다.	①	②	③	④
077	갈등이 생기면 간접적이고 우회적으로 접근한다.	①	②	③	④
078	필요하다면 어떤 상대도 내 편으로 만들 수 있다.	①	②	③	④
079	남이 시키는 일을 하는 것이 편하다.	①	②	③	④
080	미래의 비전보다는 구체적인 현안 해결을 중시한다.	①	②	③	④
081	순간적인 기분으로 행동할 때가 많다.	①	②	③	④
082	사소한 법이라도 어긴 적이 없다.	①	②	③	④
083	누군가 나를 감시(미행)하고 있다는 느낌이 들 때가 있다.	①	②	③	④
084	현재의 나는 그렇게 행복한 삶을 살고 있지 않다.	①	②	③	④
085	상대에게 상처가 되더라도 진실을 이야기한다.	①	②	③	④

번호	문항	응답			
		전혀 그렇지 않다	그렇지 않다	그렇다	매우 그렇다
086	내가 행복해지려면 주변의 많은 것들이 변해야 한다.	①	②	③	④
087	일이나 타인의 부탁에 대해 끊고 맺음이 분명하다.	①	②	③	④
088	성격이 급하다는 말을 자주 듣는다.	①	②	③	④
089	아무 이유 없이 눈물이 나기도 한다.	①	②	③	④
090	다른 사람의 사랑 없이 나는 행복해질 수 없다.	①	②	③	④
091	조직의 이익보다는 내 입장이 우선이다.	①	②	③	④
092	본인에게 중요하지 않은 대화는 안 하는 편이다.	①	②	③	④
093	상대방이 불편해 하면 비위를 맞추려고 노력한다.	①	②	③	④
094	관심 있는 세미나나 강연회가 있으면 열심히 찾아가서 듣는다.	①	②	③	④
095	살아갈수록 감사할 일들이 많아진다.	①	②	③	④
096	사고하는 문제보다 쉽게 풀 수 있는 문제를 좋아한다.	①	②	③	④
097	눈치가 빠르며 상황을 빨리 파악하는 편이다.	①	②	③	④
098	현재의 나에 대해 매우 만족한다.	①	②	③	④
099	자존심이 상하면 화를 잘 참지 못한다.	①	②	③	④
100	부담을 주는 상대는 되도록 피한다.	①	②	③	④
101	일의 성사를 위해 연고(지연, 학연, 혈연 등)관계를 적극 활용할 필요가 있다.	①	②	③	④
102	어떤 일에 집중하느라 약속을 잊어버릴 때가 가끔 있다.	①	②	③	④
103	자진해서 발언하는 일이 별로 없다.	①	②	③	④
104	쓸데없는 잔걱정이 끊이질 않는다.	①	②	③	④
105	공정과 정의보다 사랑과 용서가 더 중요하다.	①	②	③	④
106	의사결정을 할 때 주도적 역할을 한다.	①	②	③	④
107	다툼을 피하기 위해 상대에게 져주는 편이다.	①	②	③	④
108	갈등이나 마찰을 피하기 위해 대부분 양보하는 편이다.	①	②	③	④
109	무엇이든 직선적으로 대응하는 방식을 선호한다.	①	②	③	④
110	자료를 분석하고 예측하는 일을 잘한다.	①	②	③	④
111	행운이 없이는 능력 있는 지도자가 될 수 없다.	①	②	③	④
112	뜻을 정하면 좀처럼 흔들리지 않는다.	①	②	③	④
113	혁신적이고 급진적인 사고방식에 거부감이 있다.	①	②	③	④
114	완벽한 능력이 있고, 성공을 해야만 내 가치를 인정받을 수 있다.	①	②	③	④
115	세상일은 절대로 내 뜻대로 되지 않는다.	①	②	③	④

번호	문항	응답			
		전혀 그렇지 않다	그렇지 않다	그렇다	매우 그렇다
116	조금은 엉뚱하게 생각하곤 한다.	①	②	③	④
117	불편한 상황은 그대로 넘기지 않고 시시비비를 따지는 편이다.	①	②	③	④
118	아무 목적 없이 여행하고 방랑했던 기억이 몇 차례 있다.	①	②	③	④
119	남들이 생각하지 못한 독특한 의견을 개진하곤 한다.	①	②	③	④
120	사람들과 헤어질 때 불안을 느낀다.	①	②	③	④
121	과거의 영향에서 벗어난다는 것은 거의 불가능하다.	①	②	③	④
122	세상에서 행복해지려면 반드시 돈이 많아야 한다.	①	②	③	④
123	상대방의 의견에 잘 맞추어 행동한다.	①	②	③	④
124	이롭지 않은 약속은 무시할 때가 종종 있다.	①	②	③	④
125	새롭게 느껴지는 문제를 해결하는 것을 좋아한다.	①	②	③	④
126	궂은일이나 애로사항이 생기면 도맡아서 처리한다.	①	②	③	④
127	다른 사람이 한 말의 숨은 뜻을 쉽게 알아차릴 수 있다.	①	②	③	④
128	잘못된 규정이라도 일단 확정되면 규정에 따라야 한다.	①	②	③	④
129	새로운 것을 보면 그냥 지나치지 못한다.	①	②	③	④
130	다시 태어나도 현재와 같은 삶을 살고 싶다.	①	②	③	④
131	나와 맞지 않다고 생각되는 사람하고는 굳이 친해지려고 하지 않는다.	①	②	③	④
132	양심적으로 살면 불이익을 당하는 경우가 많다.	①	②	③	④
133	가까운 사람에게 선물을 주는 것을 좋아한다.	①	②	③	④
134	남들이 당연하게 여기는 것도 의문을 품는 경향이 있다.	①	②	③	④
135	어렵고 힘든 일을 자진해서 떠맡는 편이다.	①	②	③	④
136	주변 환경이나 사물에 별로 관심이 없다.	①	②	③	④
137	나는 모든 사람으로부터 사랑받고 인정받아야 한다.	①	②	③	④
138	마음이 안심될 때까지 확인한다.	①	②	③	④
139	정서적으로 예민하고 유행에 민감하다.	①	②	③	④
140	조직이 원한다면 많은 희생을 감수할 수 있다.	①	②	③	④
141	다른 사람에 비해 유행이나 변화에 민감하지 못한 편이다.	①	②	③	④
142	명절에 거래처에서 주는 상품권이나 선물은 금액이 많지 않다면 받아도 된다.	①	②	③	④
143	질문을 많이 하고 의문을 많이 가진다.	①	②	③	④
144	감수성이 풍부하고 감정의 기복이 심하다.	①	②	③	④
145	공정한 사람보다 인정 많은 사람으로 불리고 싶다.	①	②	③	④

번호	문항	응답			
		전혀 그렇지 않다	그렇지 않다	그렇다	매우 그렇다
146	목표 달성을 위해서라면 사소한 규칙은 무시해도 된다.	①	②	③	④
147	남이 부탁하면 거절하지 못하고 일단 맡아 놓고 본다.	①	②	③	④
148	나의 미래는 희망으로 가득 차 있다.	①	②	③	④
149	기존의 방법과 다른 방향으로 생각하려 노력한다.	①	②	③	④
150	아무리 바빠도 시간을 내서 독서를 한다.	①	②	③	④
151	내 생각과 달라도 어른이나 상사의 행동이나 지시를 잘 따르는 편이다.	①	②	③	④
152	나와 관련 없는 것은 관심을 갖지 않는다.	①	②	③	④
153	항상 스스로 실수를 인정한다.	①	②	③	④
154	발이 넓고 활동적이어서 늘 바쁘다.	①	②	③	④
155	시간이 지난 후에야 어떤 일이나 사람에 대해 감사함을 느끼게 된다.	①	②	③	④
156	다른 사람들보다 옳고 그름에 대해 엄격한 편이다.	①	②	③	④
157	세세한 것에 신경 쓰다 큰 그림을 놓치는 경향이 있다.	①	②	③	④
158	사정에 따라 우선순위를 자주 바꾸는 경향이 있다.	①	②	③	④
159	흥분을 잘하지만 또 금방 풀어진다.	①	②	③	④
160	세상은 그저 스쳐지나가는 것이라는 느낌이 자주 든다.	①	②	③	④
161	내 근심을 덜어 줄 사람은 아무도 없다.	①	②	③	④
162	하고 싶은 말을 잘 참지 못한다.	①	②	③	④
163	위험을 회피하고 확실한 길만 간다.	①	②	③	④
164	내 주장이 맞다고 생각하면 양보하지 않는다.	①	②	③	④
165	분노를 표현하는 데 주저하지 않는다.	①	②	③	④
166	나는 주는 것보다 받은 것이 너무 많다.	①	②	③	④
167	특별한 용건이 없는 한 사람들을 잘 만나지 않는다.	①	②	③	④
168	인생은 허무하고 공허할 뿐이다.	①	②	③	④
169	상대 잘못으로 갈등이 생겨도 먼저 가서 화해를 청한다.	①	②	③	④
170	나에 대한 가치는 다른 사람의 평가에 달려 있다.	①	②	③	④
171	다른 사람의 일까지 맡아서 하는 경우가 많다.	①	②	③	④
172	다른 사람들과 똑같은 생각이나 행동을 하기 싫다.	①	②	③	④
173	내키지 않는 하찮은 일을 하기가 어렵다.	①	②	③	④
174	지배당하는 것보다 지배하는 삶이 훨씬 가치 있다.	①	②	③	④
175	문제가 생기면 해결사 역할을 도맡아 한다.	①	②	③	④

번호	문항	응답			
		전혀 그렇지 않다	그렇지 않다	그렇다	매우 그렇다
176	꼼꼼히 하는 것보다 빨리하는 것을 좋아한다.	①	②	③	④
177	나는 언제나 잘될 것이라고 생각한다.	①	②	③	④
178	남을 의심해 본 적이 없다.	①	②	③	④
179	도전해 볼 만한 일이라면 실패 위험을 감수한다.	①	②	③	④
180	어찌 됐든 규정을 어겼다면 처벌을 받아야 한다.	①	②	③	④
181	다른 사람의 좋은 점을 말하고 칭찬하기를 좋아한다.	①	②	③	④
182	미래가 암담하게 느껴질 때가 많다.	①	②	③	④
183	다른 사람이 선뜻 나서지 않는 문제를 먼저 자원해서 해결한다.	①	②	③	④
184	세상의 모든 불공정한 일에 대해 생각할 때 괴롭다.	①	②	③	④
185	일과 사람(공과 사)의 구분이 명확하다.	①	②	③	④
186	조그마한 실수나 결점에 매우 민감하다.	①	②	③	④
187	복잡하고 어려운 문제에 도전하는 것이 재미있다.	①	②	③	④
188	종종 내 삶은 무의미한 것 같다.	①	②	③	④
189	서로 대립할 때 중재 역할을 잘 못한다.	①	②	③	④
190	협력하는 일보다 개인 중심 업무를 선호한다.	①	②	③	④
191	다른 사람이 참견하고 간섭하는 것을 싫어한다.	①	②	③	④
192	개인 활동보다 팀 활동을 선호한다.	①	②	③	④
193	건물에 들어가면 비상구를 항상 확인해 둔다.	①	②	③	④
194	어떤 경기든 홈그라운드의 이점은 있어야 한다.	①	②	③	④
195	상대가 공격해오면 곧바로 되받아친다.	①	②	③	④
196	상대방이 실수를 해도 싫은 말을 잘 못한다.	①	②	③	④
197	확인되고 증명된 것만을 믿는다.	①	②	③	④
198	나의 일상은 흥미진진한 일들로 가득 차 있다.	①	②	③	④
199	회사에 지장을 주지 않는 선에서 다른 일을 겸하는 것은 문제되지 않는다.	①	②	③	④
200	좋은 소식은 물론 나쁜 소식도 솔직하게 공유한다.	①	②	③	④
201	우울해지면 며칠 혹은 몇 주 동안 아무것도 못하고 보내 버린다.	①	②	③	④
202	사람을 접대하고 응대하는 일을 잘한다.	①	②	③	④
203	일이나 생활에서 정해진 시간에 맞춰 일하는 것을 잘 못한다.	①	②	③	④
204	무슨 일이든 빨리 해결하려는 경향이 있다.	①	②	③	④
205	정보나 감정을 나누는 데 서툰 편이다.	①	②	③	④

번호	문항	응답			
		전혀 그렇지 않다	그렇지 않다	그렇다	매우 그렇다
206	사소한 잘못은 지혜롭게 변명하고 넘어간다.	①	②	③	④
207	나에게는 좋지 못한 습관이 있다.	①	②	③	④
208	정직한 사람은 평생 가난하게 산다.	①	②	③	④
209	개인의 목표보다 조직의 목표가 우선이다.	①	②	③	④
210	어떤 현상에 대해 비판적 시각으로 접근한다.	①	②	③	④
211	내 생각과 견해가 다른 규칙(또는 규정)은 따르기가 어렵다.	①	②	③	④
212	남들과 다른 방식으로 생각하기를 좋아한다.	①	②	③	④
213	자신을 잘 드러내지 않고 사적인 이야기를 거의 하지 않는다.	①	②	③	④
214	정해진 틀(규정이나 절차) 안에서 움직이길 싫어한다.	①	②	③	④
215	주변의 조그만 변화도 빨리 알아챈다.	①	②	③	④
216	항상 나 자신이 만족스럽다.	①	②	③	④
217	관심이나 관련 없는 지루한 말도 끝까지 잘 들어준다.	①	②	③	④
218	격식의 틀을 싫어하고 구속받는 것을 싫어한다.	①	②	③	④
219	사람을 사귈 때 어느 정도 거리를 두고 사귄다.	①	②	③	④
220	앞에 나서기보다 뒤에서 도와주는 역할을 선호한다.	①	②	③	④
221	다소 원칙을 벗어나도 결과가 좋으면 다 해결된다.	①	②	③	④
222	남에게 일을 가르치거나 지도하기를 좋아한다.	①	②	③	④
223	상대가 불쾌한 자극을 주어도 잘 참는 편이다.	①	②	③	④
224	남과 어울려서 일하면 집중이 잘 안 된다.	①	②	③	④
225	한 자리에 오랫동안 앉아있지 못한다.	①	②	③	④
226	좋고 나쁨에 대한 감정을 확실히 표현하며 잘 흥분한다.	①	②	③	④
227	모든 것이 현실이 아닌 것처럼 느껴질 때가 종종 있다.	①	②	③	④
228	자신의 이익을 주장하지 못하는 것은 무능한 것이다.	①	②	③	④
229	느린 속도의 안정보다 빠른 속도의 변화를 선호한다.	①	②	③	④
230	다른 사람들이 나를 이해하지 못하는 것 같다.	①	②	③	④
231	급한 성격 탓에 작은 실수를 범하곤 한다.	①	②	③	④
232	의견이 서로 다를 때 대부분 양보하는 편이다.	①	②	③	④
233	남이 잘되는 것을 보고 시샘한 적이 없다.	①	②	③	④
234	타인의 느낌이나 관심에 민감하다.	①	②	③	④
235	나와 다른 의견을 가진 사람들을 설득하는 것을 잘한다.	①	②	③	④

번호	문항	응답			
		전혀 그렇지 않다	그렇지 않다	그렇다	매우 그렇다
236	약속을 겹치게 잡는 경우가 종종 있다.	①	②	③	④
237	다른 사람의 비판에 매우 민감한 편이다.	①	②	③	④
238	좋아하는 사람과 싫은 사람의 경계가 분명하다.	①	②	③	④
239	내 자신이 초라하게 느껴질 때가 종종 있다.	①	②	③	④
240	살아있는 것이 기적이라고 생각한다.	①	②	③	④
241	기분이 상황에 따라 자주 바뀐다.	①	②	③	④
242	회사 규정을 준수하는 것보다 고객 만족이 우선이다.	①	②	③	④
243	주변에 못마땅해 보이는 사람들이 많다.	①	②	③	④
244	나는 절대로 욕을 하지 않는다.	①	②	③	④
245	미래에 일어날 일들에 대해 많은 걱정을 한다.	①	②	③	④
246	인정을 받으려면 항상 일을 잘해야만 한다.	①	②	③	④
247	흥정이나 협상하는 일을 잘한다.	①	②	③	④
248	경기에서 편파 판정은 어느 정도 인정하고 가야 한다.	①	②	③	④
249	나는 항상 밝은 면을 보려고 노력한다.	①	②	③	④
250	다른 사람과 너무 다르거나 이상한 주장은 피하고 싶다.	①	②	③	④
251	타인의 비판에 적극적으로 대응한다.	①	②	③	④
252	덜렁거리고 신중하지 못한 경향이 있다.	①	②	③	④

Memo

미래를 창조하기에 꿈만큼 좋은 것은 없다.
오늘의 유토피아가 내일 현실이 될 수 있다.

There is nothing like dream to create the future.
Utopia today, flesh and blood tomorrow.
빅토르 위고 Victor Hugo

파트 4 면접가이드

01 면접의 이해

※ 능력중심 채용에서는 타당도가 높은 구조화 면접을 적용한다.

1 면접이란?

일을 하는 데 필요한 능력(직무역량, 직무지식, 인재상 등)을 지원자가 보유하고 있는지를 다양한 면접기법을 활용하여 확인하는 절차이다. 자신의 환경, 성취, 관심사, 경험 등에 대해 이야기하여 본인이 적합하다는 것을 보여 줄 기회를 제공하고, 면접관은 평가에 필요한 정보를 수집하고 평가하는 것이다.

- 지원자의 태도, 적성, 능력에 대한 정보를 심층적으로 파악하기 위한 선발 방법
- 선발의 최종 의사결정에 주로 사용되는 선발 방법
- 전 세계적으로 선발에서 가장 많이 사용되는 핵심적이고 중요한 방법

2 면접의 특징

서류전형이나 인적성검사에서 드러나지 않는 것들을 볼 수 있는 기회를 제공한다.

- 직무수행과 관련된 다양한 지원자 행동에 대한 관찰이 가능하다.
- 면접관이 알고자 하는 정보를 심층적으로 파악할 수 있다.
- 서류상의 미비한 사항과 의심스러운 부분을 확인할 수 있다.
- 커뮤니케이션, 대인관계행동 등 행동·언어적 정보도 얻을 수 있다.

3 면접의 평가요소

1 인재적합도

해당 기관이나 기업별 인재상에 대한 인성 평가

2 조직적합도

조직에 대한 이해와 관련 상황에 대한 평가

3 직무적합도

직무에 대한 지식과 기술, 태도에 대한 평가

4 면접의 유형

구조화된 정도에 따른 분류

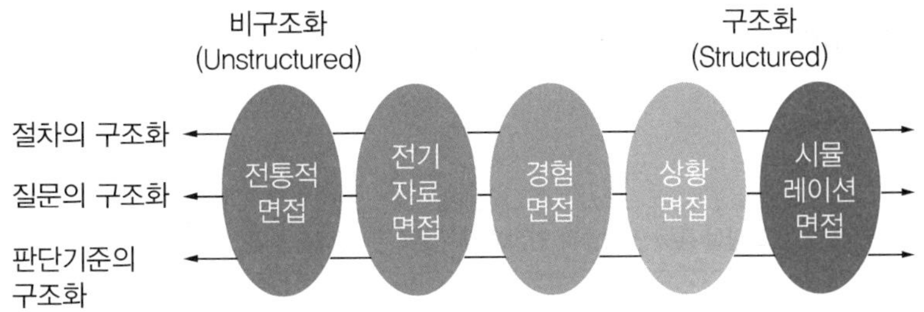

1 구조화 면접(Structured Interview)

사전에 계획을 세워 질문의 내용과 방법, 지원자의 답변 유형에 따른 추가 질문과 그에 대한 평가역량이 정해져 있는 면접 방식(표준화 면접)

- 표준화된 질문이나 평가요소가 면접 전 확정되며, 지원자는 편성된 조나 면접관에 영향을 받지 않고 동일한 질문과 시간을 부여받을 수 있음.
- 조직 또는 직무별로 주요하게 도출된 역량을 기반으로 평가요소가 구성되어, 조직 또는 직무에서 필요한 역량을 가진 지원자를 선발할 수 있음.
- 표준화된 형식을 사용하는 특성 때문에 비구조화 면접에 비해 신뢰성과 타당성, 객관성이 높음.

2 비구조화 면접(Unstructured Interview)

면접 계획을 세울 때 면접 목적만 명시하고 내용이나 방법은 면접관에게 전적으로 일임하는 방식(비표준화 면접)

- 표준화된 질문이나 평가요소 없이 면접이 진행되며, 편성된 조나 면접관에 따라 지원자에게 주어지는 질문이나 시간이 다름.
- 면접관의 주관적인 판단에 따라 평가가 이루어져 평가 오류가 빈번히 일어남.
- 상황 대처나 언변이 뛰어난 지원자에게 유리한 면접이 될 수 있음.

02 구조화 면접 기법

※ 능력중심 채용에서는 타당도가 높은 구조화 면접을 적용한다.

1 경험면접(Behavioral Event Interview)

면접 프로세스

안내	지원자는 입실 후, 면접관을 통해 인사말과 면접에 대한 간단한 안내를 받음.
질문	지원자는 면접관에게 평가요소(직업기초능력, 직무수행능력 등)와 관련된 주요 질문을 받게 되며, 질문에서 의도하는 평가요소를 고려하여 응답할 수 있도록 함.
세부질문	•지원자가 응답한 내용을 토대로 해당 평가기준들을 충족시키는지 파악하기 위한 세부질문이 이루어짐. •구체적인 행동·생각 등에 대해 응답할수록 높은 점수를 얻을 수 있음.

- 방식

  해당 역량의 발휘가 요구되는 일반적인 상황을 제시하고, 그러한 상황에서 어떻게 행동했었는지(과거경험)를 이야기하도록 함.

- 판단기준

  해당 역량의 수준, 경험 자체의 구체성, 진실성 등

- 특징

  추상적인 생각이나 의견 제시가 아닌 과거 경험 및 행동 중심의 질의가 이루어지므로 지원자는 사전에 본인의 과거 경험 및 사례를 정리하여 면접에 대비할 수 있음.

- 예시

지원분야		지원자		면접관	(인)
경영자원관리 조직이 보유한 인적자원을 효율적으로 활용하여, 조직 내 유·무형 자산 및 재무자원을 효율적으로 관리한다.					
주질문					
A. 어떤 과제를 처리할 때 기존에 팀이 사용했던 방식의 문제점을 찾아내 이를 보완하여 과제를 더욱 효율적으로 처리했던 경험에 대해 이야기해 주시기 바랍니다.					
세부질문					
[상황 및 과제] 사례와 관련해 당시 상황에 대해 이야기해 주시기 바랍니다. [역할] 당시 지원자께서 맡았던 역할은 무엇이었습니까? [행동] 사례와 관련해 구성원들의 설득을 이끌어 내기 위해 어떤 노력을 하였습니까? [결과] 결과는 어땠습니까?					

기대행동	평점
업무진행에 있어 한정된 자원을 효율적으로 활용한다.	① - ② - ③ - ④ - ⑤
구성원들의 능력과 성향을 파악해 효율적으로 업무를 배분한다.	① - ② - ③ - ④ - ⑤
효과적 인적/물적 자원관리를 통해 맡은 일을 무리 없이 잘 마무리한다.	① - ② - ③ - ④ - ⑤

척도해설

1 : 행동증거가 거의 드러나지 않음	2 : 행동증거가 미약하게 드러남	3 : 행동증거가 어느 정도 드러남	4 : 행동증거가 명확하게 드러남	5 : 뛰어난 수준의 행동증거가 드러남
관찰기록 : 총평 :				

※ 실제 적용되는 평가지는 기업/기관마다 다름.

 2 상황면접(Situational Interview)

면접 프로세스

안내 — 지원자는 입실 후, 면접관을 통해 인사말과 면접에 대한 간단한 안내를 받음.

질문
- 지원자는 상황질문지를 검토하거나 면접관을 통해 상황 및 질문을 제공받음.
- 면접관의 질문이나 질문지의 의도를 파악하여 응답할 수 있도록 함.

세부질문
- 지원자가 응답한 내용을 토대로 해당 평가기준들을 충족시키는지 파악하기 위한 세부질문이 이루어짐.
- 구체적인 행동·생각 등에 대해 응답할수록 높은 점수를 얻을 수 있음.

- 방식
  직무 수행 시 접할 수 있는 상황들을 제시하고, 그러한 상황에서 어떻게 행동할 것인지(행동의도)를 이야기하도록 함.
- 판단기준
  해당 상황에 맞는 해당 역량의 구체적 행동지표
- 특징
  지원자의 가치관, 태도, 사고방식 등의 요소를 평가하는 데 용이함.

• 예시

지원분야		지원자		면접관	(인)
유관부서협업 타 부서의 업무협조요청 등에 적극적으로 협력하고 갈등 상황이 발생하지 않도록 이해관계를 조율하며 관련 부서의 협업을 효과적으로 이끌어 낸다.					
주질문					
당신은 생산관리팀의 팀원으로, 2개월 뒤에 제품 A를 출시하기 위해 생산팀의 생산 계획을 수립한 상황입니다. 그러나 원가가 곧 실적으로 이어지는 구매팀에서는 최대한 원가를 줄여 전반적 단가를 낮추려고 원가절감을 위한 제안을 하였으나, 연구개발팀에서는 구매팀이 제안한 방식으로 제품을 생산할 경우 대부분이 구매팀의 실적으로 산정될 것이므로 제대로 확인도 해보지 않은 채 적합하지 않은 방식이라고 판단하고 있습니다. 당신은 어떻게 하겠습니까?					
세부질문					
[상황 및 과제] 이 상황의 핵심적인 이슈는 무엇이라고 생각합니까? [역할] 당신의 역할을 더 잘 수행하기 위해서는 어떤 점을 고려해야 하겠습니까? 왜 그렇게 생각합니까? [행동] 당면한 과제를 해결하기 위해서 구체적으로 어떤 조치를 취하겠습니까? 그 이유는 무엇입니까? [결과] 그 결과는 어떻게 될 것이라고 생각합니까? 그 이유는 무엇입니까?					

척도해설

1 : 행동증거가 거의 드러나지 않음	2 : 행동증거가 미약하게 드러남	3 : 행동증거가 어느 정도 드러남	4 : 행동증거가 명확하게 드러남	5 : 뛰어난 수준의 행동증거가 드러남
관찰기록 : 총평 :				

※ 실제 적용되는 평가지는 기업/기관마다 다름.

3 발표면접(Presentation)

면접 프로세스

안내
- 입실 후 지원자는 면접관으로부터 인사말과 발표면접에 대해 간략히 안내받음.
- 면접 전 지원자는 과제 검토 및 발표 준비시간을 가짐.

발표
- 지원자들이 과제 주제와 관련하여 정해진 시간 동안 발표를 실시함.
- 면접관은 발표내용 중 평가요소와 관련해 나타난 가점 및 감점요소들을 평가하게 됨.

질문응답
- 발표 종료 후 면접관은 정해진 시간 동안 지원자의 발표내용과 관련해 구체적인 내용을 확인하기 위한 질문을 함.
- 지원자는 면접관의 질문의도를 정확히 파악하여 적절히 응답할 수 있도록 함.
- 응답 시 명확하고 자신있게 전달할 수 있도록 함.

- 방식

  지원자가 특정 주제와 관련된 자료(신문기사, 그래프 등)를 검토하고, 그에 대한 자신의 생각을 면접관 앞에서 발표하며, 추가 질의응답이 이루어짐.

- 판단기준

  지원자의 사고력, 논리력, 문제해결능력 등

- 특징

  과제를 부여한 후, 지원자들이 과제를 수행하는 과정과 결과를 관찰 · 평가함. 과제수행의 결과뿐 아니라 과제수행 과정에서의 행동을 모두 평가함.

4 토론면접(Group Discussion)

면접 프로세스

안내
- 입실 후, 지원자들은 면접관으로부터 토론 면접의 전반적인 과정에 대해 안내받음.
- 지원자는 정해진 자리에 착석함.

토론
- 지원자들이 과제 주제와 관련하여 정해진 시간 동안 토론을 실시함(시간은 기관별 상이).
- 지원자들은 면접 전 과제 검토 및 토론 준비시간을 가짐.
- 토론이 진행되는 동안, 지원자들은 다른 토론자들의 발언을 경청하여 적절히 본인의 의사를 전달할 수 있도록 함. 더불어 적극적인 태도로 토론면접에 임하는 것도 중요함.

마무리 (5분 이내)
- 면접 종료 전, 지원자들은 토론을 통해 도출한 결론에 대해 첨언하고 적절히 마무리 지음.
- 본인의 의견을 전달하는 것과 동시에 다른 토론자를 배려하는 모습도 중요함.

- 방식

  상호갈등적 요소를 가진 과제 또는 공통의 과제를 해결하는 내용의 토론 과제(신문기사, 그래프 등)를 제시하고, 그 과정에서의 개인 간의 상호작용 행동을 관찰함.

- 판단기준

  팀워크, 갈등 조정, 의사소통능력 등

- 특징

  면접에서 최종안을 도출하는 것도 중요하나 주장의 옳고 그름이 아닌 결론을 도출하는 과정과 말하는 자세 등도 중요함.

5 역할연기면접(Role Play Interview)

- 방식

  기업 내 발생 가능한 상황에서 부딪히게 되는 문제와 역할을 가상적으로 설정하여 특정 역할을 맡은 사람과 상호작용하고 문제를 해결해 나가도록 함.

- 판단기준

  대처능력, 대인관계능력, 의사소통능력 등

- 특징

  실제 상황과 유사한 가상 상황에서 지원자의 성격이나 대처 행동 등을 관찰할 수 있음.

6 조별활동(GA : Group Activity)

- 방식

  지원자들이 팀(집단)으로 협력하여 정해진 시간 안에 활동 또는 게임을 하며 면접관들은 지원자들의 행동을 관찰함.

- 판단기준

  대인관계능력, 팀워크, 창의성 등

- 특징

  기존 면접보다 오랜 시간 관찰을 하여 지원자들의 평소 습관이나 행동들을 관찰하려는 데 목적이 있음.

03 면접 최신 기출 주제

전국수협 면접은 크게 1차 실무면접과 2차 임원면접으로 이루어진다. 1차 실무면접에서는 수협에서 진행하는 사업, 시사 중심의 경제학 관련 전문지식 이해 여부를 기준으로 삼아 각 지점별로 다양한 유형의 내용을 질문으로 제시한다. 2차 임원면접에서는 인성관련 질문 이외에 사회 · 문화 관련 이슈를 질문으로 제시한다. 따라서 면접 전 지원한 수협에 대한 정보와 경제용어를 미리 학습하여 질문에 당황하지 않고 대답할 수 있도록 사전에 대비할 필요가 있다.

1 2023 상반기 면접 실제 기출 주제

1 1차 실무면접

- 1분 자기소개
- 현재 따로 자기 계발을 위해 공부하거나 자격증을 따려고 하는 것이 있는가? 있다면 해당 분야를 공부하는 이유는 무엇인가?
- 행원으로서 갖추어야할 자질이나 덕목은 무엇이라고 생각하는가?
- 최근 본 기사 중 은행권에 영향이 있을 것 같은 내용의 기사를 설명해 보시오.
- 수협이 다른 은행들과 차별화된 점이 있다면 무엇인가? 만약 차별화된 것이 없다고 느꼈다면 무엇을 개선하는 것이 중요하다고 생각하는가?
- 갈등을 극복한 사례가 있다면 그 경험에 대해 말해 보시오.
- 금융업 종사자로서 수협 내 카드 상품 중 개선되어야 하는 것이 있다고 생각하는가? 있다면 어떻게 개선해야 하는가?
- 2억을 맡기려는 고객이 있다고 할 때, 어떠한 방식의 자산 운용을 추천할 것인가?
- 업무를 수행함에 있어서 본인이 가장 중요하다고 생각하는 가치를 말해 보시오.
- 수협의 인재상 중 '친절과 배려'라는 항목이 있는데 과거에 이를 실천한 경험이 있다면 말해 보시오.

2 2차 임원면접

- 본인이 희망하는 부서가 아닌 다른 부서로 배정된다면 어떻게 할 것인가?
- 나중에 임원이 된다면 어떠한 사람이 되고 싶은가?
- 상사와 업무적으로 자주 충돌하는 상황이 발생하면 어떻게 해결할 것인지 말해 보시오.
- 수협에 지원하기 전에 다른 곳에서 계약직으로 일한 경력이 있던데 그만둔 이유를 말해 보시오.
- 주변 사람들이 자신에 대해 어떻게 생각하는지 말해 보시오.
- MZ 세대들이 회사 생활에서 가장 꺼려하는 것은 무엇인가?
- 다음 생에 꼭 하고 싶은 것이나 되고 싶은 것이 있는가, 있다면 그 이유는 무엇인가?
- 스트레스를 해소하는 자신만의 방법이 있는가?
- 조직에서 가장 중요하게 생각하는 부분이 있는가? 있다면 말해 보시오.

2 2022 하반기 면접 실제 기출 주제

1 1차 실무면접

- 1분 자기소개
- 지원한 수협에 대해 아는 대로 말해 보시오.
- 본인의 강점을 사례와 함께 설명하시오.
- 졸업 후 공백기가 있던데 그 이유를 말해 보시오.
- 이전에 중소기업에서 일했던 경력이 있는데 그 기업에 지원한 이유는 무엇인가?
- 수협의 역할이 무엇이라고 생각하는가?
- 혼자만의 자산관리방법이 있는가?
- 지원한 수협을 방문한 적이 있는가, 있다면 해당 경험을 통해 느낀 점을 말해 보시오.
- 거주지에서 출퇴근할 때 소요되는 시간은 얼마정도 되는가?
- 지원자의 역량 중 수협에 기여할 수 있는 역량은 무엇인가?
- 재래시장 옆에 위치한 지점에서 근무한다고 할 때 신규 고객을 모집하면서 매출을 증대하는 방안을 제시해 보시오.
- 일을 할 때 끈기와 근성을 발휘해서 문제를 해결한 경험이 있다면 말해 보시오.

2 2차 임원면접

- 본인을 색으로 표현하고 해당 색을 고른 이유를 설명하시오.
- 본인의 강점을 말하고 업무와의 연관성을 제시하시오.
- 보수적인 상사를 만났을 때 어떻게 대처할 것인가?
- 전공과 경력이 금융권과는 거리가 있는데 본인의 전공을 어떤 식으로 업무에 적용할 것인가?
- 거주지가 해당 수협과 거리가 있는데 어떠한 방식으로 출퇴근을 할 것인가?
- 젊은 세대의 퇴사율이 높아지고 있는데 이러한 상황에서 수협이 나아가야할 방향을 제시하시오.
- 코로나 이후로 많은 기업들이 재택근무를 시행하고 있는데 만약 재택근무를 해야 한다면 지원자는 어떤 방식으로 업무를 수행할 것인가?
- MZ 세대의 특징은 무엇이라고 생각하는가, 그 특징이 수협에 기여할 수 있는 점은 무엇인가?

3 2022 상반기 면접 실제 기출 주제

1 1차 실무면접

- 해당 수협에 지원한 이유를 말해 보시오.
- 합격했을 때 배정받고 싶은 희망부서가 있다면 말해 보시오.
- 수협은 어떤 일을 하는 곳인지 아는 대로 말해 보시오.
- 위판장의 경우 업무의 강도가 높은 편인데 다닐 수 있는가?
- 위판장에서 근무하게 될 경우 어르신을 상대하는 상황이 많아 곤란한 일(욕설)에 처할 수도 있는데 이때 어떻게 대처하겠는가?
- 위와 같은 곤란한 일을 겪고도 극복하는 자신만의 방법이 있는가?
- 경력에 기술된 기업에서 했던 업무에 대해 자세히 말해 보시오.
- 해당 수협의 재무제표를 확인한 것 같은데 영업이익이 알고 있는가?
- 비전공자임에도 금융권으로 취업은 준비한 이유를 말해 보시오.
- 테이퍼링에 대해 설명해 보시오.
- 코로나 19 이후 한국 경제가 어떻게 변화한 것 같은지 말해 보시오.
- 좋아하는 생선이 있는가, 있다면 이 생선을 수협에서 판매하기 위해 어떠한 전략을 사용해야 하는지 말해 보시오.

2 2차 임원면접

- 전에 직장을 다닌 경력이 있는데 퇴사 이유가 무언인가?
- 지원한 수협을 방문한 적이 있는가, 있다면 그 경험에 대해 말해 보시오.
- 지방으로 발령을 받을 수도 있는데 근무가 가능한가?
- 다른 곳도 지원했는가 그리고 이전에 다른 회사에서 면접을 본 경험이 있는가?
- 이력서를 보니 자격증을 다수 보유하고 있는데 이를 연계한 인턴 경험은 없는가?
- 조합과 중앙회의 차이에 대해 설명해 보시오.
- 10년 뒤 수협에서 본인이 하고 싶은 일이 무엇인지 말하고 어떻게 할 것인지 제시하시오.
- 잘 맞지 않은 사람과 일을 해야 할 때 어떻게 대처하겠는가?
- 본인이 한 일 중에 가장 잘 한 일과 후회되는 일을 말해 보시오.

Memo

미래를 창조하기에 꿈만큼 좋은 것은 없다.
오늘의 유토피아가 내일 현실이 될 수 있다.

There is nothing like dream to create the future.
Utopia today, flesh and blood tomorrow.
빅토르 위고 Victor Hugo

전국수협 적성검사

감독관 확인란	

1회 기출유형문제

성명표기란

ㄱ ㄴ ㄷ ㄹ ㅁ ㅂ ㅅ ㅇ ㅈ ㅊ ㅋ ㅌ ㅍ ㅎ

ㅏ ㅑ ㅓ ㅕ ㅗ ㅛ ㅜ ㅠ ㅡ ㅣ ㅐ ㅒ ㅔ ㅖ ㅘ ㅙ ㅚ ㅝ ㅞ ㅟ ㅢ

ㄱ ㄴ ㄷ ㄹ ㅁ ㅂ ㅅ ㅇ ㅈ ㅊ ㅋ ㅌ ㅍ ㅎ ㄲ ㄸ ㅃ ㅆ ㅉ ㄺ ㄻ

수험번호

0 1 2 3 4 5 6 7 8 9

(주민등록 앞자리 생년제외) 월일

0 1 2 3 4 5 6 7 8 9

수험생 유의사항

※ 답안은 반드시 컴퓨터용 사인펜으로 보기와 같이 바르게 표기해야 합니다.
〈보기〉 ① ② ③ ❹ ⑤

※ 성명표기란 위 칸에는 성명을 한글로 쓰고 아래 칸에는 성명을 정확하게 표기하십시오. (맨 왼쪽 칸부터 성과 이름은 붙여 씁니다)

※ 수험번호/월일 위 칸에는 아라비아 숫자로 쓰고 아래 칸에는 숫자와 일치하게 표기하십시오.

※ 월일은 반드시 본인 주민등록번호의 생년을 제외한 월 두 자리, 일 두 자리를 표기하십시오. 〈예〉 1994년 1월 12일 → 0112

적성검사

	문번	답란		문번	답란		문번	답란		문번	답란
언어력	1	① ② ③ ④ ⑤	수리력	1	① ② ③ ④ ⑤	분석력	1	① ② ③ ④ ⑤	지각력	1	① ② ③ ④ ⑤
	2	① ② ③ ④ ⑤		2	① ② ③ ④ ⑤		2	① ② ③ ④ ⑤		2	① ② ③ ④ ⑤
	3	① ② ③ ④ ⑤		3	① ② ③ ④ ⑤		3	① ② ③ ④ ⑤		3	① ② ③ ④ ⑤
	4	① ② ③ ④ ⑤		4	① ② ③ ④ ⑤		4	① ② ③ ④ ⑤		4	① ② ③ ④ ⑤
	5	① ② ③ ④ ⑤		5	① ② ③ ④ ⑤		5	① ② ③ ④ ⑤		5	① ② ③ ④ ⑤
	6	① ② ③ ④ ⑤		6	① ② ③ ④ ⑤		6	① ② ③ ④ ⑤		6	① ② ③ ④ ⑤
	7	① ② ③ ④ ⑤		7	① ② ③ ④ ⑤		7	① ② ③ ④ ⑤		7	① ② ③ ④ ⑤
	8	① ② ③ ④ ⑤		8	① ② ③ ④ ⑤		8	① ② ③ ④ ⑤		8	① ② ③ ④ ⑤
	9	① ② ③ ④ ⑤		9	① ② ③ ④ ⑤		9	① ② ③ ④ ⑤		9	① ② ③ ④ ⑤
	10	① ② ③ ④ ⑤		10	① ② ③ ④ ⑤		10	① ② ③ ④ ⑤		10	① ② ③ ④ ⑤
	11	① ② ③ ④ ⑤		11	① ② ③ ④ ⑤		11	① ② ③ ④ ⑤		11	① ② ③ ④ ⑤
	12	① ② ③ ④ ⑤		12	① ② ③ ④ ⑤		12	① ② ③ ④ ⑤		12	① ② ③ ④ ⑤
	13	① ② ③ ④ ⑤		13	① ② ③ ④ ⑤		13	① ② ③ ④ ⑤		13	① ② ③ ④ ⑤
	14	① ② ③ ④ ⑤		14	① ② ③ ④ ⑤		14	① ② ③ ④ ⑤		14	① ② ③ ④ ⑤
	15	① ② ③ ④ ⑤		15	① ② ③ ④ ⑤		15	① ② ③ ④ ⑤		15	① ② ③ ④ ⑤

전국수험 적성검사

감독관 확인란	

2회 기출유형문제

성명표기란

수험번호

(주민등록 앞자리 생년제외) 월일

적성검사

	문번	답란		문번	답란		문번	답란		문번	답란
언어력	1	① ② ③ ④ ⑤	수리력	1	① ② ③ ④ ⑤	분석력	1	① ② ③ ④ ⑤	지각력	1	① ② ③ ④ ⑤
	2	① ② ③ ④ ⑤		2	① ② ③ ④ ⑤		2	① ② ③ ④ ⑤		2	① ② ③ ④ ⑤
	3	① ② ③ ④ ⑤		3	① ② ③ ④ ⑤		3	① ② ③ ④ ⑤		3	① ② ③ ④ ⑤
	4	① ② ③ ④ ⑤		4	① ② ③ ④ ⑤		4	① ② ③ ④ ⑤		4	① ② ③ ④ ⑤
	5	① ② ③ ④ ⑤		5	① ② ③ ④ ⑤		5	① ② ③ ④ ⑤		5	① ② ③ ④ ⑤
	6	① ② ③ ④ ⑤		6	① ② ③ ④ ⑤		6	① ② ③ ④ ⑤		6	① ② ③ ④ ⑤
	7	① ② ③ ④ ⑤		7	① ② ③ ④ ⑤		7	① ② ③ ④ ⑤		7	① ② ③ ④ ⑤
	8	① ② ③ ④ ⑤		8	① ② ③ ④ ⑤		8	① ② ③ ④ ⑤		8	① ② ③ ④ ⑤
	9	① ② ③ ④ ⑤		9	① ② ③ ④ ⑤		9	① ② ③ ④ ⑤		9	① ② ③ ④ ⑤
	10	① ② ③ ④ ⑤		10	① ② ③ ④ ⑤		10	① ② ③ ④ ⑤		10	① ② ③ ④ ⑤
	11	① ② ③ ④ ⑤		11	① ② ③ ④ ⑤		11	① ② ③ ④ ⑤		11	① ② ③ ④ ⑤
	12	① ② ③ ④ ⑤		12	① ② ③ ④ ⑤		12	① ② ③ ④ ⑤		12	① ② ③ ④ ⑤
	13	① ② ③ ④ ⑤		13	① ② ③ ④ ⑤		13	① ② ③ ④ ⑤		13	① ② ③ ④ ⑤
	14	① ② ③ ④ ⑤		14	① ② ③ ④ ⑤		14	① ② ③ ④ ⑤		14	① ② ③ ④ ⑤
	15	① ② ③ ④ ⑤		15	① ② ③ ④ ⑤		15	① ② ③ ④ ⑤		15	① ② ③ ④ ⑤

수험생 유의사항

※ 답안은 반드시 컴퓨터용 사인펜으로 보기와 같이 바르게 표기해야 합니다.
〈보기〉 ① ② ③ ❹ ⑤

※ 성명표기란 위 칸에는 성명을 한글로 쓰고 아래 칸에는 성명을 정확하게 표기하십시오. (맨 왼쪽 칸부터 성과 이름은 붙여 씁니다)

※ 수험번호/월일 위 칸에는 아라비아 숫자로 쓰고 아래 칸에는 숫자와 일치하게 표기하십시오.

※ 월일은 반드시 본인 주민등록번호의 생년을 제외한 월 두 자리, 일 두 자리를 표기하십시오. 〈예〉 1994년 1월 12일 → 0112

전국수협 적성검사

감독관 확인란	

3회 기출유형문제

성명표기란

수험번호

(주민등록 앞자리 생년제외) 월일

수험생 유의사항

※ 답안은 반드시 컴퓨터용 사인펜으로 보기와 같이 바르게 표기해야 합니다.
〈보기〉 ① ② ③ ❹ ⑤

※ 성명표기란 위 칸에는 성명을 한글로 쓰고 아래 칸에는 성명을 정확하게 표기하십시오. (맨 왼쪽 칸부터 성과 이름은 붙여 씁니다)

※ 수험번호/월일 위 칸에는 아라비아 숫자로 쓰고 아래 칸에는 숫자와 일치하게 표기하십시오.

※ 월일은 반드시 본인 주민등록번호의 생년을 제외한 월 두 자리, 일 두 자리를 표기하십시오. 〈예〉 1994년 1월 12일 → 0112

적성검사

gosinet (주)고시넷

	문번	답란		문번	답란		문번	답란		문번	답란
언어력	1	① ② ③ ④ ⑤	수리력	1	① ② ③ ④ ⑤	분석력	1	① ② ③ ④ ⑤	지각력	1	① ② ③ ④ ⑤
	2	① ② ③ ④ ⑤		2	① ② ③ ④ ⑤		2	① ② ③ ④ ⑤		2	① ② ③ ④ ⑤
	3	① ② ③ ④ ⑤		3	① ② ③ ④ ⑤		3	① ② ③ ④ ⑤		3	① ② ③ ④ ⑤
	4	① ② ③ ④ ⑤		4	① ② ③ ④ ⑤		4	① ② ③ ④ ⑤		4	① ② ③ ④ ⑤
	5	① ② ③ ④ ⑤		5	① ② ③ ④ ⑤		5	① ② ③ ④ ⑤		5	① ② ③ ④ ⑤
	6	① ② ③ ④ ⑤		6	① ② ③ ④ ⑤		6	① ② ③ ④ ⑤		6	① ② ③ ④ ⑤
	7	① ② ③ ④ ⑤		7	① ② ③ ④ ⑤		7	① ② ③ ④ ⑤		7	① ② ③ ④ ⑤
	8	① ② ③ ④ ⑤		8	① ② ③ ④ ⑤		8	① ② ③ ④ ⑤		8	① ② ③ ④ ⑤
	9	① ② ③ ④ ⑤		9	① ② ③ ④ ⑤		9	① ② ③ ④ ⑤		9	① ② ③ ④ ⑤
	10	① ② ③ ④ ⑤		10	① ② ③ ④ ⑤		10	① ② ③ ④ ⑤		10	① ② ③ ④ ⑤
	11	① ② ③ ④ ⑤		11	① ② ③ ④ ⑤		11	① ② ③ ④ ⑤		11	① ② ③ ④ ⑤
	12	① ② ③ ④ ⑤		12	① ② ③ ④ ⑤		12	① ② ③ ④ ⑤		12	① ② ③ ④ ⑤
	13	① ② ③ ④ ⑤		13	① ② ③ ④ ⑤		13	① ② ③ ④ ⑤		13	① ② ③ ④ ⑤
	14	① ② ③ ④ ⑤		14	① ② ③ ④ ⑤		14	① ② ③ ④ ⑤		14	① ② ③ ④ ⑤
	15	① ② ③ ④ ⑤		15	① ② ③ ④ ⑤		15	① ② ③ ④ ⑤		15	① ② ③ ④ ⑤

전국수협 적성검사

감독관 확인란	

4회 기출유형문제

성명표기란

수험번호

(주민등록 앞자리 생년제외) 월일

수험생 유의사항

※ 답안은 반드시 컴퓨터용 사인펜으로 보기와 같이 바르게 표기해야 합니다.
〈보기〉 ① ② ③ ❹ ⑤

※ 성명표기란 위 칸에는 성명을 한글로 쓰고 아래 칸에는 성명을 정확하게 표기하십시오. (맨 왼쪽 칸부터 성과 이름은 붙여 씁니다)

※ 수험번호/월일 위 칸에는 아라비아 숫자로 쓰고 아래 칸에는 숫자와 일치하게 표기하십시오.

※ 월일은 반드시 본인 주민등록번호의 생년을 제외한 월 두 자리, 일 두 자리를 표기하십시오. 〈예〉 1994년 1월 12일 → 0112

적성검사

	문번	답란		문번	답란		문번	답란		문번	답란
언어력	1	① ② ③ ④ ⑤	수리력	1	① ② ③ ④ ⑤	분석력	1	① ② ③ ④ ⑤	지각력	1	① ② ③ ④ ⑤
	2	① ② ③ ④ ⑤		2	① ② ③ ④ ⑤		2	① ② ③ ④ ⑤		2	① ② ③ ④ ⑤
	3	① ② ③ ④ ⑤		3	① ② ③ ④ ⑤		3	① ② ③ ④ ⑤		3	① ② ③ ④ ⑤
	4	① ② ③ ④ ⑤		4	① ② ③ ④ ⑤		4	① ② ③ ④ ⑤		4	① ② ③ ④ ⑤
	5	① ② ③ ④ ⑤		5	① ② ③ ④ ⑤		5	① ② ③ ④ ⑤		5	① ② ③ ④ ⑤
	6	① ② ③ ④ ⑤		6	① ② ③ ④ ⑤		6	① ② ③ ④ ⑤		6	① ② ③ ④ ⑤
	7	① ② ③ ④ ⑤		7	① ② ③ ④ ⑤		7	① ② ③ ④ ⑤		7	① ② ③ ④ ⑤
	8	① ② ③ ④ ⑤		8	① ② ③ ④ ⑤		8	① ② ③ ④ ⑤		8	① ② ③ ④ ⑤
	9	① ② ③ ④ ⑤		9	① ② ③ ④ ⑤		9	① ② ③ ④ ⑤		9	① ② ③ ④ ⑤
	10	① ② ③ ④ ⑤		10	① ② ③ ④ ⑤		10	① ② ③ ④ ⑤		10	① ② ③ ④ ⑤
	11	① ② ③ ④ ⑤		11	① ② ③ ④ ⑤		11	① ② ③ ④ ⑤		11	① ② ③ ④ ⑤
	12	① ② ③ ④ ⑤		12	① ② ③ ④ ⑤		12	① ② ③ ④ ⑤		12	① ② ③ ④ ⑤
	13	① ② ③ ④ ⑤		13	① ② ③ ④ ⑤		13	① ② ③ ④ ⑤		13	① ② ③ ④ ⑤
	14	① ② ③ ④ ⑤		14	① ② ③ ④ ⑤		14	① ② ③ ④ ⑤		14	① ② ③ ④ ⑤
	15	① ② ③ ④ ⑤		15	① ② ③ ④ ⑤		15	① ② ③ ④ ⑤		15	① ② ③ ④ ⑤

전국수협 전공시험

감독관 확인란	

전공시험

성명표기란

수험번호

(주민등록 앞자리 생년제외) 월일

수험생 유의사항

※ 답안은 반드시 컴퓨터용 사인펜으로 보기와 같이 바르게 표기해야 합니다.
〈보기〉 ① ② ③ ❹ ⑤

※ 성명표기란 위 칸에는 성명을 한글로 쓰고 아래 칸에는 성명을 정확하게 표기하십시오. (맨 왼쪽 칸부터 성과 이름은 붙여 씁니다)

※ 수험번호/월일 위 칸에는 아라비아 숫자로 쓰고 아래 칸에는 숫자와 일치하게 표기하십시오.

※ 월일은 반드시 본인 주민등록번호의 생년을 제외한 월 두 자리, 일 두 자리를 표기하십시오. 〈예〉 1994년 1월 12일 → 0112

전공시험

gosinet (주)고시넷

문번	답란	문번	답란	문번	답란	문번	답란
1	① ② ③ ④ ⑤	16	① ② ③ ④ ⑤	31	① ② ③ ④ ⑤	46	① ② ③ ④ ⑤
2	① ② ③ ④ ⑤	17	① ② ③ ④ ⑤	32	① ② ③ ④ ⑤	47	① ② ③ ④ ⑤
3	① ② ③ ④ ⑤	18	① ② ③ ④ ⑤	33	① ② ③ ④ ⑤	48	① ② ③ ④ ⑤
4	① ② ③ ④ ⑤	19	① ② ③ ④ ⑤	43	① ② ③ ④ ⑤	49	① ② ③ ④ ⑤
5	① ② ③ ④ ⑤	20	① ② ③ ④ ⑤	35	① ② ③ ④ ⑤	50	① ② ③ ④ ⑤
6	① ② ③ ④ ⑤	21	① ② ③ ④ ⑤	36	① ② ③ ④ ⑤		
7	① ② ③ ④ ⑤	22	① ② ③ ④ ⑤	37	① ② ③ ④ ⑤		
8	① ② ③ ④ ⑤	23	① ② ③ ④ ⑤	38	① ② ③ ④ ⑤		
9	① ② ③ ④ ⑤	24	① ② ③ ④ ⑤	39	① ② ③ ④ ⑤		
10	① ② ③ ④ ⑤	25	① ② ③ ④ ⑤	40	① ② ③ ④ ⑤		
11	① ② ③ ④ ⑤	26	① ② ③ ④ ⑤	41	① ② ③ ④ ⑤		
12	① ② ③ ④ ⑤	27	① ② ③ ④ ⑤	42	① ② ③ ④ ⑤		
13	① ② ③ ④ ⑤	28	① ② ③ ④ ⑤	43	① ② ③ ④ ⑤		
14	① ② ③ ④ ⑤	29	① ② ③ ④ ⑤	44	① ② ③ ④ ⑤		
15	① ② ③ ④ ⑤	30	① ② ③ ④ ⑤	45	① ② ③ ④ ⑤		

전국수협 전공시험

감독관 확인란	

전공시험

성명표기란

수험번호

(주민등록 앞자리 생년제외) 월일

수험생 유의사항

※ 답안은 반드시 컴퓨터용 사인펜으로 보기와 같이 바르게 표기해야 합니다.
〈보기〉 ① ② ③ ❹ ⑤

※ 성명표기란 위 칸에는 성명을 한글로 쓰고 아래 칸에는 성명을 정확하게 표기하십시오. (맨 왼쪽 칸부터 성과 이름은 붙여 씁니다)

※ 수험번호/월일 위 칸에는 아라비아 숫자로 쓰고 아래 칸에는 숫자와 일치하게 표기하십시오.

※ 월일은 반드시 본인 주민등록번호의 생년을 제외한 월 두 자리, 일 두 자리를 표기하십시오. 〈예〉 1994년 1월 12일 → 0112

전공시험

문번	답란	문번	답란	문번	답란	문번	답란
1	① ② ③ ④ ⑤	16	① ② ③ ④ ⑤	31	① ② ③ ④ ⑤	46	① ② ③ ④ ⑤
2	① ② ③ ④ ⑤	17	① ② ③ ④ ⑤	32	① ② ③ ④ ⑤	47	① ② ③ ④ ⑤
3	① ② ③ ④ ⑤	18	① ② ③ ④ ⑤	33	① ② ③ ④ ⑤	48	① ② ③ ④ ⑤
4	① ② ③ ④ ⑤	19	① ② ③ ④ ⑤	43	① ② ③ ④ ⑤	49	① ② ③ ④ ⑤
5	① ② ③ ④ ⑤	20	① ② ③ ④ ⑤	35	① ② ③ ④ ⑤	50	① ② ③ ④ ⑤
6	① ② ③ ④ ⑤	21	① ② ③ ④ ⑤	36	① ② ③ ④ ⑤		
7	① ② ③ ④ ⑤	22	① ② ③ ④ ⑤	37	① ② ③ ④ ⑤		
8	① ② ③ ④ ⑤	23	① ② ③ ④ ⑤	38	① ② ③ ④ ⑤		
9	① ② ③ ④ ⑤	24	① ② ③ ④ ⑤	39	① ② ③ ④ ⑤		
10	① ② ③ ④ ⑤	25	① ② ③ ④ ⑤	40	① ② ③ ④ ⑤		
11	① ② ③ ④ ⑤	26	① ② ③ ④ ⑤	41	① ② ③ ④ ⑤		
12	① ② ③ ④ ⑤	27	① ② ③ ④ ⑤	42	① ② ③ ④ ⑤		
13	① ② ③ ④ ⑤	28	① ② ③ ④ ⑤	43	① ② ③ ④ ⑤		
14	① ② ③ ④ ⑤	29	① ② ③ ④ ⑤	44	① ② ③ ④ ⑤		
15	① ② ③ ④ ⑤	30	① ② ③ ④ ⑤	45	① ② ③ ④ ⑤		

인·적성검사

2024

전국수협
필기고사
대비

인적성검사
+
선택과목
(경영학, 수협법)

4+2회

고시넷 대기업

지역수협 인적성검사 경영학, 수협법 최신 기출유형 모의고사

Suhyup Aptitude Test

정답과 해설

gosinet
(주)고시넷

파트 1 적성검사 기출유형모의고사

1회 언어력

문제 16쪽

01	③	02	⑤	03	④	04	①	05	④
06	④	07	②	08	③	09	⑤	10	④
11	①	12	③	13	④	14	①	15	④

01

| 정답 | ③

| 해설 | (가)를 제외한 문단이 모두 4차 산업혁명의 부정적 측면에 대하여 언급하고 있으므로 가장 먼저 (가)를 배치하고 그 다음에 '하지만'으로 시작하는 (다)를 배치하는 것이 자연스럽다. 이때 (다)에서 노동 시장의 붕괴에 대해 언급하였으므로 노동 시장에 대한 구체적인 예시를 들고 있는 (나)를 세 번째 순서로 배치한다. 마지막으로 대응 전략을 논하는 (라)가 배치되어야 한다. 따라서 (가)－(다)－(나)－(라) 순이 적절하다.

02

| 정답 | ⑤

| 해설 | 밑줄 친 '길'과 ⑤ '길'의 의미는 '사람이 삶을 살아가거나 사회가 발전해 가는 데에 지향하는 방향, 지침, 목적이나 전문 분야'이다.

| 오답풀이 |

① '어떤 행동이 끝나자마자 즉시'라는 의미로 사용된 '길'이다.

② '사람이나 동물 또는 자동차 따위가 지나갈 수 있게 땅 위에 낸 일정한 너비의 공간'이라는 의미로 사용된 '길'이다.

③ '시간의 흐름에 따라 개인의 삶이나 사회적 · 역사적 발전 따위가 전개되는 과정'이라는 의미로 사용된 '길'이다.

④ '어떤 자격이나 신분으로서 주어진 도리나 임무'라는 의미로 사용된 '길'이다.

03

| 정답 | ④

| 해설 | 밑줄 친 '당겼다'와 ④의 '당겨'의 의미는 '정한 시간이나 날짜보다 더 빠르게 앞으로 옮기거나 줄이다'이다.

| 오답풀이 |

① '입맛이 돋우어지다. 먹고 싶은 마음이 생기다'라는 의미로 사용된 '당기다'이다.

② '물건이나 사람 등에 힘을 주어 끌어서 자기 쪽이나 일정한 방향으로 가까이 오게 하다'라는 의미로 사용된 '당기다'이다.

③, ⑤ '마음이 끌리어 움직이다. 좋아하는 마음이 일어나 저절로 끌리다'라는 의미로 사용된 '당기다'이다.

04

| 정답 | ①

| 해설 | 밑줄 친 '놓았다'와 ① '놓은'의 의미는 '무늬나 수를 새기다'이다.

| 오답풀이 |

② '병에서 벗어나 몸이 회복되다'라는 의미로 사용된 '놓다'이다.

③ '걱정이나 근심, 긴장 따위를 잊거나 풀어 없애다'라는 의미로 사용된 '놓다'이다.

④ '계속해 오던 일을 그만두고 하지 아니하다'라는 의미로 사용된 '놓다'이다.

⑤ '일정한 곳에 기계나 장치, 구조물 따위를 설치하다'라는 의미로 사용된 '놓다'이다.

05

| 정답 | ④

| 해설 | 장기연체자는 연체도서 반납일로부터 30일 이상 연체한 자를 말하며 이때 30일간 대출이 정지된다.

| 오답풀이 |

① 제2조 제2항에 따라 도서관자치위원회는 도서관장이 정한 자로서 열람실 이용과 관련된 이용자 준수사항 위반을 단속 및 조치할 수 있다.

② 제2조 제4항에 따라 도서를 무단으로 반출 시 6개월간 도서관 출입 및 이용이 정지되며 졸업생은 1년간 출입이 정지된다.

③ 제2조 제1항 제4호에서 졸업생 및 외부이용자의 경우 출입증이 있다면 도서관에 출입이 가능하다는 것을 유추할 수 있다.

⑤ 제2조 제1항 제3호에 따라 학생증 부정사용 3회 이상 위반 시 6개월간 대출 및 열람실 좌석이용 정지 또는 3개월간 도서관 출입이 정지된다.

06

| 정답 | ④

| 해설 | 장기연체자의 경우 연체도서를 반납하면 교내 민원서류 발급이 가능하다.

| 오답풀이 |

① 제2조 제1항 제1호에 따라 타교생에게 학생증을 대여한 경우 2개월간 대출 및 열람실 좌석이용이 제한된다.

② 제2조 제4항 제3호에 따라 자료절취가 적발되면 졸업생은 1년간 도서관 출입이 제한된다.

③ 열람석을 장시간 이석하는 경우는 이용자 준수사항 위반으로 제2조 제2항 제1호에 의해 학생증 부정사용자에 준하는 처분을 받는다.

⑤ 제2조 제4항 제2호에 따라 무단반출이 적발되면 6개월간 도서관 출입과 이용이 정지된다.

07

| 정답 | ②

| 해설 | 제20조 제1항 '다만, 부정이체 결과로 당해 계좌에서 발생한 손실액이 1년 만기 정기예금 이율로 계산한 금액을 초과하는 경우에는 당해 손실액을 보상한다'를 통해 알 수 있다.

| 오답풀이 |

① 제20조 제4항 '이용자로부터 접근매체의 분실이나 도난의 통지를 받은 경우에는 은행은 그때부터 제3자가 그 접근매체를 사용함으로 인하여 이용자에게 발생한 손해를 보상한다'를 통해 알 수 있다.

③ 제19조 제3항 '제1항의 신고를 철회할 경우에는 이용자 본인이 은행에 서면으로 신청하여야 한다'를 통해 알 수 있다.

④ 제20조 제2항 제4호 '은행이 접근매체를 통하여 이용자의 신원, 권한 및 거래지시의 내용 등을 확인하는 외에 보안강화를 위하여 전자금융거래 시 사전에 요구하는 추가적인 보안조치를 이용자가 정당한 사유 없이 거부하여 사고가 발생한 경우'를 통해 알 수 있다.

⑤ 제20조 제2항 제1호에 따라 은행의 귀책사유 없이 발생한 정전으로 인해 발생한 이용자의 손해를 전부 또는 일부 책임을 지지 않는다.

08

| 정답 | ③

| 해설 | 제20조 제1항 「정보통신망 이용촉진 및 정보보호 등에 관한 법률」 '제2조 제1항 제1호에 따른 정보통신망에 침입하여 거짓이나 그 밖의 부정한 방법으로 획득한 접근매체의 이용으로 발생한 사고로 인하여 이용자에게 손해가 발생한 경우에 그 금액과 1년 만기 정기예금 이율로 계산한 경과이자를 보상한다'를 통해 ③의 경우 은행이 모든 책임을 짐을 알 수 있다.

| 오답풀이 |

① 제20조 제2항 제1호에 따라 은행은 모든 책임을 지지 않는다.

② 제20조 제4항에 따라 은행은 모든 책임을 지지 않는다.

④ 제20조 제2항 제3호에 따라 은행은 모든 책임을 지지 않는다.

⑤ 제20조 제2항 제2호에 따라 은행은 모든 책임을 지지 않는다.

09

| 정답 | ⑤

| 해설 | 제시된 글에 따르면 '공감적 듣기'는 귀와 눈 그리고 마음으로 듣는 자세다. 강 대리는 신입사원의 애기를 들으며 마음으로 함께 공감해 주고 있으므로 '공감적 듣기'의 사례로 가장 적절하다.

| 오답풀이 |

① 상대가 말을 하는 것에 맞장구를 쳐 주는 적극적 듣기의 사례에 해당한다. 공감적 듣기는 적극적 듣기의 단계를 넘어 마음을 열고 공감하는 듣기를 의미한다.

10

| 정답 | ④

| 해설 | 첫 문장을 고려했을 때, 서로 이야기를 함에도 불구하고 대화가 원활히 이뤄지지 않는 상황이 앞에 제시되어야 한다. (라)의 앞부분에는 남의 말을 듣기보다 자신의 말을 하는 데 주력하여 대화가 원활히 이뤄지지 않는 경우가 제시되어 있고, 뒷부분에는 언급된 '공감적 듣기'의 장점을 알면서도 하지 않는 경우에 대해 말하고 있다. 따라서 문맥상 (라)에 들어가는 것이 가장 적절하다.

11

| 정답 | ①

| 해설 | '가'에서는 선물과 경조사비의 가액 범위 조정을 설명하고 있다. '음식물'이 선물의 범위를 설명하기 위해 언급되었으나, 음식물의 가액 범위를 설명하고 있지는 않다.

12

| 정답 | ③

| 해설 | '가'에서 농수산물 및 농수산가공품 선물은 10만 원까지 가능하다고 했으나, 이 둘을 구분하는 방법이나 해당하는 품목의 예에 대해서는 설명하지 않았다.

| 오답풀이 |

① '나'에서 알 수 있는 내용으로, 상품권을 제외한 의도는 사용 내역 추적이 어려워 부패에 취약하기 때문이라고 설명하고 있다.

② '라'에서 알 수 있는 내용으로, 사례금 총액을 모르는 경우 해당 사항을 제외하고 사전 신고한 후 추후 보완 신고하면 된다.

④ '다'에서 알 수 있는 내용으로, 외국대학과 같은 외국기관에서 지급하는 사례금의 상한액은 사례금을 지급하는 자의 지급 기준에 따르면 된다.

⑤ '가'에서 알 수 있는 내용으로, 축의금 5만 원과 화환 5만 원을 합하여 제공 가능하다.

13

| 정답 | ④

| 해설 | '라'에서 보완 신고 기산점을 사전 신고 시 제외된 사항을 안 날로부터 5일 이내로 변경한다고 했다.

14

| 정답 | ①

| 해설 | '구분, 구별, 식별, 판별'은 모두 유사한 의미를 갖지만, 다음과 같이 쓰임새가 조금씩 다르다.

- 구분 : 일정한 기준에 따라 전체를 몇 개로 갈라 나눔.
- 구별 : 성질이나 종류에 따라 차이가 남. 또는 성질이나 종류에 따라 갈라놓음.
- 식별 : 분별하여 알아봄.
- 판별 : 일의 옳고 그름이나 좋고 나쁨을 판단하여 구별함.

(가)의 노동 시간과 휴식 시간은 가치 판단이 포함되지 않고 일정한 기준에 따라 나누는 것이므로 '구분'을 써야 하며, (나)의 '되'와 '돼'는 성질 차이에 따라 나누는 것이므로 '구별'을 써야 한다. 또한 (다)는 수입 소고기와 한우를 분별하여 알아보는 것이 어렵다는 의미이므로 '식별'을 써야 하며, (라)는 작품의 좋고 나쁨을 판단하여 구별하는 것이 어렵다는 의미이므로 '판별'을 써야 한다.

15

| 정답 | ④

| 해설 | 빈칸 앞에 접속어 '하지만'이 제시되어 대화 내용을 반전시키고 있으므로 앞의 내용과 다른 내용이어야 한다. 이 사원과 정 사원은 긍정적인 반응을 보이며 탄력점포가 나타난 배경 등을 이야기하고 있어 ①은 제외된다. 또한 빈칸에 대한 반응으로 김 사원은 인력 배치의 변화에 대해 이야기하고 있다. 따라서 직원 채용, 구조조정을 언급하며 앞의 내용과 반대되는 내용을 말하는 ④가 적절하다.

1회 수리력

문제 28쪽

01	①	02	④	03	③	04	④	05	③
06	④	07	④	08	④	09	②	10	④
11	⑤	12	②	13	②	14	⑤	15	③

01

| 정답 | ①

| 해설 | 서로 다른 5개의 색상 중에서 3개를 선택하는 것이므로 선택할 수 있는 조합의 수는 ${}_5C_3={}_5C_2=\frac{5\times4}{2}=$ 10(가지)이다.

02

| 정답 | ④

| 해설 | 가습기의 정가를 x원, 서랍장의 정가를 y원이라고 하면, 다음과 같은 식이 성립한다.

$0.85x+0.75y=183,520$ ······················· ㉠

$0.8(x+y)=183,520$ ···························· ㉡

이 식을 연립해서 풀면 다음과 같다.

$0.05x=0.05y$

$x=y$

$0.85x+0.75x=183,520$

$1.6x=183,520$

$x=114,700$

따라서 가습기의 정가는 114,700원이다.

03

| 정답 | ③

| 해설 | A 비커에 들어 있는 설탕물을 설탕물 A, B 비커에 들어 있는 설탕물을 설탕물 B라고 할 때, B의 농도를 x%라 하면 설탕물 A의 농도는 $6x$%이다.

또한, '설탕의 양$=\frac{\text{설탕물의 농도}}{100}\times$설탕물의 양'이므로

설탕물 A에 들어 있는 설탕의 양은 $\frac{6x}{100}\times800=48x$(g),

설탕물 B에 들어 있는 설탕의 양은 $\frac{x}{100}\times800=8x$(g)

이다.

여기에서 설탕물 A의 반을 설탕물 B에 넣으면 설탕물 A의 양은 400g, 설탕의 양은 $24x$g이고 설탕물 B의 양은 1,200g, 설탕의 양은 $32x$g이다. 그리고 다시 설탕물 B의 반을 설탕물 A에 넣으면 설탕물 A의 양은 1,000g, 설탕의 양은 $40x$g이고 설탕물 B의 양은 600g, 설탕의 양은 $16x$g 이다.

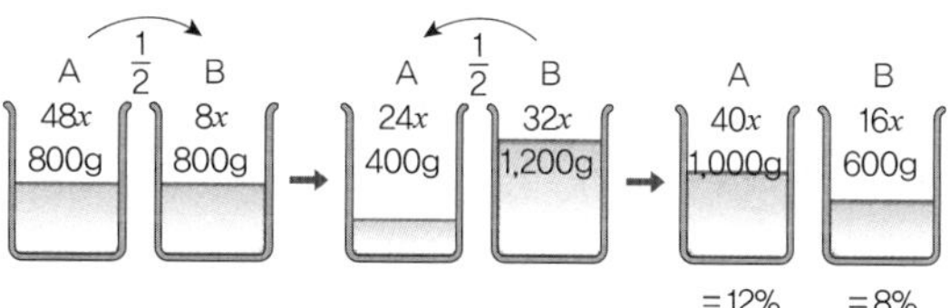

설탕물 A, B의 농도가 각각 12%, 8%이므로 x의 값은 다음과 같이 구할 수 있다.

$\frac{40x}{1,000}\times100=12$

$40x=120$

$\therefore\ x=3$

따라서 설탕물 A의 처음 농도는 $6x=6\times3=18$(%)이다.

04

| 정답 | ④

| 해설 | 리그전에서 치르는 경기 횟수는 (팀의 수)×(팀의 수−1)÷2이므로 5팀이 리그전을 할 경우 경기 횟수는 $\frac{5\times4}{2}=10$(번)이다. 5팀씩 4개 조로 나누어 조별 리그전을 하기 때문에 총 4×10=40(번)의 경기를 하게 된다. 그리고 토너먼트전에서 치르는 경기 횟수는 (팀의 수)−1이다. 토너먼트전에 각 조의 상위 2팀씩 참여하면 총 8팀이므로 8−1=7(번)의 경기를 하게 된다.

따라서 전체 경기의 수는 40+7=47(경기)이다.

05

| 정답 | ③

| 해설 | 흰색 A4 용지 한 박스의 단가를 x원이라 하면, 컬러 A4 용지 한 박스의 단가는 $2x$원이므로

$(50 \times x)+(10 \times 2x)-5,000=1,675,000$

$70x=1,680,000$

$x=24,000$

따라서 흰색 A4 용지 한 박스의 단가는 24,000원이다.

06

| 정답 | ④

| 해설 | 적어도 1명의 대리가 포함되어 있을 확률은 전체인 1에서 2명 모두 대리가 아닐 확률을 뺀 것과 같다.

2개의 종이를 차례로 꺼냈을 때 2명 모두 대리가 아닐 확률은 $\frac{4}{7} \times \frac{3}{6} = \frac{2}{7}$이므로 적어도 1명의 대리가 포함되어 있을 확률은 $1-\frac{2}{7}=\frac{5}{7}$가 된다.

07

| 정답 | ④

| 해설 | 현 지점에서 A 지점까지 왕복하는 데 3시간 이내의 시간이 걸려야 하므로, 먼저 현 지점에서 A 지점까지 가는 데 걸린 시간을 구해 3시간에서 빼면 A 지점에서 현 지점으로 돌아오는 데 필요한 최대 시간을 얻어 최소 속력을 구할 수 있다.

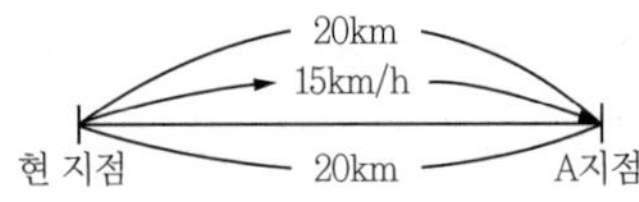

우선 현 지점에서 A 지점까지 가는 데 걸린 시간은 $\frac{20}{15}=\frac{4}{3}$, 즉 1시간 20분이다. 따라서 A 지점에서 현 지점가지 돌아오는 데 필요한 최대 시간은 1시간 40분이며 1시간 40분은 $\frac{5}{3}$시간이므로 최소 $20 \div \frac{5}{3}=12$(km/h)의 속력으로 돌아와야 한다.

08

| 정답 | ④

| 해설 | • 2023년 발효유 소비량의 증가율 :

$$\frac{551,595-516,687}{516,687} \times 100 ≒ 6.76(\%)$$

• 2023년 발효유 생산량의 증가율 :

$$\frac{557,639-522,005}{522,005} \times 100 ≒ 6.83(\%)$$

따라서 2023년 발효유 소비량의 증가율은 생산량의 증가율보다 낮다.

| 오답풀이 |

① 2023년의 연유 생산량은 전년 대비 4,214−2,620=1,594(톤) 증가하였고, 연유 소비량은 전년 대비 1,728−1,611=117(톤) 증가하였다. 따라서 연유 생산량이 더 많이 증가하였다.

② 2년간 치즈 소비량은 99,520+99,243=198,763(톤)이고 생산량은 24,708+22,522=47,230(톤)으로, 소비량이 생산량보다 약 $\frac{198,763}{47,230}$≒4.2(배) 많았다.

③ 2023년 유제품별 생산량은 높은 순서대로 발효유−치즈−연유−버터이고, 2022년 유제품별 생산량도 발효유−치즈−연유−버터로 순서가 같다.

⑤ 2022년 생산량 대비 소비량을 구하면 다음과 같다.

- 연유 : $\frac{1,611}{2,620}$≒0.61(배)
- 버터 : $\frac{9,800}{1,152}$≒8.51(배)
- 치즈 : $\frac{99,520}{24,708}$≒4.03(배)
- 발효유 : $\frac{516,687}{522,005}$≒0.99(배)

따라서 2022년에 소비량이 생산량에 비해 가장 많은 유제품은 버터이다.

09

| 정답 | ②

| 해설 | 2018 ~ 2020년의 자료만을 고려할 경우, 2021년 서울시의 인구 밀도는 1.59로 예상되어 서울시의 인구는 962만 명으로 예상된다. 하지만 새로 유입되는 인구도 고

려할 경우 6만 명이 떠난 결과라고 볼 수는 없다.

| 오답풀이 |

① 전년 대비 인구 밀도가 가장 많이 감소한 해는 0.03 감소한 2018년이며, $0.03 \times 605 ≒ 18$(만 명) 정도 감소하였다.

③ 2018년 서울시의 인구 밀도는 전년 대비 $\frac{1.65-1.62}{1.65} \times 100 ≒ 1.8(\%)$ 감소하였다.

④ 2015년 서울시의 인구는 $1.67 \times 605 ≒ 1,010$(만 명)이고, 2020년 서울시의 인구는 $1.60 \times 605 ≒ 968$(만 명)이다. 따라서 2015년 대비 2020년 서울시의 인구 감소율은 $\frac{1,010-968}{1,010} \times 100 ≒ 4.19(\%)$로 4%를 넘는다.

⑤ 2015년부터 2020년까지 감소한 인구는 $(1.67-1.60) \times 605 = 42.35$(만 명)으로, 연평균 $\frac{42.35}{5} ≒ 8.47$로 약 8.5만 명 정도 감소하였다.

10

| 정답 | ④

| 해설 | 연도별 전체 임직원 중 사원이 차지하는 비율을 구하면 다음과 같다.

- 2021년 전체 임직원 중 사원 비율 :
$\frac{12,365}{15,247} \times 100 ≒ 81.10(\%)$
- 2022년 전체 임직원 중 사원 비율 :
$\frac{14,800}{17,998} \times 100 ≒ 82.23(\%)$
- 2023년 전체 임직원 중 사원 비율 :
$\frac{15,504}{18,857} \times 100 ≒ 82.22(\%)$

따라서 전체 임직원 중 사원이 차지하는 비율이 매년 증가하지 않았다.

| 오답풀이 |

① 2023년 임직원의 수가 전년 대비 증가한 국적은 한국을 제외한 중국, 일본, 대만, 기타로, 각 국적별로 중국 국적은 1,105명, 일본 국적은 396명, 대만 국적은 447명, 기타 국적은 38명이 증가하였다. 따라서 중국 국적의 임직원이 가장 많이 증가하였으며, 이는 다른 국적의 임직원 수가 증가한 합인 $396+447+38=881$(명)보다 더 크다.

② 2022년 비정규직 임직원이 차지하는 비율은 전체 직원의 $\frac{1,991}{17,998} \times 100 ≒ 11.06\%$였고, 2023년 비정규직 임직원이 차지하는 비율은 $\frac{1,516}{18,857} \times 100 ≒ 8.04\%$로 약 3%p 감소하였다.

③ 2021년 대비 2023년 연령별 임직원 수의 증가율을 구하면 다음과 같다.

- 30대 이하 : $\frac{10,947-8,914}{8,914} \times 100 ≒ 22.81(\%)$
- 40대 : $\frac{6,210-5,181}{5,181} \times 100 ≒ 19.86(\%)$
- 50대 이상 : $\frac{1,700-1,152}{1,152} \times 100 ≒ 47.57(\%)$

따라서 2021년 대비 2023년 연령별 임직원 수 증가율이 가장 높은 연령대는 50대 이상이다.

⑤ • 2022년 40대 이상 임직원 비율 :
$\frac{7,113+1,952}{17,998} \times 100 ≒ 50.37(\%)$
• 2023년 40대 이상 임직원 비율 :
$\frac{6,210+1,700}{18,857} \times 100 ≒ 41.95(\%)$

따라서 2022년과 2023년의 40대 이상 임직원 비율은 약 8.42%p 차이난다.

11

| 정답 | ⑤

| 해설 | 모든 항목이 직전 조사 해보다 증가한 해는 2000년과 2010년이다. 이때 2000년의 축산농가 소득은 1995년 대비 약 36.8% 증가하였다.

12

| 정답 | ②

| 해설 | ㉢ 1인 가구와 4인 이상 가구의 합이 50%이므로 2~3인 가구는 50% 이하일 것이다.

| 오답풀이 |

㉠ 최소 평균 가구원 수를 구하기 위해서는 그래프에 제시되지 않은 나머지 가구를 모두 2인 가구로 전제하여 계산해야 한다(100−26−22=52). 따라서 2021년 평균 가구원 수는 최소 1×0.26+4×0.22+2×0.52=2.18(명)이다.

㉡ 2005년의 평균 가구원 수는 3.42명으로 2000년의 2.74명에 비해 증가하였다.

㉣ 2005년 1인 가구 비율은 2000년 대비 $\frac{12.9-9.1}{9.1}\times100≒42(\%)$ 증가하였다.

13

| 정답 | ②

| 해설 | ㉠ $3,100\times0.2\times\frac{18.2}{100}=112.84$, 따라서 약 113명이다.

㉡ 대도시와 대도시 이외 지역의 사교육비 비율을 비교하면 사교육을 받지 않거나 30만 원 미만까지는 대도시 이외 지역이 더 높고 30만 원 이상부터는 대도시 지역이 더 높으며, 대도시 지역에서 30만 원 이상의 사교육비를 지출하는 비율은 19.7+18.4=38.1(%)로 $\frac{1}{3}$ 이상을 차지한다.

㉣ 학교 성적이 상위 10% 이내인 학생이 사교육비로 10만 원 이상을 지출하는 비율은 28.0+22.3+21.5=71.8(%)이고 성적 11 ~ 30%인 학생이 동일한 비용을 지출하는 비율은 28.5+23.4+18.2=70.1(%)이다. 따라서 상위 10% 이내의 학생의 경우가 더 높다.

| 오답풀이 |

㉢ 초 · 중 · 고등학교로 올라갈수록, 부모님의 평균 연령대가 올라갈수록, 사교육을 받지 않는 비율이 높아진다. 또한 사교육을 받지 않는 경우를 제외하면 초등학교, 부모님의 평균 연령대 모두에서 10 ~ 30만 원 미만의 범위 비율이 가장 높으나 중학교는 30 ~ 50만 원 미만이, 고등학교는 50만 원 이상이 가장 많다.

㉤ 학교 성적이 하위권으로 내려갈수록 사교육을 받지 않는 비율이 높아지며, 사교육을 받지 않는 경우를 제외하여야 모든 성적에서 지출 비용 10 ~ 30만 원 미만이 차지하는 비율이 가장 높아진다.

14

| 정답 | ⑤

| 해설 | 2022년의 스마트폰 사용 실태조사 응답자 수가 제시되어 있지 않기 때문에 알 수 없다.

| 오답풀이 |

① 2023년 국내 이동통신 가입자 수는 약 5천만 명이고, 국내 스마트폰 가입자 수는 약 4천만 명이므로 5명 중 4명이 스마트폰을 사용한다고 볼 수 있다.

② • 2022년 하루 평균 스마트폰 사용 시간 : 2시간 13분 =133분

• 2023년 하루 평균 스마트폰 사용 시간 : 2시간 51분 =171분

따라서 2023년 하루 평균 스마트폰 사용 시간은 전년 대비 $\frac{171-133}{133}\times100≒28(\%)$ 증가하였다.

③ 스마트폰 하루 사용 시간이 2시간 이상이라고 대답한 응답자의 비율은 2022년에는 29.8+27=56.8(%), 2023년에는 26.3+45.7=72(%)이므로, 72−56.8=15.2(%p) 증가했다.

④ • 2023년 주 사용 서비스 1위 응답자 수 :

$12,561,236\times\frac{79.4}{100}=9,973,621.384$(명)

• 2023년 주 사용 서비스 4, 5위 응답자 수 :

$12,561,236\times\frac{(40+29.6)}{100}=8,742,620.256$(명)

따라서 그 차이는 9,973,621−8,742,620=1,231,001(명)으로, 약 120만 명이 된다.

15

| 정답 | ③

| 해설 | 경상도, 경기도, 전라도, 충청도, 서울, 강원도, 제주도 순으로 전체 학교 개수와 대학교 개수가 많다.

| 오답풀이 |

① 각 지역별로 고등학교 졸업생 수가 모두 다르므로, 주어진 자료만으로는 전국 고등학교 졸업생의 대학진학률 평균을 알 수 없다.

② 대학교는 경상도, 경기도, 전라도 순으로 그 수가 많지만 대학진학률이 가장 높은 지역의 순서는 해마다 다르므로 이 두 요소가 서로 밀접한 관련이 있다고 볼 수 없다.

④ 20X6년 대비 20X9년의 대학진학률 감소폭은 다음과 같다.

- 서울 : 65.6−62.8=2.8(%p)
- 경기도 : 81.1−74.7=6.4(%p)
- 강원도 : 92.9−84.2=8.7(%p)
- 충청도 : 88.2−80.1=8.1(%p)
- 전라도 : 91.3−81.9=9.4(%p)
- 경상도 : 91.8−83.8=8(%p)
- 제주도 : 92.6−87.6=5(%p)

따라서 가장 작은 감소폭을 보인 지역은 서울이다.

⑤ 전라도의 20X8년 대학진학률은 86.9%, 20X7년 대학진학률은 88.1%이다.

따라서 88.1−86.9=1.2%p 감소했다.

1회 분석력

문제 38쪽

01	⑤	02	⑤	03	③	04	⑤	05	④
06	③	07	①	08	⑤	09	③	10	③
11	③	12	④	13	③	14	③	15	③

01

| 정답 | ⑤

| 해설 | 네 개의 부서가 리그전을 벌일 경우 부서당 3번씩, 총 6번의 경기를 치르게 된다. 첫 번째 조건에 따라 A 부서는 3번의 경기 중 한 경기에서 D 부서를 이긴 것을 알 수 있으므로 2승(6점) 1무(1점)를 기록한 것을 추리할 수 있다. 그리고 네 번째 조건에서 C 부서의 승점은 2점인 사실을 통해 C 부서가 2무(2점) 1패를 했다는 것을 추리할 수 있다. 이와 같은 추리를 통해 A 부서와 C 부서 모두 무승부를 했다는 기록이 있음을 알 수 있는데, 여기서 A 부서가 C 부서가 아닌 다른 부서와의 경기에서 무승부를 했다면 A ~ D 모든 부서가 무승부를 한 기록이 생기게 되어 A 부서와 C 부서의 경기가 무승부를 기록했음을 추론할 수 있다. 따라서 A 부서는 C 부서를 상대로 무승부를, B 부서와 D 부서를 상대로는 승리했음을 알 수 있다.

마지막으로 세 번째 조건을 통해 D 부서는 한 번만 이긴 것을 알 수 있는데 이때 D 부서가 B 부서를 이긴 경우와 C 부서를 이긴 경우로 나누어 생각해 볼 수 있다.

i) D 부서가 C 부서를 이긴 경우, 네 번째 조건에 따라 C 부서가 무승부를 기록한 나머지 상대는 B 부서임을 알 수 있으며, 두 번째 조건에 따라 어느 부서와도 무승부를 기록하지 않은 부서는 D 부서가 된다. 이때 세 번째 조건을 고려하면 D 부서는 B 부서에게 졌음을 알 수 있다. 이를 표로 정리하면 다음과 같다.

구분	A	B	C	D	승점
A	−	승	무	승	7
B	패	−	무	승	4
C	무	무	−	패	2
D	패	패	승	−	3

ii) D 부서가 B 부서를 이긴 경우, 세 번째 조건과 네 번째 조건에 따라 D 부서는 C 부서를 상대로 무승부를 기록했음을 알 수 있다. 이때 두 번째 조건에 따라 어느 부서와도 무승부를 기록하지 않은 부서는 B 부서가 되고 C 부서가 2무 1패임을 고려할 때, B 부서는 C 부서에게 이겼음을 알 수 있다. 이를 표로 정리하면 다음과 같다.

구분	A	B	C	D	승점
A	−	승	무	승	7
B	패	−	승	패	3
C	무	패	−	무	2
D	패	승	무	−	4

따라서 결선에 진출하는 두 부서는 경우에 따라 A와 B 또는 A와 D로 달라지기에 제시된 정보만으로는 결선에 진출할 두 부서를 알 수 없다.

02

| 정답 | ⑤

| 해설 | 제시된 명제와 그 대우를 정리하면 다음과 같다.

- 책 읽기 → 영화 감상(~영화 감상 → ~책 읽기)
- ~여행 가기 → ~책 읽기(책 읽기 → 여행 가기)
- 산책 → ~게임하기(게임하기 → ~산책)

• 영화 감상 → 산책(~산책 → ~영화 감상)

'여행 가기를 좋아하는 사람은 책 읽기를 좋아한다'는 두 번째 명제의 이에 해당한다. 따라서 반드시 참이라고 할 수 없다.

| 오답풀이 |

① 첫 번째 명제와 네 번째 명제에 따라 참이다.

② 첫 번째 명제와 네 번째 명제 그리고 세 번째 명제에 따라 참이다.

③ 세 번째 명제의 대우와 네 번째 명제의 대우에 따라 참이다.

④ 두 번째 명제의 대우로 참이다.

03

| 정답 | ③

| 해설 | 먼저 알 수 있는 것들을 정리하면 다음과 같다.

• G 부서의 예산은 F 부서 예산의 3배이다. → F<G

• A 부서의 예산과 C 부서의 예산은 같다. → A=C

• B 부서의 예산은 F 부서의 예산과 G 부서의 예산을 합한 것과 같다. → F<B, G<B

• D 부서의 예산은 A 부서의 예산과 B 부서의 예산을 합한 것과 같다. → A<D, B<D

• E 부서의 예산은 B 부서, C 부서, F 부서의 예산을 모두 합한 것과 같다. → B<E, C<E, F<E

• A 부서의 예산은 B 부서 예산과 G 부서 예산을 합한 것과 같다. → B<A, G<A

또한, A=C이므로 E=B+C+F가 E=B+A+F가 될 수 있고 이것은 다시 E=D+F가 되므로 E 부서의 예산이 D 부서의 예산보다 크다는 것을 알 수 있다.

따라서 최종 대소 관계는 F<G<B<A=C<D<E이다.

04

| 정답 | ⑤

| 해설 | 'a : A가 도착하였다', 'b : B가 도착하였다', 'c : C가 도착하였다', 'd : D가 도착하였다', 'e : E가 도착하였다'로 정리하고, 명제와 그 대우를 나타내면 다음과 같다.

• d → ~a(a → ~d)

• e → d(~d → ~e)

• ~c → ~b(b → c)

• ~d → ~b(b → d)

• e → b(~b → ~e)

따라서 e → b → c이므로 ⑤는 참이다.

| 오답풀이 |

① a → ~d → ~e이므로 거짓이다.

② b → d → ~a이므로 거짓이다.

③ c와 a의 연결고리가 없으므로 알 수 없다.

④ ~d와 ~c 사이 연결고리가 없으므로 알 수 없다.

05

| 정답 | ④

| 해설 | D와 E가 동일한 두 사람(B, C)의 범인 여부에 대해 말하고 있으므로 D, E 둘 중 한 사람이 거짓을 말하는 범인인 경우를 파악하면 다음과 같다.

i) D가 거짓을 말하는 경우

A, B, C, E의 발언이 모두 참이 된다. 따라서 D가 범인이고 거짓을 말한 사람이다.

ii) E가 거짓을 말하는 경우

E의 발언이 거짓이므로 B 또는 C가 범인이 되어 범인이 거짓을 말한다는 조건과 상충하여 성립하지 않는다.

따라서 범인은 D이다.

06

| 정답 | ③

| 해설 | ⓐ～ⓓ를 표로 나타내면 다음과 같다.

구분	국내 주식	원자재	부동산	손실 위험
ⓐ	○	○	○	높다
ⓑ	×	○	○	높다
ⓒ	×	×	○	낮다
ⓓ	○	○	×	높다

ⓑ, ⓓ만을 고려해 보면 둘 다 손실 위험이 높다는 결과가 나왔으며, 원자재 투자가 공통적으로 포함되어 있음을 알 수 있다. 따라서 원자재 투자가 펀드 손실의 주원인이라고 판단할 수 있다.

07

| 정답 | ①

| 해설 | 네 번째 조건이 거짓이라 가정하면, B는 지난주, C는 2주 전에 근무하였으며, A는 지난 2주간 휴가였기 때문에 이번 주 또는 다음 주에 근무하게 된다. 이때 네 번째 조건이 거짓이므로 D는 이번 주가 아니라 다음 주 근무자일 것이라 추측할 수 있다. 이를 정리하면 다음과 같다.

2주 전	지난주	이번 주	다음 주
C	B	A	D

| 오답풀이 |

- 첫 번째 조건이 거짓인 경우
  : 첫 번째 조건이 거짓이라면 A가 지난 2주 간 한 번 이상 주말 근무를 해야 했기에 모순이 생긴다.

2주 전	지난주	이번 주	다음 주
C	B	D	

- 두 번째 조건이 거짓인 경우
  : C, D가 각각 2주 전, 이번 주에 근무하였고, A가 지난 2주 간 근무하지 않았으므로 A는 다음 주에 근무 담당자일 것이다. 따라서 B가 지난주에 근무했어야 한다는 모순이 생긴다.

2주 전	지난주	이번 주	다음 주
C		D	A

- 세 번째 조건이 거짓인 경우
  : B, D가 각각 지난 주, 이번 주에 근무하였고, A가 지난 2주 간 근무하지 않았으므로 A는 다음 주에 근무 담당자일 것이다. 따라서 C가 2주 전에 근무했어야 한다는 모순이 생긴다.

2주 전	지난주	이번 주	다음 주
	B	D	A

08

| 정답 | ⑤

| 해설 | 제시된 명제를 'p : 머리를 많이 쓴다', 'q : 잠이 온다', 'r : 머리가 길다', 's : 오래 잔다', 't : 다리를 떤다'로 정리하고 제시된 조건을 기호로 나타내면 다음과 같다.

- $p \rightarrow q(\sim q \rightarrow \sim p)$
- $r \rightarrow s(\sim s \rightarrow \sim r)$
- $t \rightarrow \sim q(q \rightarrow \sim t)$
- $s \rightarrow \sim p(p \rightarrow \sim s)$

따라서 첫 번째 명제와 세 번째 명제의 대우에 따라 '머리를 많이 쓰면 다리를 떨지 않는다'는 항상 참이 된다.

09

| 정답 | ③

| 해설 | A, B, C의 나이를 모두 곱하면 2,450이고, 이를 소인수분해하면 $2,450=2\times5\times5\times7\times7$이다. 이때 가능한 A, B, C 값의 조합은 (49,10,5), (35,10,7), (70,7,5)이다. A, B, C의 나이를 모두 합하면 을 나이의 2배가 된다고 하였으므로 을의 나이는 각각의 경우에서 32, 26, 41이다. 이때, 을의 출산나이를 고려한다면 가능한 경우는 A : 49, B : 10, C : 5 뿐이므로 을의 나이는 32세이다.

10

| 정답 | ③

| 해설 | 제시된 명제를 'p : 팀장이 출장을 간다', 'q : 업무처리가 늦어진다', 'r : 고객의 항의 전화가 온다', 's : 실적평가에서 불이익을 받는다'로 정리하고 제시된 명제와 그 대우를 나타내면 다음과 같다.

- $p \rightarrow q(\sim q \rightarrow \sim p)$
- $r \rightarrow s(\sim s \rightarrow \sim r)$
- $q \rightarrow r(\sim r \rightarrow \sim q)$

따라서 두 번째 명제의 대우와 세 번째 명제의 대우 그리고 첫 번째 명제의 삼단 논법에 따라 '실적평가에서 불이익을 받지 않으면 팀장이 출장을 가지 않는다'는 항상 참이 된다.

11

| 정답 | ③

| 해설 | 외국의 주요 인사 내방 일정이 22일이므로 입소교육은 늦어도 17일까지 완료되어야 한다. 따라서 늦어도 15일에는 입소교육이 시작되어야 하며, 합격자 발표는 13일까지 이루어져야 한다. 이를 위해서는 12일까지 합격자 결

과에 대한 결재가 완료되어야 하며, 10일에 면접이 이루어져야 한다. 그런데 10일에는 B 차장과 F 과장이 면접을 진행할 수 없으므로 과장 이상 면접관이 세 명 밖에 없게 된다. 따라서 주말을 제외하고 하루 빠른 영업일인 7일에 면접을 실시해야 한다.

12

| 정답 | ④

| 해설 | 제시된 기간 동안의 각 직원별 근무시간을 구하면 다음과 같다.

구분	직원 A	직원 B	직원 C	직원 D	직원 E
10일	10시간 22분	9시간 10분	9시간 36분	9시간	9시간 2분
11일	10시간 17분	7시간 29분	11시간 6분	8시간 14분	9시간 57분
12일	9시간 20분	9시간 5분	10시간 10분	8시간 44분	5시간 59분
13일	11시간 37분	9시간 5분	7시간 30분	11시간 15분	10시간 12분
14일	7시간 47분	10시간 35분	9시간 16분	11시간 24분	9시간 55분

따라서 하루 근무시간이 9시간 미만을 기록한 날이 이틀인 직원 D는 추가근무를 2회 실시해야 한다.

13

| 정답 | ③

| 해설 | 초과수당은 하루 10시간 이상 근무를 기준으로 한다. 직원 A가 초과수당을 받는 시간은 10일 : 22분, 11일 : 17분, 13일 : 97분으로 합계 136분이다. 초과수당은 분당 1,000원씩 계산하므로 A가 지급받을 초과수당 금액은 136×1,000=136,000(원)이다.

14

| 정답 | ③

| 해설 | 유급휴가비는 '사용하지 않은 월차 일수×1일당 유급휴가비'이다. 직원들이 받는 월차 일수는 1달에 1개씩 생기므로 총 12일이고 12에서 사용 월차개수를 뺀 값이 사용하지 않은 월차 일수가 된다. 영업1팀 각 직원들의 유급휴가비를 구하면 다음과 같다.

- 김민석 : 7×5=35(만 원)
- 노민정 : 10×3=30(만 원)
- 송민규 : 10×4=40(만 원)
- 오민아 : 9×2=18(만 원)
- 임수린 : 5×2=10(만 원)

따라서 유급휴가비를 가장 많이 받을 영업1팀 직원은 송민규이다.

15

| 정답 | ③

| 해설 | 영업2팀 각 직원들이 지급 받을 유급휴가비를 구하면 다음과 같다.

- 정가을 : 10×2=20(만 원)
- 최봄 : 10×3=30(만 원)
- 한여름 : 6×3=18(만 원)
- 한겨울 : 7×4=28(만 원)
- 황아라 : 11×4=44(만 원)

따라서 영업2팀에 지급될 유급휴가비의 합계는 20+30+18+28+44=140(만 원)이다.

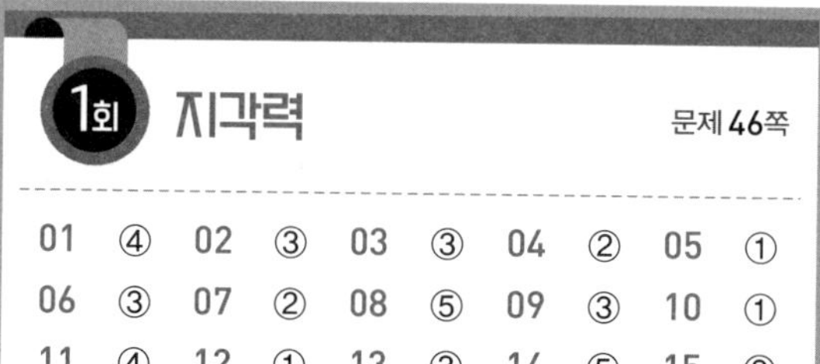

1회 지각력 문제 46쪽

01	④	02	③	03	③	04	②	05	①
06	③	07	②	08	⑤	09	③	10	①
11	④	12	①	13	③	14	⑤	15	③

01

| 정답 | ④

| 해설 |

ঔ র ঠ ও ৯ দ ক খ ষ স হ খ ঞ এ চ গ খ এ ক খ ঔ
ঠ ও ৯ দ ক খ হ ভ র ঠ ও ঞ এ চ খ ঔ ঙ গ হ অ ও
ই গ ঋ ৯ দ ক খ ঞ এ ঔ ট গ ই ৎ ঢ় ঙ্ক চ ঙ খ এ ঠ

02

| 정답 | ③

| 해설 | 자연과 인간에 대한 아시아의 깊은 지혜를 바탕으로, 누구도 밟아 보지 못한 혁신적인 미(美)의 영역에 도전한다.

03

| 정답 | ③

| 해설 |

211 231 212 210 275 276 257 297 291 217 227
214 247 279 216 211 217 231 271 251 237 291
277 237 255 218 274 267 211 217 285 216 271

04

| 정답 | ②

| 해설 |

단 댱 닥 닮 담 댐 댝 달 댱 닽 답 닷 닺 단 닾 닯 딤
닿 닺 답 달 닺 닾 닥 닸 닦 닿 닥 단 답 닯 댬 닽 닫
닶 닥 딤 딥 당 답 닷 댝 답 닺 닷 닫 닽 닷 담 닯 당

05

| 정답 | ①

| 해설 |

ㅏ ㅗ ㅠ ㅒ ㅛ ㅑ ㅕ ㅡ ㅒ ㅒ ㅜ ㅒ ㅔ ㅖ ㅠ ㅣ ㅠ ㅡ
ㅓ ㅒ ㅕ ㅛ ㅏ ㅓ ㅑ

ㅡ ㅠ ㅒ ㅏ ㅛ ㅐ ㅏ ㅗ ㅔ ㅜ ㅒ ㅏ ㅕ ㅏ ㅛ ㅡ ㅜ ㅒ
ㅗ ㅓ ㅡ ㅗ ㅔ ㅠ ㅖ

ㅔ ㅑ ㅏ ㅏ ㅜ ㅡ ㅓ ㅏ ㅕ ㅔ ㅕ ㅛ ㅒ ㅐ ㅒ ㅓ ㅛ ㅖ
ㅗ ㅔ ㅐ ㅒ ㅖ ㅑ ㅠ

ㅑ ㅜ ㅖ ㅏ ㅕ ㅣ ㅏ ㅕ ㅣ ㅕ ㅔ ㅜ ㅒ ㅏ ㅠ ㅔ ㅕ ㅠ
ㅒ ㅗ ㅡ ㅛ ㅡ ㅠ ㅑ

06

| 정답 | ③

| 해설 |

비설 비성 비준 비진 비춘 비밀 비수 비숍 비트 비상 비박
비련 비추 비탕 비방 비창 비종 비련 비동 비강 비종 비샹
비진 비총 비상 비솔 비준 비호 비상 비난 비침 비운 비눌

07

| 정답 | ②

| 해설 |

❊ ✫ ✼ ❁ ✯ ❃ ✳ ✰ ✲ ✥ ✤ ❦ ✘ ✜ ❊
✶ ❄ ✸ ✼ ❦ ✿ ✺ ❉ ✦ ✷ ✹ ❁ ❖ ✠ ✗
❀ ✲ ❂ ✹ ❉ ✪ ✱ ✯ ❏ ❂ ❀ ✼ ❦ ✲ ✳

08

| 정답 | ⑤

| 해설 |

Ⓔ Ⓩ Ⓗ Ⓓ Ⓖ Ⓘ Ⓐ Ⓠ Ⓕ Ⓜ Ⓛ Ⓒ
Ⓚ Ⓞ Ⓢ Ⓙ Ⓟ Ⓦ Ⓤ Ⓛ Ⓡ Ⓑ Ⓥ Ⓗ
Ⓖ Ⓣ Ⓨ Ⓜ Ⓕ Ⓢ Ⓡ Ⓘ Ⓚ Ⓟ Ⓓ Ⓧ

09

| 정답 | ③

| 해설 |

ㄹㅆ ㅂㄱ ㄹㅿ ㅅㄴ ㄴㄴ ㅇㅅ ㄹㅂㅆ ㅂㅈ **ㅅㄱ** ㄹㆆ ㅅㅈ ㅂㅌ

ㅂㅌ **ㅁㅅ** ㅅㅈ ㄴㅅ ㄹㄷ **ㅁㅂ** ㅇㅇ **ㄴㄷ** ㅂㅅㄱ ㄴㄴ ㅂㄱ ㅁㅿ

ㆅ ㅂㅈ ㄹㄷ ㄹㆆ ㅅㅂ ㄹㅆ ㅂㄷ ㅇㅿ ㄹㅿ ㅂㅅㄷ ㄴㅿ ㄹㅂㅆ

10

| 정답 | ①

| 해설 |

50397248302154**121**547269

5789410254**632**08641557495

58**743**025456315791432**01**8

11

| 정답 | ④

| 해설 |

ずけぢだしぢゆび**ぜ**くいつねぬめぺぼど

づさゃわゑめ**で**づ

けつでげきぷぽ**を**ろぜにべすじけぉぞひ

ぎぢもをしよぢぎ

へどくぱらせぐけぉ**ゐ**ゎしぁなてそども

ふすけゅむびれた

12

| 정답 | ①

| 해설 | 'MUSIC'과 치환된 음표를 정리하면 다음과 같다.

M	U	S	I	C
↓	↓	↓	↓	↓
솔, ♩	솔, ♪	미, ♪	도, ♩	미, 𝅗𝅥

'M, U'가 솔로, 'S, C'가 '미'로 계이름이 겹치지만 음표를 다르게 하여 구분이 가능한 것을 알 수 있다.

이에 따라 계이름 '도, 레, 미, 파, 솔, 라, 시, 도'와 음표 '𝅗𝅥, ♩, ♪'로 알파벳을 나누어 표로 정리하면 다음과 같다.

	도	레	미	파	솔	라	시	도
𝅗𝅥	A	B	C	D	E	F	G	H
♩	I	J	K	L	M	N	O	P
♪	Q	R	S	T	U	V	W	X

표를 통해 'REVEL'을 암호화하면 다음과 같은 악보를 얻을 수 있다('Y'와 'Z'의 경우 제시된 암호를 통해서는 그 규칙을 파악할 수 없다).

따라서 ①이 답이 된다.

13

| 정답 | ③

| 해설 | 속도는 기술 혁명이 인간에게 선사한 엑스터시(ec-stasy)의 형태이다. 오토바이 운전자와는 달리, 뛰어가는 사람은 언제나 자신의 육체 속에 있으며, 뛰면서 생기는 미묘한 신체적 변화와 가쁜 호흡을 생각할 수밖에 없다. 뛰고 있을 때 그는 자신의 체중, 자신의 나이를 느끼며 그 어느 때보다도 더 자신과 자**기** 인생의 시간을 의식한다. 인간이 기계에 속도의 능력을 위**임**하고 나자 모든 게 변한다. 이때부터 그의 고유한 육체는 관심 밖에 있게 되고 그는 비신체적 속도, 비물질적 속도, 순수한 속도, 속도 그 자체, 속도 엑스**터**시에 몰입한다. 기묘한 결합테크닉의 싸늘한 몰개인성과 엑스터시 불꽃. 어찌하여 느림의 즐거움은 사라져 버렸는가?

14

| 정답 | ⑤

| 해설 | 'BAEKDUSAN'에서 'B → Y', 'A → Z'로 치환되었으므로 암호의 규칙이 다음과 같다는 것을 알 수 있다.

A	B	C	D	E	F	G	H	I	J	K	L	M
↓	↓	↓	↓	↓	↓	↓	↓	↓	↓	↓	↓	↓
Z	Y	X	W	V	U	T	S	R	Q	P	O	N

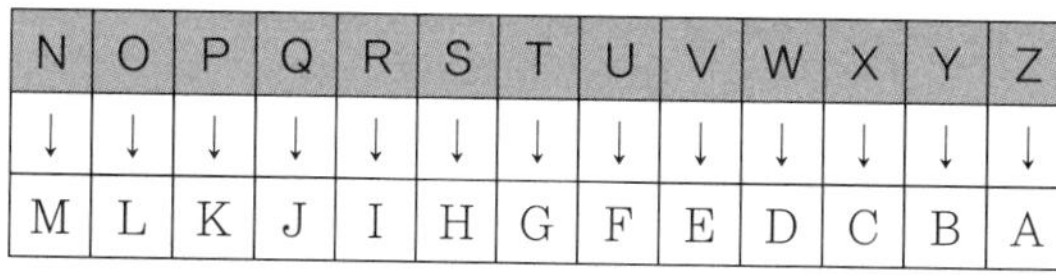

N	O	P	Q	R	S	T	U	V	W	X	Y	Z
↓	↓	↓	↓	↓	↓	↓	↓	↓	↓	↓	↓	↓
M	L	K	J	I	H	G	F	E	D	C	B	A

이를 통해 'VTBKG'는

V	T	B	K	G
↓	↓	↓	↓	↓
E	G	Y	P	T

'EGYPT'이다. 이집트의 수도는 카이로이므로 ⑤가 답이 된다.

15

| 정답 | ③

| 해설 | L 그룹 대학생 해외봉사단, 베트남과 사랑에 빠지다

L 그룹측은 올해로 14회째를 맞는 L 그룹 대학생 해외봉사단이 베트남 교육환경 개선을 위해 호찌민과 하노이로 향하는 대장정을 시작했다고 20일 밝혔다. 전국에서 선발된 대학생 40여 명과 L 그룹 계열사 임직원, NGO 전문가 등으로 구성된 50여 명의 봉사단은 지난 2개월간 사전교육과 국내봉사활동을 이수했고, 이 후 2팀으로 나뉘어 약 12일간 봉사활동을 펼칠 예정이다.

봉사단은 한국의 문화와 교육에 관심이 많은 베트남 초등학생들을 대상으로 태양광 전지보트, 자가발전 손전등 등을 직접 만들어 보는 과학실습 시간을 갖고, 각종 환경 · 위생 교육, 노후화된 학교 시설 보수, 태권도 · K-POP 공연 등 다양한 프로그램을 함께 나눌 계획이다. 이에 앞서 L 그룹은 교실이 부족해 허물어져 가는 사원이나 마을회관에서 수업 하는 열악한 환경의 학교 2곳(호찌민 인근 빈롱 성 쫑안 A 초등학교, 하노이 인근 하이즈엉 성타이화 초등학교)을 L 그룹 드림스쿨 3 · 4호의 신축 대상으로 선정하고, 각 학교에 교실 6 ~ 10개 규모의 복층 건물을 짓는다는 내용의 양해각서(MOU)를 체결했다. 19일 개최된 기공식에는 L 전선 호찌민(LSCV)과 하이퐁(LS-VINA) 법인장을 비롯해 지역 인민위원회 및 학교 관계자 등이 참석해 신축 학교의 안전한 준공을 기원하고 감사의 인사를 전달하는 시간을 갖기도 했다.

한편, L 그룹은 1990년대 하이퐁과 하노이에 L 전선과 L 산전의 생산법인을 설립한 이후 2006년 호찌민 근교 동나이 성에 전선 생산 공장을, 최근에는 L 엠트론이 하노이 법인을 설립하는 등 전력산업 분야의 첨단 기술에 투자해 매년 꾸준한 성장을 일구고 있다. L 그룹 회장 역시 2010년부터 지난해까지 베트남 명예 영사직을 역임하며 베트남과 한국 양국의 문화 교류와 경제발전을 도모하는 민간 외교관 역할을 해왔다. L 그룹 관계자는 "L 그룹은 베트남을 동남아 시장 진출의 전진기지이자 동반성장의 파트너로 삼고 생산시설과 기술에 많은 투자를 해왔다"며, "상호 협력을 통해 사업성과가 창출되고 있는 만큼, 이를 베트남 사회에 다시 환원함으로써 더 큰 성장의 기반이 마련되길 바란다." 고 말했다. L 그룹 드림스쿨 준공식에 참가한 한 인민위원회 위원장은 "한국이 '한강의 기적'이라 불릴 정도로 급성장을 일군 것과 같이 베트남도 교육을 통해 이러한 발전을 거두는 것이 정부의 목표"라며, "재정이 열악한 빈곤지역에 L 그룹이 큰 지원을 해주신 것에 깊이 감사드리며, 이 학교에서 학습한 아이들이 성장해 베트남의 발전에 이바지할 수 있도록 지속 노력할 것"이라고 말했다.

2회 언어력

문제 52쪽

01	③	02	①	03	⑤	04	⑤	05	④
06	①	07	③	08	③	09	③	10	⑤
11	②	12	④	13	②	14	④	15	②

01

| 정답 | ③

| 해설 | FDMA는 형성 전 단절 방식을, CDMA는 단절 전 형성 방식을 사용하는데, 핸드오버의 명령이 어느 방식에서 더 빠르게 이루어지는지 그리고 어떤 방식의 연결이 더 간편한지에 대해서는 제시된 글을 통해 알 수 없다.

| 오답풀이 |

① 핸드오버는 이동단말기와 기지국 사이의 신호 세기가 특정값 이하로 떨어지면 명령되는데, 신호는 이동단말기와 기지국의 거리가 가까울수록 강해지고 멀수록 약해진다.

②, ④ CDMA에서 사용하는 단절 전 형성 방식은 각 기지국이 같은 주파수를 사용하고 있을 경우에 사용되는 방식으로, 이동단말기와 기존 기지국 간 통화 채널이 단절되기 전 새로운 기지국과 통화 채널을 형성하여 두 기지국과 동시에 통화 채널을 형성할 수 있다.

⑤ 이동단말기와 기지국 사이의 신호 세기가 특정값 이하로 떨어지게 되면 핸드오버가 명령된다고 하였으므로 신호의 세기가 특정값보다 높다면 핸드오버가 명령되지 않음을 알 수 있다.

02

| 정답 | ①

| 해설 | 날다 : 공중에 뜬 위치에서 다른 위치로 움직이다.

| 오답풀이 |

② 자라다 : 생물체가 세포의 증식으로 부분적으로 또는 전체적으로 점점 커지다.

③ 발생하다 : 어떤 일이나 사물이 생겨나다.

④ 생산되다 : 인간이 생활하는 데 필요한 각종 물건이 만들어지다.

⑤ 출생하다 : 세상에 나오다.

03

| 정답 | ⑤

| 해설 | 나누다 : 하나를 둘 이상으로 가르다.

| 오답풀이 |

① 분간하다 : 사물이나 사람의 옳고 그름, 좋고 나쁨 따위와 그 정체를 구별하거나 가려서 알다.

② 감추다 : 남이 보거나 찾아내지 못하도록 가리거나 숨기다.

③ 골라내다 : 여럿 가운데서 어떤 것을 골라서 따로 집어내다.

④ 싫어하다 : 싫게 여기다.

04

| 정답 | ⑤

| 해설 | 앞지르다 : 남보다 빨리 가서 앞을 차지하거나 어떤 동작을 먼저 하다.

| 오답풀이 |

① 집중하다 : 한곳을 중심으로 하여 모이다.

② 털어놓다 : 속에 든 물건을 모두 내놓다.

③ 따르다 : 그릇을 기울여 안에 들어 있는 액체를 밖으로 조금씩 흐르게 하다.

④ 뿌리다 : 곳곳에 흩어지도록 던지거나 떨어지게 하다.

05

| 정답 | ④

| 해설 | 끼우다 : 벌어진 사이에 무엇을 넣고 죄어서 빠지지 않게 하다.

| 오답풀이 |

① 메우다 : 뚫려 있거나 비어 있는 곳을 막거나 채우다.

② 충원하다 : 인원수를 채우다.

③ 충족시키다 : 욕구나 원하는 조건을 충분히 채우게 하다.

⑤ 보완하다 : 모자라거나 부족한 것을 보충하여 완전하게 하다.

06

| 정답 | ①

| 해설 | 네 번째 문단을 보면 '이에 송금 서비스를 주도했던 은행권 또한 간편송금 시장 경쟁에 뛰어드는 추세'라고 제시되어 있다. 이를 통해 은행권이 송금 서비스를 먼저 시작했다는 것을 알 수 있다.

| 오답풀이 |

② 마지막 문단을 보면 간편송금 서비스는 소액 송금 위주로 운영되고 있고, 이를 초과한 금액은 대부분 은행을 통해 거래되고 있다고 제시되어 있다.

③ 마지막 문단을 보면 간편송금 전자금융업자는 현재 송금 건당 150 ~ 450원의 비용을 제휴 은행에 지불하고 있다고 제시되어 있다.

④ 간편송금 서비스는 공인인증서 의무사용이 폐지되면서 등장하게 되었으며 간편송금의 장점은 공인인증서 대신 간편 인증수단을 이용한다는 것이다. 그러므로 공인인증서 의무사용이 재도입된다면 신규 전자금융업자들은 타격을 입을 것이다.

⑤ 네 번째 문단을 통해 은행권에서 간편송금 서비스를 위해 별도의 앱을 출시했지만 후발주자라는 불리함 때문에 인지도가 낮아 큰 성과를 거두지 못했다는 것을 알 수 있다.

07

| 정답 | ③

| 해설 | ㉠ 간편송금 서비스의 최대 강점은 복잡한 인증 절차 없이 쉽고 빠르게 송금할 수 있다는 것이다. 간편송금 서비스는 공인인증서 의무사용이 폐지되면서 등장했으며 공인인증서 대신 다른 간편 인증수단을 이용한다.

㉡ 마지막 문단을 보면 간편송금 전자금융업자의 무료 고객 비중이 72 ~ 100%인 것을 알 수 있다. 그러므로 간편송금 이용자의 과반수는 무료로 서비스를 이용하고 있다는 것을 알 수 있다.

| 오답풀이 |

㉢ 네 번째 문단을 보면 '송금 서비스를 주도했던 은행권 또한 간편송금 시장 경쟁에 뛰어드는 추세이다'라고 하였으므로 은행권 또한 간편송금 서비스 경쟁에 뛰어들었음을 알 수 있다.

08

| 정답 | ③

| 해설 | '3－4) 주변의 냉대와 차별'은 다문화 가정 지원서비스가 아닌 사회적인 문제점으로, 3의 하위 항목으로 어울리지 않으나 다문화 가정 지원서비스의 문제점과 해결방안을 찾고 있는 글의 흐름상 결론으로도 적절하지 않다.

| 오답풀이 |

① 단어의 개념은 서론에 들어가는 것이 자연스럽다.

② 선진국의 사례는 국내 다문화 가정의 지원서비스 개선에 도움이 될 참고자료가 될 수 있으므로 4의 하위 항목으로 이동하는 것이 적절하다.

⑤ 결론 부분에 지원서비스를 개선함으로써 얻을 수 있는 전망, 즉 국가적 이익을 넣는 것이 적절하다.

09

| 정답 | ③

| 해설 | 프라이빗 뱅킹 서비스는 고객관계관리(CRM)를 위한 일환으로 거래실적이 높고 우수한 고객을 확보하면서 기존의 고객이 이탈하는 것을 방지하기 위한 VIP마케팅 목적에서 시작된 것이며, 부동산과 같은 실물자산은 고객의 평가 대상이 아니다.

10

| 정답 | ⑤

| 해설 | 전통적인 주류 경제학은 소득 증가는 행복을 증진시키는 데 있어 가장 중요한 요소라는 것을 줄곧 강조해 왔다. 소득 증가는 개인의 예산 제약을 확대시키므로 더 많은 효용을 충족시켜 행복도가 올라간다는 것이다.

11

| 정답 | ②

| 해설 | 이스털린의 역설에 반박하는 학자들은 국가가 부유해질수록 국민의 행복수준은 높아지고, 개개인에 따라 다르겠지만 개인도 돈이 있어야 행복할 가능성이 더 커진다고 말한다.

12

| 정답 | ④

| 해설 | 자료의 하단부에서 '청년우대형 주택청약종합저축은 예금보험공사가 보호하지 않으나 주택도시기금의 조성재원으로서 정부가 관리하고 있다'고 안내되어 있다.

| 오답풀이 |

① 가입대상 안내 항목의 1), 2), 3)을 통해 알 수 있다.

② 가입서류 항목의 4)를 통해 알 수 있다.

③ 적용이율 항목의 2)에서 우대이율(연 1.5%p)의 적용대상은 가입기간 2년 이상인 계좌이며 당첨계좌의 경우 2년 미만도 포함한다고 하였으므로 A의 답변은 옳다.

⑤ 가입서류 안내 항목의 3)에서 소득확인증명서, 근로소득 원천징수영수증, 근로소득자용 소득금액증명원, 급여명세표 중 하나로 소득을 증빙할 수 있다고 하였다.

13

| 정답 | ②

| 해설 | 실명확인증표(여권), 3개월 이내 발급받은 주민등록등본, 3천만 원 이하 연소득을 증빙하는 소득확인증명서는 모두 필수제출서류이다.

만 31세 근로소득자인 남성 고객 F는 30세가 넘었으므로 병역기간을 차감 시 만 29세 이하임을 증명하기 위해 병적증명서를 필수적으로 제출해야 한다. 본인실명확인증표(운전면허증), 3개월 이내 발급받은 주민등록등본, 3천만 원 이하 연소득을 증빙하는 급여명세표는 역시 필수제출서류이다.

| 오답풀이 |

고객 D는 근로소득자이므로 사업 · 기타소득자용 소득확인서류인 종합소득세용 소득금액증명원은 제출서류로 적절하지 않다.

고객 E는 만 30세가 넘지 않은 남성이므로 병적증명서는 필수제출서류에 해당되지 않는다.

14

| 정답 | ④

| 해설 | 두 번째 문단을 통해 PLCC 사업이 신용카드사와 제휴사의 협업으로 만들어지는 새로운 형태의 신용카드 사업임을 알 수 있다.

| 오답풀이 |

① 첫 번째 문단을 통해 확인할 수 있다.

②, ③ 두 번째 문단의 '카드사는 제휴사의 충성고객들을 유치할 수 있고 제휴사는 소비자를 자사에 묶어 두는 자물쇠 효과를 거둘 수 있는 전략'을 통해 알 수 있다.

⑤ 마지막 문단을 통해 조합원이 PLCC 사업의 주 타깃임을 알 수 있다.

15

| 정답 | ②

| 해설 | 소비자가 제휴사에서 PLCC를 사용할 때 특별한 '혜택'을 제공받는 것이 문맥상 적절하다. 따라서 ㉠에 공통적으로 들어갈 단어는 '혜택'이다.

2회 수리력

문제 64쪽

01	⑤	02	③	03	③	04	⑤	05	③
06	③	07	①	08	⑤	09	③	10	②
11	③	12	③	13	④	14	③	15	③

01

| 정답 | ⑤

| 해설 | 맞힌 문제의 개수를 x, 틀린 문제의 개수를 y라 하면, 전체 문제 개수가 25개이며 맞혔을 때 4점, 틀렸을 때 −2점이므로 다음과 같은 두 식이 성립한다.

$x+y=25$ ······ ㉠

$4x-2y=58$ ······ ㉡

㉠×2+㉡을 하면 $x=18$, $y=7$이 됨을 알 수 있다.

따라서 맞힌 문제는 모두 18개이다.

02

| 정답 | ③

| 해설 | A 경로와 B 경로를 합친 등산 거리가 5.2km이므로 구해야 할 B 경로의 길이를 $x$km라 하면, A 경로의 길이는 $(5.2-x)$km가 된다. 따라서 다음과 같은 식이 성립한다.

$$\frac{5.2-x}{3}+\frac{x}{4}=1.5$$

$$4(5.2-x)+3x=1.5\times12$$

$$20.8-4x+3x=18$$

$$\therefore\ x=2.8$$

따라서 B 경로의 길이는 2.8km이다.

03

| 정답 | ③

| 해설 | A ~ F 6명의 사원 중 임의로 세 명을 고르는 경우의 수는 ${}_6C_3=\frac{6\times5\times4}{3\times2\times1}=20$(가지)이다. A ~ F 중 신입사원은 3명이고, 신입사원들로만 또는 기존 사원들로만 팀을 구성하는 경우의 수는 2가지이므로(B, D, F 또는 A, C, E), 신입사원이 한 명 이상이고 모든 인원이 신입사원이 아니게끔 팀을 구성하는 경우의 수는 20−1−1=18(가지)이다. 또한 A, B 사원을 모두 제외하고 팀을 구성하는 경우의 수는 ${}_4C_3=\frac{4\times3\times2}{3\times2\times1}=4$(가지)이므로 A, B 두 사원 중 최소 한 명을 배정하는 경우의 수는 18−4=14(가지)이다.

04

| 정답 | ⑤

| 해설 | A는 16일 모두 일한 것이므로 일한 양은 $\frac{1}{18}\times16$이고, B가 일한 양은 $1-\left(\frac{1}{18}\times16\right)=\frac{1}{9}$이다. B가 일한 기간을 x(일)이라고 했을 때, B는 $\frac{1}{9}$만큼 일을 했으므로 $\frac{1}{27}\times x=\frac{1}{9}$가 성립하여 $x=3$(일)이 된다. 따라서 B가 일에 참여하지 않은 날은 16−3=13(일)이다.

05

| 정답 | ③

| 해설 | 총 10개 구단이 리그전으로 1차전을 치를 경우 경기 횟수는 10×9÷2=45(경기)이다. 이를 총 9차전에 걸쳐서 진행한다고 하였으므로, 진행될 야구 경기는 45×9=405(경기)이다.

06

| 정답 | ③

| 해설 | 첫 월급을 x원이라 하면 두 번째 월급은 $1.1x$원, 세 번째 월급은 $1.2x$원이므로 식은 다음과 같다.

$$(1-0.55)x+(1-0.3)\times1.1x+(1-0.25)\times1.2x$$
$$=5{,}300{,}000$$

$$0.45x+0.77x+0.9x=5{,}300{,}000$$

$$2.12x=5{,}300{,}000$$

$$\therefore\ x=2{,}500{,}000$$

따라서 선준의 첫 월급은 2,500,000원이다.

07

| 정답 | ①

| 해설 | 현재 최 대리의 나이를 x살이라 하면, 김 부장의 나이는 $(x+12)$살이 된다. 제시된 조건을 식으로 정리하면 다음과 같다.

$$3(x-4)=2(x+12-4)\qquad 3x-12=2x+16$$

$$\therefore\ x=28$$

따라서 현재 최 대리의 나이는 28살이다.

08

| 정답 | ⑤

| 해설 | 20X7년 보이스피싱 피해신고 건수의 전년 대비 감소율은 $\frac{6{,}720-5{,}455}{6{,}720}\times100\fallingdotseq18.8$(%)이고 보이스피싱 피해신고 금액의 감소율은 $\frac{621-554}{621}\times100\fallingdotseq10.8$(%)이므로 피해건수의 감소율이 더 크다.

| 오답풀이 |

① 보이스피싱 피해신고 건수 및 금액은 20X6년부터 20X8년까지 감소한 후, 20X9년에 다시 증가하였다.

② 20X9년 보이스피싱 피해신고 금액은 20X5년에 비해 약 2.6배 증가하였다.

③ 5년간 보이스피싱 피해신고 금액의 평균은 719억 원이다.

④ 5년간의 보이스피싱 피해신고 건수의 평균은 6,570.8건으로 20X7년의 보이스피싱 피해신고 건수(6,720건)가 더 높다.

09

| 정답 | ③

| 해설 | ㉠ 그래프에 따르면 20X5년 이후 국내에 체류하고 있는 전체 외국인 수는 점점 증가하고 있다.

㉢ 20X5년 대비 20X9년 장기체류자 수는

$\frac{1,583,099-1,219,192}{1,219,192}\times 100 \fallingdotseq 29.8(\%)$로, 약 30% 증가했다.

| 오답풀이 |

㉡ 단기체류자 대비 장기체류자 수의 비율은

20X6년은 $\frac{1,377,945}{419,673} \fallingdotseq 3.3$,

20X8년은 $\frac{1,530,539}{518,902} \fallingdotseq 2.9$로 20X6년에 더 높았다.

㉣ 20X8년 장기체류자의 전년 대비 증가량은 1,530,539−1,467,873=62,666(명)이고, 20X7년의 전년 대비 증가량은 1,467,873−1,377,945=89,928(명)이다.

10

| 정답 | ②

| 해설 | 삶의 만족도가 한국보다 낮은 국가는 에스토니아, 포르투갈, 헝가리 세 나라이다. 이 세 나라의 장시간근로자비율의 산술평균은 5.2로, 이탈리아의 장시간근로자비율인 5.4보다 낮다.

| 오답풀이 |

① 삶의 만족도 차이가 2.5 이상인 두 국가는 헝가리와 덴마크 또는 아이슬란드 또는 호주 또는 멕시코이다. 각 경우 모두 여가·개인 돌봄시간 차이가 0.4 이상이다.

④ 미국의 장시간근로자비율은 11.4로, 이보다 낮은 국가는 덴마크, 프랑스, 이탈리아, 에스토니아, 포르투갈, 헝가리이다. 미국의 여가·개인 돌봄시간은 14.3시간으로, 이 6개국의 여가·개인 돌봄시간은 모두 미국의 여가·개인 돌봄시간보다 길다. 참고로 미국보다 여가·개인 돌봄시간이 짧은 나라는 멕시코(13.9시간)뿐이다.

11

| 정답 | ③

| 해설 | 연도별 전년 대비 비용 증감률을 구하면 다음과 같다.

구분	전년 대비 비용 증감률(%)
20X4년	$\frac{165,000-180,000}{180,000}\times 100 \fallingdotseq -8.3(\%)$
20X5년	$\frac{190,000-165,000}{165,000}\times 100 \fallingdotseq 15.2(\%)$
20X6년	$\frac{184,300-190,000}{190,000}\times 100 = -3(\%)$
20X7년	$\frac{166,300-184,300}{184,300}\times 100 \fallingdotseq -9.8(\%)$
20X8년	$\frac{178,000-166,300}{166,300}\times 100 \fallingdotseq 7.0(\%)$
20X9년	$\frac{173,000-178,000}{178,000}\times 100 \fallingdotseq -2.8(\%)$

전년 대비 비용 증감률의 절댓값이 가장 높았던 해는 20X5년으로, 이는 비용이 가장 많았던 해이다.

| 오답풀이 |

① 연도별 이익과 전년 대비 이익 증감률을 구하면 다음과 같다.

구분	이익(만 원)	전년 대비 이익 증감률(%)
20X3년	240,000−180,000 =60,000	−
20X4년	250,000−165,000 =85,000	$\frac{85,000-60,000}{60,000}\times 100 \fallingdotseq 41.7(\%)$
20X5년	255,000−190,000 =65,000	$\frac{65,000-85,000}{85,000}\times 100 \fallingdotseq -23.5(\%)$

20X6년	244,000−184,300 =59,700	$\frac{59,700-65,000}{65,000}\times 100$ ≒−8.2(%)
20X7년	230,000−166,300 =63,700	$\frac{63,700-59,700}{59,700}\times 100$ ≒6.7(%)
20X8년	240,000−178,000 =62,000	$\frac{62,000-63,700}{63,700}\times 100$ ≒−2.7(%)
20X9년	230,000−173,000 =57,000	$\frac{57,000-62,000}{62,000}\times 100$ ≒−8.1(%)

이익이 가장 많았던 해는 20X4년으로, 전년 대비 이익 증감률의 절댓값도 가장 높다.

② 이익이 가장 적었던 해는 20X9년으로, 전년 대비 비용 증감률의 절댓값도 가장 낮다.

④ 연도별 전년 대비 매출 증감률을 구하면 다음과 같다.

구분	전년 대비 매출 증감률(%)
20X4년	$\frac{250,000-240,000}{240,000}\times 100 ≒ 4.2(\%)$
20X5년	$\frac{255,000-250,000}{250,000}\times 100 = 2(\%)$
20X6년	$\frac{244,000-255,000}{255,000}\times 100 =-4.3(\%)$
20X7년	$\frac{230,000-244,000}{244,000}\times 100 ≒ -5.7(\%)$
20X8년	$\frac{240,000-230,000}{230,000}\times 100 ≒ 4.3(\%)$
20X9년	$\frac{230,000-240,000}{240,000}\times 100 ≒ -4.2(\%)$

전년 대비 매출 증감률의 절댓값이 가장 높았던 해는 20X7년으로, 매출이 가장 많았던 해가 아니다. 매출이 가장 많았던 해는 20X5년이다.

⑤ 전년 대비 매출 증감률의 절댓값이 가장 낮았던 해는 20X5년으로, 매출과 비용 모두 가장 많았던 해이다.

12

| 정답 | ③

| 해설 | • 101호(6인실)

입원비 총액 : 10,000×(3+1+4+12+6)=260,000(원)

식비 총액 : 10,000×(3+1+4+12+6)=260,000(원)

본인부담금 : (260,000×0.2)+(260,000×0.5)= 182,000(원)

• 102호(4인실)

입원비 총액 : 50,000×(2+3+3)=400,000(원)

식비 총액 : 10,000×(2+3+3)=80,000(원)

본인부담금 : (400,000×0.3)+(80,000×0.5)= 160,000(원)

• 103호(4인실)

입원비 총액 : 30,000×(5+4+2+6)=510,000(원)

식비 총액 : 10,000×(5+4+2+6)=170,000(원)

본인부담금 : (510,000×0.3)+(170,000×0.5)= 238,000(원)

• 201호(격리실)

입원비 총액 : 100,000×14=1,400,000(원)

식비 총액 : 10,000×14=140,000(원)

본인부담금 : (1,400,000×0.1)×(140,000×0.5)= 210,000(원)

따라서 환자들의 본인 부담금 총액은 182,000+160,000 +238,000+210,000=790,000(원)이다.

13

| 정답 | ④

| 해설 | 20X5년 대비 20X6년 전체 지원자 수의 감소율을 구하면 $\frac{2,652-3,231}{3,231}\times 100 ≒ -17.9(\%)$이므로 25%가 아닌 약 17.9% 감소하였다.

| 오답풀이 |

① 〈자료 2〉에서 해외 지원자 비율을 보면 전반적으로 감소하는 추세임을 알 수 있다.

② 〈자료 1〉에서 20X9년 전체 지원자 수 대비 국내 지원자의 비율을 계산해 보면 $\frac{1,462}{2,475}\times 100 ≒ 59.1(\%)$이다.

③ 〈자료 1〉의 수치를 통해 20X3년 대비 20X9년 전체 지원자 수는 3,899−2,475=1,424(명) 감소했음을 알 수 있다.

⑤ 〈자료 1〉을 통해 (A)와 (B)를 구하면 다음과 같다.

$$(A)=\frac{1,462}{2,475}\times 100 \fallingdotseq 59.1(\%)$$

$$(B)=\frac{1,013}{2,475}\times 100 \fallingdotseq 40.9(\%)$$

따라서 (A)−(B)는 18.2%p이다.

14

| 정답 | ③

| 해설 | 〈표 2〉의 시간별 이용률에서 청소년의 스마트폰 이용 시간은 3시간 이상대가 가장 높은 비중을 차지하고 있으며, 이는 일평균 이용 시간인 2.7시간(2022년), 2.6시간(2023년)보다 많다.

| 오답풀이 |

① 〈표 1〉에서 청소년의 일평균 스마트폰 이용 현황을 보면 문자메시지 이용률이 가장 높다.

② 〈표 2〉에서 청소년의 스마트폰 일평균 이용 시간은 2023년과 2022년에 각각 2.6시간, 2.7시간으로 비슷한 수준을 보이고 있다.

④ 〈표 1〉에서 청소년의 스마트폰 이용률은 2022년에는 40.0%, 2023년에는 80.7%로 40.7%p 급증하였다.

⑤ 2022년과 2023년 각각의 총 응답자 수를 제시해 주지 않았으므로 알 수 없다.

15

| 정답 | ③

| 해설 | 20X5 ~ 20X8년의 순이동자 수가 음수이므로 전출 인구가 전입 인구보다 더 많음을 알 수 있다.

| 오답풀이 |

⑤ 20X9년 국내 이동자 수는 $\left(\frac{7,154-7,378}{7,378}\right)\times 100=-3(\%)$전년 대비 약 3% 감소하였다.

2회 분석력

문제 74쪽

01	④	02	①	03	②	04	⑤	05	②
06	①	07	②	08	②	09	③	10	②
11	②	12	①	13	③	14	⑤	15	④

01

| 정답 | ④

| 해설 | 명제가 참이면 대우도 참이라는 것과 삼단논법을 이용한다.

- 첫 번째 명제 : 바람을 쐰다. → 기분이 좋다.
- 두 번째 명제 : 행복하다. → 하루가 즐겁다.
- 세 번째 명제 : 기분이 좋다. → 행복해진다.

첫 번째 명제와 세 번째 명제를 통해 '바람을 쐬면 행복해진다'는 참이 된다. 이 명제의 대우인 '행복하지 않으면 바람을 쐬지 않은 것이다'가 성립하므로 ④는 참인 문장이다.

| 오답풀이 |

① 두 번째 명제가 참이므로 이 문장의 대우인 '하루가 즐겁지 않으면 행복하지 않은 것이다'라는 명제도 참이다. '행복하지 않으면 바람을 쐬지 않은 것이다'라는 명제가 참이므로, 삼단논법을 이용하면 '하루가 즐겁지 않으면 바람을 쐬지 않은 것이다'라는 명제도 참이 된다. 따라서 '하루가 즐겁지 않으면 바람을 쐰다'라는 명제는 거짓이다.

② '행복하지 않으면 바람을 쐬지 않은 것이다'라는 명제가 참이므로, '행복하지 않으면 바람을 쐰 것이다'라는 명제는 거짓이다.

③, ⑤ 제시된 명제들로는 이 명제의 참과 거짓을 판별할 수 없다.

02

| 정답 | ①

| 해설 | A의 자리를 고정시키고 그 주위 자리에 기호를 붙이면 E가 앉은 자리는 ㉡ 혹은 ㉣이 되므로 두 경우를 나눠 생각한다.

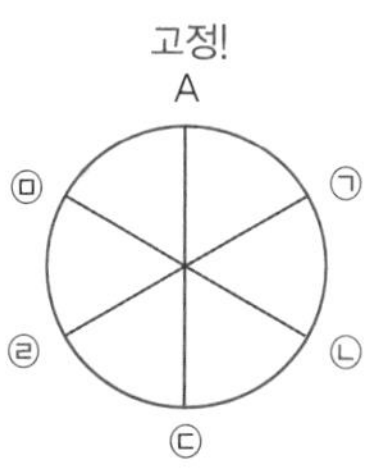

1. E가 ㉡에 앉은 경우

   B와 D는 (나)에 따라 마주 보고 앉아야 하므로 ㉠과 ㉣이 되고, C의 양 옆은 모두 커피를 주문했으므로 C는 콜라를 주문한 E 옆에 앉을 수 없다. 따라서 C의 자리는 ㉤이 되고 그 양 옆은 커피를 주문하게 된다.

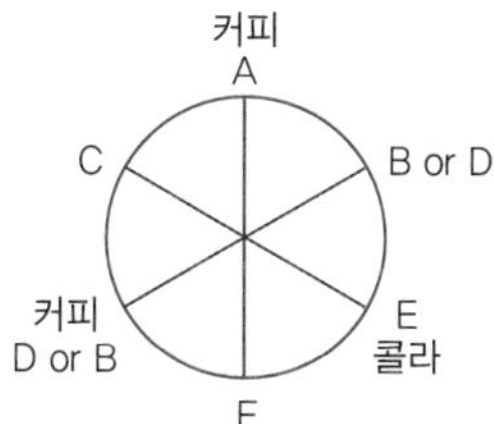

2. E가 ㉣에 앉은 경우

   B와 D는 ㉡과 ㉤으로 마주 보고 C는 ㉠에 앉게 되며, 그 양 옆이 커피를 주문하게 된다.

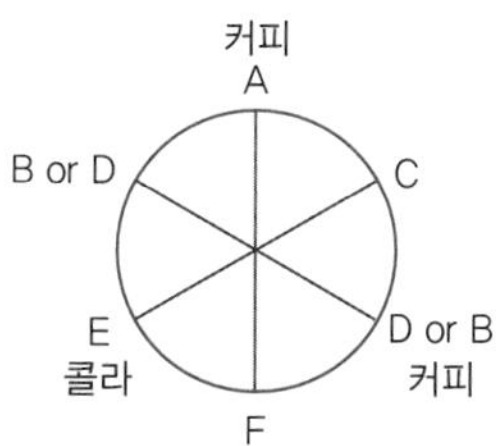

두 경우 모두 C의 옆에 앉는 사람은 A이고, C의 양 옆은 커피를 주문했으므로 A는 커피를 주문한 것이 된다. 따라서 확실하게 참인 것은 'A는 커피를 주문했다'이다.

03

| 정답 | ②

| 해설 | A가 거짓을 말했다고 가정하면 E는 진실을 말하였다. E의 말에 의하면 B와 D는 거짓을 말했는데, 이 경우 거짓을 말한 사람이 3명 이상이 되므로 불가능하다. 따라서 A의 말은 진실이고 E의 말은 거짓이다. 또한, E의 말이 진실이라고 한 C도 거짓을 말하고 있으므로 5명 중 거짓을 말하는 사람은 C와 E이다. 이제 5명의 말을 종합하면 아래의 표와 같다.

구분	A	B	C	D	E
자가용	○	×	×	○	×
택시	×	○	○	×	×
버스	○	×	○	×	○
지하철	×	○	×	○	○

밑줄 친 표시는 〈보기〉를 바탕으로 한 것이고 그 외는 밑줄 친 표시를 이용하여 구한 것이다. 따라서 보기 중 사원과 그 사원이 이용하는 교통수단이 바르게 짝지어진 것은 ②이다.

04

| 정답 | ⑤

| 해설 | 제시된 명제와 그 대우를 정리하면 다음과 같다.

- 땅콩 → ~아몬드(아몬드 → ~땅콩)
- 밤 → 아몬드(~아몬드 → ~밤)
- ~호두 → 잣(~잣 → 호두)

첫 번째 명제와 두 번째 명제의 대우의 삼단논법을 통해 '땅콩 → ~아몬드 → ~밤'이 성립하므로 땅콩을 먹으면 밤을 먹지 않음을 알 수 있다.

| 오답풀이 |

①, ③, ④ 제시된 명제를 통해 알 수 없다.

② 두 번째 명제의 대우를 통해 '~아몬드 → ~밤'이 성립하므로 아몬드를 먹지 않는 사람은 밤을 먹지 않는다.

05

| 정답 | ②

| 해설 | 먼저 A ~ E의 다섯 명 중 D의 발언을 살펴보면, 확실하게 참과 거짓 진술을 구분할 수 있다. D의 첫 번째 발언인 '나는 훔치지 않았다'가 거짓이라고 가정한다면 세 번째 발언 'A가 내가 훔쳤다고 말한 것은 거짓이다'도 역시 거짓이 되어 모순이 된다. 반면, 이것을 참이라고 가정한다면 세 번째 발언 역시 참이 되며 남은 하나인 두 번째 발언 'E가 훔쳤다'가 거짓이라는 것을 확인할 수 있다. 이를 토대로 A ~ E의 진술이 참인지 판명해 볼 수 있다.

D가 범인이 아니라는 것이 판명되었으므로 D의 첫 번째 발

언에 참을 표시한다. A와 C가 D가 훔쳤다는 발언을 한 부분이 거짓이므로 나머지 발언을 통해 A와 C가 범인이 아님을 확인할 수 있다. 마지막으로 C의 두 번째 발언이 참이므로 E의 세 번째 발언은 거짓이 되며 동시에 E가 범인이 아니라는 것과 B가 범인임을 알 수 있다.

구분	첫 번째 발언	두 번째 발언	세 번째 발언
A의 발언	나는 훔치지 않았다.	C도 훔치지 않았다.	D가 훔쳤다.
참/거짓	참	참	거짓
B의 발언	나는 훔치지 않았다.	D도 훔치지 않았다.	E가 진짜 범인을 알고 있다.
참/거짓	거짓	참	참
C의 발언	나는 훔치지 않았다.	E는 내가 모르는 사람이다.	D가 훔쳤다.
참/거짓	참	참	거짓
D의 발언	나는 훔치지 않았다.	E가 훔쳤다.	A가 내가 훔쳤다고 말한 것은 거짓말이다.
참/거짓	참	거짓	참
E의 발언	나는 훔치지 않았다.	B가 훔쳤다.	C와 나는 오랜 친구이다.
참/거짓	참	참	거짓

06

| 정답 | ①

| 해설 | 영화를 좋아하면 꼼꼼한 성격이고 꼼꼼한 성격이면 편집을 잘한다. 따라서 '영화를 좋아하면 편집을 잘한다'가 성립한다. 이 명제가 참이라면 대우인 '편집을 잘하지 못하면 영화를 좋아하지 않는다'도 반드시 참이 된다.

07

| 정답 | ②

| 해설 | 제시된 명제를 기호로 정리하면 다음과 같다.

p : 김 대리가 빨리 온다.

q : 박 차장이 빨리 온다.

r : 황 주임이 빨리 온다.

(가) p → ~q or ~r(q and r → ~p)

(나) ~q → p(~p → q)

(다) ~r → ~q(q → r)

q → r은 성립하나, 그 역인 r → q가 반드시 성립한다고는 할 수 없다.

| 오답풀이 |

① ~p → q이므로 참이다.

③ q → r에서 q와 r이 동시에 성립함을 알 수 있고, q and r → ~p이므로 참이다.

④ ~r → ~q → p이므로 참이다.

⑤ ~p → q → r이므로 참이다.

08

| 정답 | ②

| 해설 | 제시된 명제를 기호로 정리하면 다음과 같다.

- p : 하얀 옷을 입는다.
- q : 깔끔하다.
- r : 안경을 쓴다.

제시된 명제와 그 대우를 정리하면 다음과 같다.

- p → q(~q → ~p)
- q → r(~r → ~q)

'~r → ~q'와 '~q → ~p'의 삼단논법에 의해 '~r → ~q → ~p'가 성립한다. 따라서 결론을 이끌어내기 위해서는 수인이가 안경을 쓰지 않고 깔끔하지 않아야 하므로 ②가 적절하다.

09

| 정답 | ③

| 해설 | 확정조건에 따라 C 팀에는 정만 소속되고 A 팀에는 을이 소속된다. 또한 B, C 팀에 소속될 수 없는 병이 A 팀에 소속된다. 한 팀당 최대 인원은 2명이므로 정리하면 다음과 같다.

갑	을	병	정	무
B	A	A	C	B

따라서 갑과 병은 다른 팀 소속이다.

10

| 정답 | ②

| 해설 | 조합을 출발하여 5곳의 농가를 모두 방문하는 최단 거리는 지나간 도로를 두 번 거치지 않고 이동하는 경로가 될 것이므로 가능한 경로는 다음의 8가지가 있다.

1) 조합-E-A-B-C-D → 5+7+8+4+5=29(km)
2) 조합-E-D-C-B-A → 5+6+5+4+8=28(km)
3) 조합-B-A-E-D-C → 3+8+7+6+5=29(km)
4) 조합-B-C-D-E-A → 3+4+5+6+7=25(km)
5) 조합-D-E-A-B-C → 2+6+7+8+4=27(km)
6) 조합-D-C-B-A-E → 2+5+4+8+7=26(km)
7) 조합-C-D-E-A-B → 6+5+6+7+8=32(km)
8) 조합-C-B-A-E-D → 6+4+8+7+6=31(km)

따라서 4) 경로로 이동한 경우 25km로 최단 이동 경로가 된다.

11

| 정답 | ②

| 해설 | 리터당 연료비는 모두 동일하므로, 8가지 경로에 대한 구간별 사용 연료의 양을 다음과 같이 구할 수 있다.

1) 0.63+0.35+1+0.2+0.5=2.68(L)
2) 0.63+0.6+0.5+0.2+1=2.93(L)
3) 0.3+1+0.35+0.6+0.5=2.75(L)
4) 0.3+0.2+0.5+0.6+0.35=1.95(L)
5) 0.14+0.6+0.35+1+0.2=2.29(L)
6) 0.14+0.5+0.2+1+0.35=2.19(L)
7) 0.6+0.5+0.6+0.35+1=3.05(L)
8) 0.6+0.2+1+0.35+0.6=2.75(L)

따라서 4) 경로로 이동할 때 가장 적은 연료가 사용되어 연료비 역시 가장 적게 들인 경로가 된다.

12

| 정답 | ①

| 해설 | 제시된 기준에 따라 점수를 매기면 다음과 같다.

(단위 : 점)

기준 프로그램	가격	난이도	수업 만족도	교육 효과	소요 시간	합계
요가	4	4	3	5	5	21
댄스 스포츠	5	5	3	2	5	20
요리	2	4	5	3	2	16
캘리그래피	2	2	3	2	5	14
코딩	3	1	4	5	1	14

따라서 ○○기업이 선택할 프로그램은 요가이다.

13

| 정답 | ③

| 해설 | 변경된 기준에 따라 자료를 다시 정리하고 점수를 매기면 다음과 같다.

기준 프로그램	가격	난이도	수업 만족도	교육 효과	소요 시간
요가	120만 원	보통	보통	높음	3시간
댄스 스포츠	100만 원	낮음	보통	낮음	2시간 30분
요리	150만 원	보통	매우 높음	보통	2시간
캘리그래피	150만 원	높음	보통	낮음	2시간 30분
코딩	120만 원	매우 높음	높음	높음	3시간

(단위 : 점)

기준 프로그램	가격	난이도	수업 만족도	교육 효과	소요 시간	합계
요가	4	4	3	5	2	18
댄스 스포츠	5	5	3	2	4	19
요리	2	4	5	3	5	19
캘리그래피	2	2	3	2	4	13
코딩	4	1	4	5	2	16

따라서 ○○기업은 점수가 가장 높은 댄스 스포츠와 요리 중 교육 효과가 더 높은 요리를 선택한다.

14

| 정답 | ⑤

| 해설 | 성과급은 기본급×지급률이다. 이에 따라 경영 부서 직원들의 성과급을 계산하면 다음과 같다.

- 김철수 : 400×1=400(만 원)
- 나희민 : 280×1.2=336(만 원)
- 박민영 : 인사등급이 C이므로 지급하지 아니함.
- 이미래 : 230×1.5=345(만 원)
- 정해원 : 350×1.2=420(만 원)

따라서 정해원이 가장 많은 성과급을 받는다.

15

| 정답 | ④

| 해설 | 12월에 성과급이 기본급과 함께 지급된다고 했으므로, 이를 합산하면 12월 경영부서 직원들에게 지급되는 금액의 합계를 구할 수 있다.

- 경영부서 직원들 기본급의 총합 : 400×2+350+280+230=1,660(만 원)
- 경영부서 직원들 성과급의 총합 : 400+336+345+420=1,501(만 원)

따라서 12월에 경영부서 팀원들에게 지급되는 금액의 합계는 1,660+1,501=3,161(만 원)이다.

2회 지각력

문제 83쪽

01	④	02	①	03	④	04	②	05	②
06	①	07	⑤	08	①	09	②	10	④
11	④	12	②	13	⑤	14	③	15	⑤

01

| 정답 | ④

| 해설 |

▤ ▨ ▥ ▤ ▤ ▧ ▤ ▥ ▧ ▤ ▧ ▨
▥ ▧ ▨ ▨ ▧ ▨ ▥ ▧ ▧ ▧ ▤ ▧
▨ ▤ ▥ ▧ ▨ ▥ ▧ ▤ ▧ ▨ ▥ ▤
▨ ▧ ▤ ▥ ▤ ▧ ▨ ▧ ▤ ▨ ▤ ▨

02

| 정답 | ①

| 해설 |

냷 갧 뎳 걟 겳 젧 댥 벫 겳 냷 뎳 뎵 걽 갧 댧
뎳 젧 겛 갧 넯 뎕 톏 캷 갧 쳵 멟 벫 댩 캷 톍
걟 턡 켧 캙 댧 냵 벹 넯 댥 젥 걡 갥 냁 뎳 냷

03

| 정답 | ④

| 해설 |

fi2 k2j hu1 do9 a2u hu2 1ai sk1 z2n hu1
1if k2h ai1 o2b c7k hu1 hf4 a8i ho1 d3k
ju1 fo3 hu1 9ak a7k 3hu k8a u2h 1uf hu8

04

| 정답 | ②

| 해설 |

海 技 術 火 庚 申 壬 癸 水 今 土 日 方 畜 儀 之 國 大 民 畜 東 西 韓

南 北 甲 美 丁 木 伍 月 西 仔 武 禮 畜 印 東 苗 士 伍 申 諭 今 乙 技

仔 韓 社 姻 海 乙 進 丙 美 妙 川 地 運 棟 進 相 念 快 親 文 現 太 産

05

| 정답 | ②

| 해설 |

N B Z A Q W D R U O E F L F I R B K U N O

L G V H J I C W G C Y H A C E P J Z C E P

I T Y C Q K M S X M V D S B M U W N V M S

06

| 정답 | ①

| 해설 |

RIOGOGYKDLVPBMBNIQUP

NVPRFIEMBKZBXUEERPMB

YUZBXCWURYMAHSGQKBD

07

| 정답 | ⑤

| 해설 |

Ա Բ Գ Դ Ե Զ Է Ը Թ Ժ Ի Լ Խ Ծ Կ Հ Ձ Ղ Ճ Մ Յ Ն Շ Ջ Պ Ջ Ռ

Ս Տ Ց Ի Փ Ք Օ Հ Ր Ո Լ Ժ Թ Ե Ա Բ Գ Ճ Մ Յ Ք Ջ Թ Ի Թ Ժ Ի

Օ Ք Փ Ի Ց Ր Վ Ռ Ջ Շ Ն Մ Ճ Հ Կ Ի Թ Ը Դ Գ Բ Տ Յ Ժ Խ Ծ ա

08

| 정답 | ①

| 해설 |

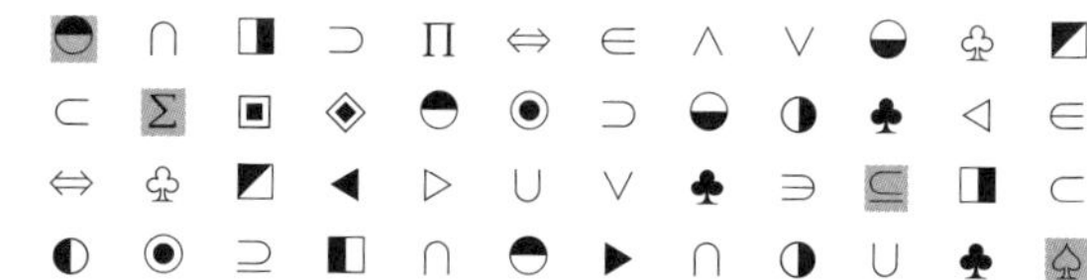

09

| 정답 | ②

| 해설 |

IEU OAT KAI WUE CDH FIH DHU ZID SID ISH SID CHD AIE GLX QPF FZU DUE ALX QOZ ZIV WOQ DLF EUF WHU DKS FKF QOI EHF CGV EUI

10

| 정답 | ④

| 해설 |

あ き ち し び み わ お と そ さ は ほ ぽ ぶ な ず

ぐ そ す こ え ん わ を ね が さ を は ま ぎ じ さ

は け げ ね ぜ ぺ め れ ゐ る う く こ ぞ と が ざ

11

| 정답 | ④

| 해설 | 독일에서 'Fräulein'은 원래 미혼 여성을 뜻하는 말이었는데 제2차 세계대전 이후 미군과 결혼한 여성을 가리키는 말이 되면서 부정적인 색채를 띠게 되었다. 그러자 미혼 여성들은 자신들을 'Frau'(영어의 'Mrs.'와 같다)로 불러달라고 공식적으로 요청하기 시작했다. 이런 요구를 하는 여성들이 갑자기 늘어나자 언론은 '부인으로 불러달라는 여자들이라니'라는 제목 아래 여자들이 별 희한한 요구를 다 한다는 식으로 보도했다. 'Fräulein'과 'Frau'는 한동안 함께 사용되다가 점차 'Frau'의 사용이 늘자 1984년에는 공문서상 미혼 여성도 'Frau'로 표기한다고 법으로 규정했

다. 이유는 'Fräulein'이라는 말이 여성들의 의식이 달라진 이 시대에 뒤떨어졌다는 것이었다.

12

| 정답 | ②

| 해설 | 영화에 제시되는 시각적 정보는 이미지 트랙에, 청각적 정보는 사운드 트랙에 실려 있다. 이 중 사운드 트랙에 담긴 영화 속 소리를 통틀어 영화 음향이라고 한다. 음향은 다양한 유형으로 존재하면서 영화의 장면을 적절히 표현하는 효과를 발휘한다.

음향은 소리의 출처가 어디에 있는지에 따라 몇 가지 유형으로 나뉜다. 화면 안에 음원이 있는 소리로서 주로 현장감을 높이는 소리를 '동시 음향', 화면 밖에서 발생하여 보이지 않는 장면을 표현하는 소리를 '비동시 음향'이라고 한다. 한편 영화 속 현실에서는 발생할 수 없는 소리, 즉 배경 음악처럼 영화 밖에서 조작되어 들어온 소리를 '외재 음향'이라고 한다. 이와 달리 영화 속 현실에서 발생한 소리는 모두 '내재 음향'이다. 이러한 음향들은 감독의 표현 의도에 맞게 단독으로, 혹은 적절히 합쳐져 활용된다.

13

| 정답 | ⑤

| 해설 | 'ZNCBQNRTLB'와 'MAPODAEGYO'는 10글자이므로 각 글자가 1 : 1 대응을 한다는 것을 알 수 있다. 이를 표로 정리하면 다음과 같다.

Z	N	C	B	Q	N	R	T	L	B
↓	↓	↓	↓	↓	↓	↓	↓	↓	↓
M	A	P	O	D	A	E	G	Y	O

이를 바탕으로 규칙을 정리하면 다음과 같다.

A	B	C	D	E	F	G	H	I	J	K	L	M
↕	↕	↕	↕	↕	↕	↕	↕	↕	↕	↕	↕	↕
N	O	P	Q	R	S	T	U	V	W	X	Y	Z

따라서 'TENCR'는

T	E	N	C	R
↓	↓	↓	↓	↓
G	R	A	P	E

'GRAPE'이 된다.

14

| 정답 | ③

| 해설 | 출력 결과는 다음과 같다.

• 1회차 : ●●●●●●●

• 2회차 : ●○●●○●●

• 3회차 : ●●●●●●●

따라서 ○는 총 2회 출력됐다.

15

| 정답 | ⑤

| 해설 | ○은 비밀번호의 문자와 위치가 모두 옳은 경우에 출력된다. 따라서 1회차 시도를 통해 비밀번호의 첫 번째 자리가 e, 2회차 시도를 통해 세 번째 자리가 7, 3회차 시도를 통해 두 번째 자리가 d인 것을 알 수 있다. 따라서 J의 비밀번호는 ed7이다.

3회 언어력

문제 90쪽

01	②	02	⑤	03	①	04	③	05	④
06	③	07	①	08	④	09	③	10	③
11	④	12	②	13	③	14	②	15	④

01

| 정답 | ②

| 해설 | 첫 번째 문단으로 창조 도시의 개념을 소개하고 있는 (가)가 오고, 그 다음으로 창조 도시의 주된 동력을 창조 산업으로 보는 (라)와 창조 계층의 관점으로 바라보는 (나)가 이어진다. 마지막은 창조 산업과 창조 계층의 두 가지 관점보다 창조 환경이 먼저 마련되어야 한다는 주장의 (다)로 마무리된다. 따라서 (가)−(라)−(나)−(다) 순이 적절하다.

02

| 정답 | ⑤

| 해설 | '바꾸다'는 '원래 있던 것을 없애고 다른 것으로 채워 넣거나 대신하게 하다'라는 뜻을 지닌다. 따라서 '식물이나 그것을 기르는 장소 따위를 손질하고 보살피다' 또는 '몸을 잘 매만지거나 꾸미다' 등의 뜻을 가진 '가꾸다'와는 유의어 관계가 될 수 없다.

| 오답풀이 |

① 변경하다 : 다르게 바꾸어 새롭게 고치다.

② 수정하다 : 고치어 정돈하다.

③ 변환하다 : 달라져서 바뀌다. 또는 다르게 하여 바꾸다.

④ 변신하다 : 몸의 모양이나 태도 따위를 바꾸다.

03

| 정답 | ①

| 해설 | '쓰다'는 '머릿속의 생각을 종이와 같은 대상에 글로 나타내다', '어떤 일을 하는 데에 재료나 도구, 수단을 이용하다', '사람에게 어떤 일을 하게 하다' 등의 뜻을 지닌다. 따라서 '말이나 행동 따위로 다른 사람의 주의를 끌거나 오라고 하다' 또는 '먹은 것이 많아 속이 꽉 찬 느낌이 들다' 등의 뜻을 가진 '부르다'와는 유의어 관계가 될 수 없다.

| 오답풀이 |

② 동원하다 : 어떤 목적을 달성하고자 사람을 모으거나 물건, 수단, 방법 따위를 집중하다.

③ 다루다 : 기계나 기구 따위를 사용하다.

④ 소비하다 : 돈이나 물자, 시간, 노력을 들이거나 써서 없애다.

⑤ 이용하다 : 대상을 필요에 따라 이롭게 쓰다.

04

| 정답 | ③

| 해설 | '보다'는 '눈으로 대상의 존재나 형태적 특징을 알다', '눈으로 대상을 즐기거나 감상하다' 또는 '책이나 신문 따위를 읽다' 등의 뜻을 지닌다. 따라서 '알았던 것을 기억하지 못하거나 기억해 내지 못하다'의 뜻을 가진 '잊다'와는 유의어 관계가 될 수 없다.

| 오답풀이 |

① 구경하다 : 흥미나 관심을 가지고 보다.

② 찾다 : 모르는 것을 알아내기 위하여 책 따위를 뒤지거나 컴퓨터를 검색하다.

④ 관찰하다 : 사물이나 현상을 주의하여 자세히 살펴보다.

⑤ 읽다 : 글이나 글자를 보고 그 음대로 소리 내어 말로써 나타내다.

05

| 정답 | ④

| 해설 | '올리다'는 '위쪽으로 높게 하거나 세우다', '의식이나 예식을 거행하다', '서류 따위를 윗사람이나 상급 기관에 제출하다' 등의 뜻을 지닌다. 따라서 '악기를 다루어 곡을 표현하거나 들려주다' 등의 뜻을 가진 '연주하다'와는 유의어 관계가 될 수 없다.

| 오답풀이 |

① 제출하다 : 문안이나 의견, 법안 따위를 내다.

② 세우다 : '처져 있던 것이 똑바로 위를 향하여 곧게 되다'의 사동사이다.

③ 거행하다 : 의식이나 행사 따위를 치르다.

⑤ 얹다 : 위에 올려놓다.

06

| 정답 | ③

| 해설 | 급여를 적금통장으로 직접 이체하지 않아도 지정일자를 당행 시스템에 등록하고 '급여', '상여', '월급'의 용어로 입금 시 급여이체로 인정받을 수 있다.

| 오답풀이 |

① 친구등록을 5명 하면 최고 우대금리인 0.5%p를 받을 수 있다.

② 제12조에 의해 해외송금을 위한 중도해지 시에는 경과기간별 고시이율을 적용한다.

④ 상해보험혜택은 상해의 직접결과로써 사망한 경우에만 보험금이 지급된다.

⑤ 은행의 최초 신규고객일 경우 받을 수 있는 우대금리는 0.1%p이고 외환송금금액이 $2,000 이상인 경우 우대금리는 0.1%p이다. 총 0.2%p 우대금리를 제공할 수 있으므로 적금특약상품에 적용 가능한 최대 우대금리인 0.5%p와 차이가 난다.

07

| 정답 | ①

| 해설 | A 씨는 고시금리 1.20%와 우대금리 0.1%p를 더한 1.30%의 이율을 받는다.

| 오답풀이 |

② 중도해지금리 1.0%이며 중도해지하였으므로 우대금리는 받을 수 없다.

③ 고시금리 1.20%이며 우대금리는 해당사항이 없다.

④ 중도해지 사유가 특별 중도해지에 해당하므로 고시금리 1.25%를 받을 수 있다.

⑤ 고시금리 1.25%이며 우대금리는 해당사항이 없다.

08

| 정답 | ④

| 해설 | ○○협동조합은 예금자보호법이 처음 제정된 1995년보다 이른 1983년부터 법률로 예금자보호제도를 명문화하여 예금자를 보호하고 있다.

09

| 정답 | ③

| 해설 | a. (나) 문단의 첫 번째 문장을 통해 제도 개정에 대한 근거가 될 수 있는 것을 알 수 있다.

b. 국내 1인당 GDP 대비 예금보호한도 비율은 1.2배인데 이는 일본, 영국, 미국과 비교했을 때 낮은 편이므로 근거로 활용할 수 있다.

| 오답풀이 |

c. 금융기관에서 부담해야 하는 예금 보험료율이 상승한다는 것은 현 예금자보호한도를 유지하자는 주장에 대한 근거이다.

10

| 정답 | ③

| 해설 | ㉠ 두 번째 문단에서 오대십국시대에 이르러서야 유연먹이 만들어졌다고 했으므로 이전까지는 송연먹이 사용되었음을 알 수 있다.

㉡ 세 번째 문단을 통해 신라의 양가·무가의 먹이 송연먹에 해당하는 것을 알 수 있다.

㉤ 네 번째 문단을 통해 한림풍월과 수양매월 등의 먹이 유연먹에 해당하는 것을 알 수 있다.

| 오답풀이 |

㉢ 남당은 오대십국 중 하나이고 후주는 남당의 마지막 황제를 의미한다. 오대십국시대에 와서야 남당의 후주가 먹의 사용을 장려하면서 유연먹을 생산, 사용한 것이므로 이는 틀린 자료임을 알 수 있다.

㉣ 첫 번째 문단을 통해 갑골시대와 금석시대는 먹이 발명되기 전임을 알 수 있다.

㉥ 네 번째 문단을 통해 책을 간행하는 데 쓰기 적합한 먹은 송연먹임을 알 수 있다.

11

| 정답 | ④

| 해설 | 첫 번째 문단을 통해 갑골시대와 금석시대에는 문자를 새기고, 죽간시대에는 죽편이나 비단 등에 칠로 문자를 썼다는 것을 알 수 있다. 그 후 두 번째 문단을 통해 종이가 발명되면서 먹을 사용해 문자를 기록한 것을 알 수 있으므로 ④가 적절하다.

| 오답풀이 |

① 첫 번째 문단을 통해 갑골시대와 금석시대의 기록유물도 발견된 것을 유추할 수 있다.

② 세 번째 문단에서 담징은 일본에 제지법과 제먹법을 전해주었다고 언급할 뿐 먹을 판매했는지는 알 수 없다.

③ 마지막 문단을 통해 현대에 와서야 광물성 그을음을 재료로 하는 먹을 대량 생산한다는 것을 알 수 있다.

⑤ 두 번째 문단을 통해 후한에 이르러서 오늘과 같은 먹이 만들어진 것을 알 수 있다.

12

| 정답 | ②

| 해설 | 기사는 공인인증서가 인터넷 금융생활을 하는 데 있어 반드시 필요한 제도로서의 역할이 폐지된다는 내용으로 이는 인증 절차가 없이 금융생활을 하게 된다는 의미로 해석할 수는 없다. 또한 '공인인증서는 법적 효력이 달라지겠지만 불편함 없이 계속 사용할 수 있도록 할 예정'이라고 언급하고 있으므로 새로운 인증 절차를 마련한다는 취지의 기사라고 할 수 있다.

| 오답풀이 |

① 공인인증서 제도가 폐지되면 액티브 X를 반드시 설치하지 않아도 된다.

③ 예정 사항이며 법적인 절차를 거쳐야 하는 만큼 정확한 실행일은 알 수 없다.

④ 과기정통부가 밝힌 '카드사 등이 보유한 개인정보를 당사자가 편리하게 내려받아 자유롭게 활용하는 시범 사업'의 내용이다.

13

| 정답 | ③

| 해설 | 가상화폐에 쓰이는 핵심 기술이 블록체인이지만 블록체인 기술이 기존 금융거래의 새로운 인증제도로 도입된다고 해서 가상화폐 거래가 기존 금융거래와 통합되어 운영되어야 한다는 점은 개연성이 없다. 가상화폐와 공인인증제도를 함께 연계할 근거는 제시되어 있지 않다.

| 오답풀이 |

① 새로운 인증제도이므로 시범사업을 통한 오류 발견 등의 과정이 필요하다고 볼 수 있다.

② 각 은행별로 내부 약관을 개정하는 일은 적절한 조치로 볼 수 있다.

④ 새로운 인증제도는 여러 은행에 공통으로 적용될 것이므로 홍보용 합동 광고를 제작하는 일은 고객의 혼란을 방지하기 위해 필요한 적절한 조치로 판단할 수 있다.

⑤ 기업에서 가지고 있는 개인정보를 당사자가 편리하게 사용하기 어려움이 있어 본인정보 활용을 지원하는 제도를 도입하기로 하였으므로 적절한 조치로 볼 수 있다.

14

| 정답 | ②

| 해설 | 건강보험자격득실 확인서와 주택 관련 서류는 제출했다고 했으므로 본인 및 대상자 확인, 중소기업 재직 확인을 위한 준비 서류만 바르게 제출했는지 따져 보면 된다. 박△△의 경우 본인 확인을 위한 여권, 대상자 확인을 위한 주민등록등본, 청년 창업자로서 창업 지원 프로그램 수급자 확인을 위한 대출 지원 내역서까지 모두 바르게 제출했다.

| 오답풀이 |

① 1년 미만 재직자이므로 회사 직인이 첨부된 급여명세표, 갑종근로소득원천징수영수증(최근 1년), 급여입금내역서, 은행 직인이 첨부된 통장거래내역서를 추가로 제출해야 한다.

③ 만 35세 이상 병역의무이행자므로 예비역으로 기재된 병적증명서를 추가로 제출해야 복무 기간을 인정받을 수 있다.

④ 중소기업 재직을 확인하기 위한 서류를 추가로 제출해야 한다.

⑤ 배우자 분리 세대이므로 가족관계증명원을 추가 제출해야 한다.

15

| 정답 | ④

| 해설 | 대출 금리 항목에 따르면 조건 충족자이면 최초 가입부터 1회 연장까지 총 4년간 1.2%의 금리를 유지하며, 1회 연장 포함 대출 기간 4년이 종료된 2회 연장부터 2.3%의 금리를 적용한다. 따라서 6년 동안 납부한 이자는 $\left(8,000\times\frac{1.2}{100}\times2\right)+\left(8,000\times\frac{1.2}{100}\times2\right)+\left(8,300\times\frac{2.3}{100}\times2\right)=192+192+368=752$(만 원)이다.

3회 수리력

문제 104쪽

01	⑤	02	④	03	②	04	③	05	③
06	④	07	③	08	①	09	⑤	10	②
11	③	12	③	13	②	14	⑤	15	④

01

| 정답 | ⑤

| 해설 | 6명의 사원 중 나란히 앉는 두 명의 직원을 하나로 묶어서 생각하면 5명을 원탁에 앉히는 모든 경우의 수를 구하는 것과 같으므로 $\frac{5!}{5}=4!=4\times3\times2\times1=24$(가지)이다. 이때 나란히 앉는 두 명이 서로 자리를 바꿀 수 있으므로 모든 경우의 수는 $24\times2=48$(가지)이 된다.

02

| 정답 | ④

| 해설 | 8개 구단의 토너먼트전으로 진행되는 하나의 토너먼트는 7경기로 구성된다. 따라서 포스트시즌은 두 개의 토너먼트에서 진행되는 $7\times2=14$(경기)와 최종 결승전인 월드 시리즈까지 총 15경기로 진행된다.

03

| 정답 | ②

| 해설 | 2번 라인은 $5,000\times1.1=5,500$(개), 3번 라인은 $5,500-500=5,000$(개)의 제품을 하루 동안 생산한다. 각 라인의 불량률을 곱하여 불량품의 개수를 계산하면 1번 라인부터 각각 $5,000\times\frac{0.8}{100}=40$(개), $5,500\times\frac{1}{100}=55$(개), $5,000\times\frac{0.5}{100}=25$(개)이다.

따라서 하루 생산량에 대한 불량률은

$\frac{40+55+25}{5,000+5,500+5,000}\times100 \fallingdotseq 0.77(\%)$이다.

04

| 정답 | ③

| 해설 | 20, 30, 45의 최소공배수는 180이므로 180분 동안 A, B, C가 심는 나무의 수를 구한다.

A가 심는 나무 수의 비율은 20 : 3=180 : 27

B가 심는 나무 수의 비율은 30 : 4=180 : 24

C가 심는 나무 수의 비율은 45 : 5=180 : 20

따라서 일정 시간 동안 A, B, C가 심는 나무 수의 비율은 27 : 24 : 20이다.

05

| 정답 | ③

| 해설 | 5%의 소금물은 xg, 10%의 소금물은 yg이라 할 때,

$x+y=500$ ······························ ㉠

$\frac{5}{100}x+\frac{10}{100}y=\frac{7}{100}\times500$

$5x+10y=3,500$ ······························ ㉡

㉠, ㉡을 연립하여 풀면,

$x=300$(g), $y=200$(g)

따라서 10%의 소금물 200g을 더하면 된다.

06

| 정답 | ④

| 해설 |

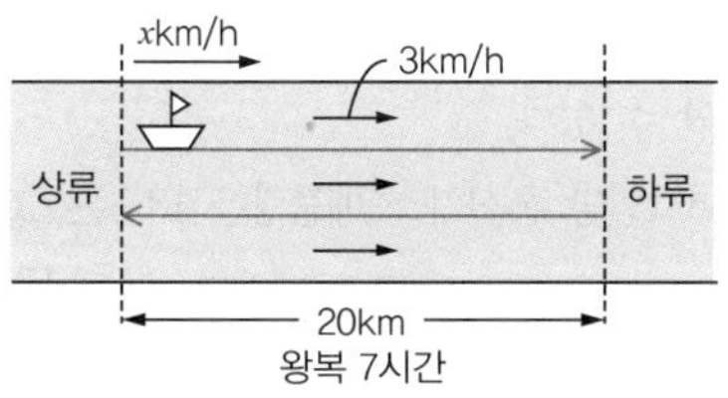

강물의 저항을 무시한 배의 속력을 $x$km/h라 하면, 하류 방향으로 가는 배의 속력은 $(x+3)$km/h, 상류 방향으로 되돌아가는 배의 속력은 $(x-3)$km/h가 된다. 배가 편도 20km인 강물을 왕복하는 데 7시간이 소요되므로 식은 다음과 같다.

$\frac{20}{x+3}+\frac{20}{x-3}=7$ $\frac{20x-60+20x+60}{x^2-9}=7$

$\frac{40x}{x^2-9}=7$

$40x=7(x^2-9)$

$7x^2-40x-63=0$

$(7x+9)(x-7)=0$

$\therefore\ x=-\frac{9}{7}$ or $x=7$

배의 속력은 음수가 될 수 없으므로 흐름이 없는 잔잔한 물에서 배의 속력은 7km/h이다.

07

| 정답 | ③

| 해설 | A 제품의 원가를 x원, 정가를 y원, 할인판매 가격을 z원이라 하면

$y=1.1x$ ······ ㉠

$z=y-2,000$ ······ ㉡

$z-x=1,000$ ······ ㉢

이 연립방정식을 계산하면 다음과 같다.

$z-1.1x=-2,000$ ······ ㉣

$0.1x=3,000$

$x=30,000$

따라서 A 제품의 원가는 30,000원이고, 할인판매 가격은 30,000+1,000=31,000(원)이다.

08

| 정답 | ①

| 해설 | 전년 동기 대비 비율을 확인하면 2021년 누적 매출액 순위는 B 건설이 A 건설보다 높다.

| 오답풀이 |

② 2022년 매출액 중 주택매출 비중은 D 건설이 $\frac{56,440}{89,520}\times100 \fallingdotseq 63(\%)$으로 가장 크다.

③ 전년 대비 매출은 줄었으나 영업이익이 증가한 곳은 B, D 건설로 두 곳이다.

④ 2021년 영업이익은 C 건설이 $6,772\div(1-0.144)\fallingdotseq$ 7,911(억 원)으로 가장 크다.

⑤ 2022년 영업이익률은 A 건설이 $\frac{8,429}{99,066}\times100\fallingdotseq 8.5(\%)$로 가장 크다.

09

| 정답 | ⑤

| 해설 | 20X0년과 20X1년 상품군 각각의 매출액 비중을 비교하여 살펴보면, 식품군의 변화폭이 5%p로 가장 크다는 것을 알 수 있다.

| 오답풀이 |

①, ③ 20X0년 기타군의 매출액은 $77\times\frac{3}{100}=2.31$(억 원), 20X1년 기타군의 매출액은 $94\times\frac{4}{100}=3.76$(억 원)으로 두 금액의 차이는 1.45(억 원)이다. 20X0년 가전의 매출액은 $77\times\frac{24}{100}=18.48$(억 원), 20X1년 가전의 매출액은 $94\times\frac{23}{100}=21.62$(억 원)으로 두 금액의 차이는 3.14(억 원)이다. 따라서 서로 같지 않다.

② 20X0년 여행과 의류의 매출액 합은 $77\times\frac{26+25}{100}=$ 39.27(억 원)이고 20X1년 여행과 의류의 매출액 합은 $94\times\frac{23+23}{100}=43.24$(억 원)이다.

④ 20X1년 매출액이 20X0년과 비교해서 세 번째로 크게 변화한 것은 2.37억 원의 차이가 나는 의류이다.

10

| 정답 | ②

| 해설 | 전체 혼합형 보육형태 중 '유치원+돌봄'의 비중은 2021년에는 $\frac{1,040}{30,595} \times 100 \fallingdotseq 3.4(\%)$, 2022년에는 $\frac{911}{23,617} \times 100 \fallingdotseq 3.8(\%)$로 2021년 대비 2022년에 증가하였다.

11

| 정답 | ③

| 해설 | 2019년의 전체 유선방송에서 중계유선방송이 차지하는 비율은 $\frac{216,573}{15,229,800} \times 100 \fallingdotseq 1.42(\%)$이다.

| 오답풀이 |

① 2021년 전년 대비 IPTV 가입자 수 증가율은 $\frac{2,578,122-2,373,911}{2,373,911} \times 100 \fallingdotseq 8.6(\%)$이다.

② 2020년의 아날로그방송 무료시청 가입자 수는 2019년에 비해 증가하였다.

④ 2019 ~ 2021년간 유료방송 전체 가입자 수의 평균은 $\frac{19,419,782+22,062,740+22,294,159}{3}$ $\fallingdotseq 21,258,894$(명)이므로 유료방송서비스의 전체 가입자 수는 중복 가입자가 포함된 수이기 때문에 이보다 더 적다.

⑤ 디지털 방송의 유료시청 가입자 수뿐만 아니라 디지털 방송의 무료시청 가입자 수도 증가하고 있다. 따라서 아날로그 방송의 유료시청 가입자 수가 감소하는 이유가 디지털 방송의 유료시청 가입자 수의 증가 때문이라고 단정지을 수 없다.

12

| 정답 | ③

| 해설 | 2005년 온실가스 총배출량 중 에너지 부문을 제외한 나머지 부문이 차지하는 비율은 $\frac{49.9+21.6+18.8}{500.9} \times 100 \fallingdotseq 18(\%)$이다.

| 오답풀이 |

① 온실가스 총배출량에서 에너지, 산업공장, 농업, 폐기물의 배출량을 보면 에너지의 배출량이 현저히 크다는 것을 알 수 있다.

② 2020년 1인당 온실가스 배출량은 13.5톤 CO_2eq/명으로, 1990년의 6.8톤 CO_2eq/명에 비해 $\frac{13.5}{6.8} \fallingdotseq 1.99$(배) 증가하였다.

④ 온실가스 총배출량은 계속해서 증가한 것을 확인할 수 있고, 2019년 온실가스 총배출량은 690.2로 1995년의 292.9에 비해 $\frac{690.2}{292.9} \fallingdotseq 2.4$(배) 증가하여 2배 이상 증가하였다.

⑤ GDP 대비 온실가스 배출량을 보면 계속 감소한 것을 볼 수 있는데, 이는 온실가스 배출량(분자에 해당)의 증가 속도보다 GDP(분모에 해당)의 증가 속도가 상대적으로 더 빠르기 때문이다.

13

| 정답 | ②

| 해설 | 연구 인력과 지원 인력의 평균연령 차이를 살펴보면 20X5년 1.7세, 20X6년 2세, 20X7년 4.9세, 20X8년 4.9세, 20X9년 5.7세이므로 20X7년과 20X8년의 차이가 같다. 따라서 전년 대비 계속 커진다고 볼 수 없다.

| 오답풀이 |

① 20X8년의 지원 인력 정원은 20명이고 현원은 21명이므로 충원율은 $\frac{21}{20} \times 100 = 105(\%)$로 100%를 넘는다.

③ 매년 지원 인력은 늘어나지만 박사학위 소지자 수는 동일하므로 그 비율은 줄어든다.

④ 20X6년 이후 지원 인력의 평균 연봉 지급액은 20X9년까지 계속 연구 인력보다 적었다.

⑤ $\frac{120-95}{95} \times 100 \fallingdotseq 26.3(\%)$로 정원 증가율은 26%를 초과한다.

14

| 정답 | ⑤

| 해설 | 2022년 11월 일본어선과 중국어선의 한국 EEZ 내 어획량 합은 2,176+9,445=11,621(톤)으로, 같은 기간 중국 EEZ와 일본 EEZ 내 한국어선 어획량 합인 64+500=564(톤)의 약 20.6배이다.

| 오답풀이 |

① 2022년 12월 중국 EEZ 내 한국어선 조업일수는 1,122일로, 전월인 2022년 11월 중국 EEZ 내 한국어선 조업일수인 789일에 비해 증가하였다.

② 2022년 11월 한국어선의 일본 EEZ 입어척수는 242척이지만, 전년 동월인 2021년 11월 한국어선의 일본 EEZ 입어척수는 제시되지 않았으므로 알 수 없다.

③ 2022년 12월 일본 EEZ 내 한국어선의 조업일수는 3,236일이며, 같은 기간 중국 EEZ 내 한국어선의 조업일수는 1,122일로 3배 미만이다.

④ 2022년 12월 일본어선의 한국 EEZ 내 입어척수당 조업일수는 277÷57≒4.9일로 전년 동월인 2021년 12월 일본어선의 한국 EEZ 내 입어척수당 조업일수인 166÷30≒5.5(일)에 비해 감소하였다.

15

| 정답 | ④

| 해설 | 전체 조사대상자 중 국민연금으로 노후 준비를 하는 인원의 비율을 묻고 있으므로 65.4×0.53≒34.7(%)가 들어가야 한다. 〈20X6년 노후 준비 방법〉의 국민연금 비율인 53%는 노후를 준비하고 있는 사람들 중에서 차지하는 비율임에 주의해야 한다.

3회 분석력

문제 113쪽

01	④	02	①	03	④	04	⑤	05	①
06	④	07	④	08	③	09	④	10	②
11	③	12	④	13	③	14	③	15	②

01

| 정답 | ④

| 해설 | '질투하는 마음이 많으면 이웃과 사이가 나빠진다'가 결론이므로 두 번째 전제의 가정과 첫 번째 전제의 결론을 연결할 수 있는 전제 '정서가 불안하면 은둔 생활을 지속한다'가 있어야 한다. 명제가 참이면 대우 명제도 참이므로 '은둔 생활을 지속하지 않으면 정서가 불안하지 않다'도 참이므로 둘 중 하나의 명제가 세 번째 전제가 되어야 한다.

02

| 정답 | ①

| 해설 | C의 진술에 따라 C는 독일어, 일본어, 중국어를 구사할 수 있으며, A와 D의 진술에 따라 A, D는 스페인어를 구사할 수 있다. 다음으로 B의 진술에 따라 B는 일본어, 중국어를 구사할 수 있다. 마지막으로 E의 진술에 따라 E는 B와 비교했을 때 C만 구사할 수 있는 언어를 구사할 수 있다고 하였으므로 E는 독일어만 구사할 수 있음을 알 수 있다. 이를 정리하면 다음과 같다.

구분	A	B	C	D	E
구사 가능한 언어	스페인어	일본어, 중국어	독일어, 일본어, 중국어	스페인어	독일어

03

| 정답 | ④

| 해설 | 정을 기준으로 학생일 경우와 회사원일 경우를 나누어 생각하면 다음과 같다.

i) 정이 회사원이고 거짓말을 하는 경우

정의 발언을 통해 병은 학생이 된다. 병의 발언은 사실이므로 갑은 학생이다. 갑의 발언은 사실이므로 정도 학생이 되어, 가정에 모순된다.

	갑	을	병	정
회사원				○
학생	○		○	○

따라서 정은 학생이고 사실을 말하고 있음을 알 수 있다.

ii) 정이 학생이고 사실을 말하는 경우

정의 발언을 통해 병은 회사원이 된다. 병의 발언은 거짓이므로 갑도 회사원이 된다. 갑의 발언은 갑 자신이 회사원이므로 거짓이 되고, 모순되지 않는다. 남은 을은 학생이고 사실을 말하고 있다. 따라서 을의 발언에 모순은 없다.

	갑	을	병	정
회사원	○		○	
학생		○		○

따라서 학생은 을, 정이다.

04

| 정답 | ⑤

| 해설 | 제시된 명제와 각각의 대우를 정리하면 다음과 같다.

장갑 ○ → 운동화 ×		운동화 ○ → 장갑 ×
양말 ○ → 운동화 ○	대우	운동화 × → 양말 ×
운동화 ○ → 모자 ○	⇔	모자 × → 운동화 ×
장갑 × → 목도리 ×		목도리 ○ → 장갑 ○

(가) 첫 번째 명제에서 장갑을 낀 사람은 운동화를 신지 않고, 두 번째 명제의 대우에서 운동화를 신지 않은 사람은 양말을 신지 않는다고 하였으므로 '장갑을 낀 사람은 양말을 신지 않는다'는 참이 된다.

(다) 두 번째 명제에서 양말을 신은 사람은 운동화를 신었고, 첫 번째 명제의 대우에서 운동화를 신은 사람은 장갑을 끼지 않았으며, 네 번째 명제에서 장갑을 끼지 않은 사람은 목도리를 하지 않았다고 하였으므로, '양말을 신은 사람은 목도리를 하지 않는다'는 참이 된다.

따라서 (가), (다)는 항상 옳다.

| 오답풀이 |

(나) 마지막 명제에서 수민이는 목도리를 하고 있고, 네 번째 명제의 대우에서 목도리를 한 사람은 장갑을 꼈으며, 첫 번째 명제에서 장갑을 낀 사람은 운동화를 신지 않는다고 하였으므로 '수민이는 운동화를 신고 있다'는 거짓이 된다.

05

| 정답 | ①

| 해설 | '지금 출전하는 선수는 공격수이다'라는 명제와 '공격수는 골을 많이 넣는다'라는 명제가 둘 다 참이므로, 삼단논법에 의해 '지금 출전하는 선수는 골을 많이 넣는다'라는 명제도 반드시 참이 된다.

| 오답풀이 |

②, ③, ④, ⑤ 제시된 명제들로는 참과 거짓을 판별할 수 없다.

06

| 정답 | ④

| 해설 | C는 5층(ⓛ), E는 2층(ⓔ)을 사용한다. D는 A보다 높은 층을 사용하고(ⓛ) A와 E가 사용하는 층 사이에 B가 사용하는 층이 있으며(ㄱ) A의 아래 또는 위층은 누구도 사용하지 않으므로(ⓒ) A, B, D는 1층을 사용할 수 없다. 따라서 1층을 사용할 수 있는 사람은 F뿐이다.

8층	
7층	
6층	
5층	C
4층	
3층	
2층	E
1층	F

A와 E가 사용하는 층 사이에 B가 사용하는 층이 있어야 하고(㉠) 3층과 4층 중 하나는 사용하지 않으므로(㉣) A는 3, 4층을 사용할 수 없다. 따라서 A는 6층이나 7층을 사용할 수 있다.

i) A가 6층인 경우 : ㉢에 따라 7층은 사용하지 않고 D는 8층을, B는 3층 또는 4층을 사용하게 된다.

ii) A가 7층인 경우 : ㉢에 따라 6층은 사용하지 않고 D는 8층을, B는 3층 또는 4층을 사용하게 된다.

8층	D
7층	A 또는 비어 있음.
6층	A 또는 비어 있음.
5층	C
4층	B 또는 비어 있음.
3층	B 또는 비어 있음.
2층	E
1층	F

따라서 항상 옳은 것은 ④이다.

| 오답풀이 |

① A는 6층 또는 7층을 사용한다.

② B는 3층 또는 4층을 사용한다.

③ F는 1층, E는 2층을 사용하므로 E가 더 높다.

⑤ 3층과 4층 중 비어있는 층은 알 수 없다.

07

| 정답 | ④

| 해설 | 5일에 걸쳐 2명씩 당직을 선다면 모두 2번씩 당직을 선다. D는 수요일 이후로 당직을 서지 않으므로(세 번째 조건) 월요일과 화요일에 당직을 선다. 또, A와 E는 D와 한 번씩 당직을 서므로(네 번째 조건) 각각 월요일 또는 화요일에 당직을 한 번씩 선다. 조건에 따라서 당직 근무자를 배정하면 아래와 같다.

요일	월	화	수	목	금
당직 근무자	D	D	A	B	B
	A 또는 E	A 또는 E	C	C	E

따라서 반드시 참인 것은 ④이다.

08

| 정답 | ③

| 해설 | 첫 번째 명제와 두 번째 명제의 대우는 '사람을 사귀는 것이 쉬운 사람은 성격이 외향적이다'와 '말하는 것을 좋아하는 사람은 외국어를 쉽게 배운다'이다. 두 번째 명제의 '말하는 것을 좋아하는 사람'의 자리에 '외향적인 성격'이 들어가면 '외향적인 성격은 외국어를 쉽게 배운다'가 성립하는데 이를 위해서는 '외향적인 성격은 말하는 것을 좋아한다'라는 명제가 필요하다.

09

| 정답 | ④

| 해설 | 〈정보〉를 참고하여 〈보기〉의 내용을 표로 나타내면 다음과 같다.

구분	A	B	결과
가	7번 이기고 3번 짐 (7×3)−(3×1) =18	3번 이기고 7번 짐 (3×3)−(7×1) =2	A가 B보다 16계단 위에 있다. (18−2=16)
나	4번 이기고 6번 짐 (4×3)−(6×1) =6	6번 이기고 4번 짐 (6×3)−(4×1) =14	B가 A보다 8계단 위에 있다. (14−6=8)
다	10번 모두 짐 (0×3)−(10×1) =−10	10번 모두 이김 (10×3)−(0×1) =30	10번째 계단에서 게임을 시작했으므로 B는 40번째 계단에 올라가 있을 것이다.

따라서 항상 옳은 것은 가와 나이다.

10

| 정답 | ②

| 해설 | 세 번째 조건에서 정 사원은 맞은편에 빨간색 우산을 쓴 직원만 보인다고 하였으므로 정 사원의 맞은편에는 한 명의 직원이 있고, 정 사원은 다른 두 직원과 함께 있다는 것을 알 수 있다. 그리고 두 번째 조건에서 이 대리는 맞은편에 여러 명이 보인다고 하였으므로, 정 사원 맞은편에 있는 직원은 이 대리이며 빨간색 우산을 썼다는 것도 알 수 있다. 네 번째 조건에서 이 대리가 볼 때 송 차장이 검은색 우산을 쓴 직원의 왼편에 있으므로 송 차장은 검은색 우

산의 오른편에 있고, 검은색 우산은 정 사원, 파란색 우산은 송 차장이 쓴 것이 된다. 즉, 이 대리의 맞은편에는 노란색 우산을 쓴 김 과장, 검은색 우산을 쓴 정 사원, 파란색 우산을 쓴 송 차장이 나란히 서 있다.

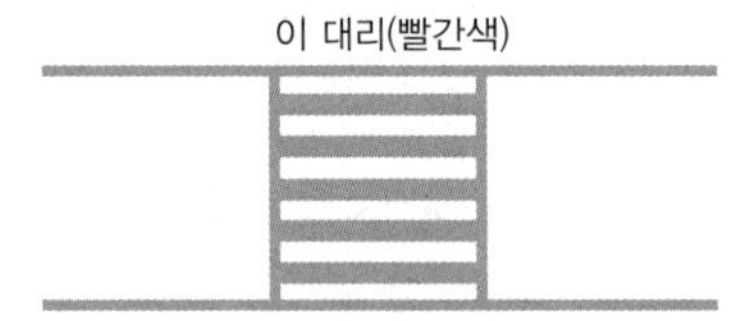

따라서 김 과장과 정 사원은 나란히 서 있다.

11

| 정답 | ③

| 해설 | 분할인출 가능 횟수는 계좌당 해지를 포함하여 3회이나, 총 15회 한도로 규정되어 있으므로 7개 계좌를 매 계좌당 3회 분할인출할 수는 없다.

| 오답풀이 |

① 직장인우대종합통장, 명품여성종합통장 가입자에 한하여 연 0.3%p 우대금리가 적용된다.

② 신규적립을 제외하면 건별 10만 원 이상 29회까지 가능하므로 10×29=290(만 원)이 된다.

④ 계좌별 3회(해지 포함) 이내에서 총 15회 한도, 가입일로부터 1개월 이상 경과, 인출 후 잔액 100만 원 등의 제한 사항이 있다.

⑤ 관련 세법 개정 시 세율이 변경되거나 세금이 부과될 수 있고 계약기간 만료일 이후의 이자는 과세된다.

12

| 정답 | ④

| 해설 | 기본이율은 3.8%이며, 계약기간 12개월에 경과월수는 10개월이 된다. '기본이율×50%×경과월수÷계약월수' 산식에 대입하여 계산하면 3.8×0.5×10÷12=1.58(%)가 된다.

13

| 정답 | ③

| 해설 | 본사에서 물류창고 1과 2를 순서대로 거쳐 본사로 복귀하는 최단 이동경로는 다음과 같다.

본사→가맹점 E→가맹점 G→물류창고 1→가맹점 A→물류창고 2→가맹점 B→본사

따라서 총 이동시간은 (5+5+10)+15+5+25+5+10+(5+5)=90(분), 즉 1시간 30분이다.

14

| 정답 | ③

| 해설 | 각 가맹점별로 두 물류창고와의 최소 이동시간을 구하면 다음과 같다.

(단위 : 분)

가맹점	A	B	C	D	E	F	G	H
물류창고 1	25	35	45	35	20	15	5	5
물류창고 2	5	10	20	25	30	45	35	35

따라서 물류창고 1과 연결되는 가맹점은 E, F, G, H로 4개, 물류창고 2와 연결되는 가맹점은 A, B, C, D로 4개이다.

15

| 정답 | ②

| 해설 | 본사에서 가맹점 D로 이동하는 것을 시작으로 시계방향으로 진행한다고 할 때 이동시간이 최소로 소요되며 이동경로는 다음과 같다.

본사 → 가맹점 D → 가맹점 E → 가맹점 G → 가맹점 F → 물류창고 1 → 가맹점 H → 가맹점 A → 물류창고 2 → 가맹점 B → 가맹점 C → 본사

따라서 총 이동시간은 (5+5+5)+(5+10)+15+10+(10+5)+5+(5+25)+5+10+10+(10+5+5)=150(분)이므로, 오전 9시에 본사에 출발해서 다시 복귀하는 시각은 2시간 30분 뒤인 11시 30분이다.

3회 지각력

문제 122쪽

01	②	02	⑤	03	②	04	②	05	②
06	③	07	⑤	08	④	09	④	10	①
11	④	12	③	13	①	14	③	15	②

01

| 정답 | ②

| 해설 |

맙 뭅 맽 맥 멤 며 뫕 맞 멥 뮾 몊 멤 먑 먼 멸 망 맵 몹 밉 **몁**

멭 맵 밈 맨 맢 믑 뗑 멥 **몁** 멉 맥 멒 멎 몇 면 멷 맵 맶 몔 맵

몁 멱 멕 몰 몊 몇 멱 맵 맶 멭 뮬 맙 믐 먹 **몁** 멸 맬 멀 맹 맶

02

| 정답 | ⑤

| 해설 |

Ⅱ Ⅵ Ⅺ **Ⅸ** Ⅶ Ⅲ Ⅵ Ⅻ Ⅹ Ⅶ Ⅳ Ⅰ Ⅶ Ⅴ Ⅲ Ⅱ Ⅴ Ⅺ Ⅵ Ⅲ

Ⅸ Ⅶ Ⅴ Ⅵ Ⅲ Ⅰ Ⅺ **Ⅸ** Ⅻ Ⅵ Ⅲ Ⅴ Ⅷ Ⅺ Ⅱ Ⅻ Ⅹ Ⅲ Ⅳ **Ⅸ**

Ⅶ Ⅻ Ⅶ Ⅱ Ⅷ Ⅹ Ⅵ Ⅶ Ⅳ **Ⅸ** Ⅴ Ⅷ Ⅶ Ⅲ Ⅹ Ⅰ **Ⅸ** Ⅺ Ⅳ Ⅻ

03

| 정답 | ②

| 해설 |

♤◐◉△☆◎♧▷◁♡◎★♣▨■▩▤※◎◇♥▣♧**♤**▦◐◈□≒▤◐▣∀▩∈∽

♣▨▲※■∑£△**♤**◆◉∋Å∬~◁℉¢¿◑♨¢∑☎∵◇▽≡⇔○℉‰▩♨♠¥§

04

| 정답 | ②

| 해설 |

F**KF**PGKDHMFBGMRIWJHSHVJDTP

POEJFF**KF**DLSITUVNDFKDMVNPK

DKJFJROTYQXZMNBLFOGJDOTWO

05

| 정답 | ②

| 해설 |

파차 타자 아가 사하 바자 나바 카라 **하라** 사아 가파 차다 자아 나가 사하 파아 나나 가자 카나 바라 아아 차나 아가 사차 자아 바나 가나 라하 파차 타아 가다 나타 **하라** 바나

06

| 정답 | ③

| 해설 |

545 258 844 169 847 561 432 184 864 730

158 132 564 583 454 235 **655** 445 256 397

542 341 889 **478** 468 897 899 **156** 651 138

498 784 184 279 920 384 713 **398** 520 473

07

| 정답 | ⑤

| 해설 |

⠄ **⠕** ⠠ ⡚ ⠸ ⠵ ⡅ **⡃** ⠖ ⠻ ⠶

⡪ ⡦ ⡄ ⡂ ⠧ ⠺ ⠵ ⡘ ⢃ **⠲** ⡖

⢁ ⢨ ⡳ ⠥ **⠐** ⠀ ⠼ ⡙ ⡖ ⠴ ⡖

08

| 정답 | ④

| 해설 |

╡ **╢** ╖ ╕ ╣ ║ ╨ ╤ ╥ **╙** **╘** ╒ ╓ ╫
║ ╝ ╜ ╛ ╞ ╟ ╝ ╜ ╛ ╞ ╟ ╚ ╔ ╘
╒ ╓ ╫ **╠** ═ ╬ ╧ ╚ ╔ ╠ ═ ╬ ╡ ╢
╖ ╕ ╣ ╧ ╨ ╤ ╥ ╙ ╞ ╟ ╝ ╣ ║ ╨

09

| 정답 | ④

| 해설 |

伽 儺 多 喇 摩 乍 亞 仔 且 他 坡 下
佳 娜 茶 懶 瑪 事 俄 刺 **侘** 咤 婆 何
假 懦 癩 痲 些 兒 **沓** 借 唾 巴 厦 亞
仔 且 他 瑪 事 俄 娜 茶 懶 瑪 些 兒

10

| 정답 | ①

| 해설 |

gho xuh vie **zim** oer znb ydv nbd ons etr bhz oey iyq
hbu mxe gfz eht vcx jfs edp guy sgf **mte** uwo wgf ryv
cjs wru bmn **fuh** bzo ytg plw gie one tbq pbg acu ghf
auf egl rwi uds lkf blk dhr **wqa** eoi hrl uga ski rhe

11

| 정답 | ④

| 해설 | 첫 번째 문단 3번째 줄 : 구**재**되지 → 구**제**되지

두 번째 문단 3번째 줄 : 합**이**를 했을 때 → 합**의**를 했을 때

두 번째 문단 7번째 줄 : 자국법**율**을 통해 → 자국법**률**을 통해

세 번째 문단 4번째 줄 : 이로**서** → 이로**써**

12

| 정답 | ③

| 해설 | 다양한 세대론을 규정짓는 신조어는 대부분 언론에 의해 만들어졌다. 신조어가 언론에서 지속적으로 생겨나는 이유에 대해 문화평론가인 경희대학교 영미문화전공 이택광 교수는 **20**대를 상대화함으로써 기성세대가 자기 세대의 정체성을 더욱 선명하게 부각시킬 수 있기 때문이라고 주장했다. 이어서 '우리 때는 이러지 않았다'는 식으로 발화함으로써 도덕적 우위를 점할 수 있는 이점이 있기 때문이라고 말했다. 또한 **20**대를 특징짓는 시도를 '**20**대에 대한 이데올로기적 포섭 전략'으로 보고 자신의 규정에 해당되지 못하는 **20**대를 정상적 범주가 아닌 것으로 생각하게 만드는 역할을 하기도 한다고 밝혔다.

20대 세대론이 지속되는 이유를 '언론의 정치적 필요'로 보는 시각도 있다. 즉, 언론사의 세대론이 **20**대에 대해 자기들끼리 갑론을박한 다음 마지못해 그들의 가치관을 들어주는 척하는 것과 비슷하다는 것이다. 다른 관점으로는 세태를 규정하는 일을 맡아야 하는 것이 언론의 숙명이라고 보는 견해도 있다. 즉, 언론에서는 새로운 세대의 모습을 짚어내려는 노력이 필요하다는 것이다.

13

| 정답 | ①

| 해설 | 알파벳 순서대로 번호를 매기면 다음과 같다.

A	B	C	D	E	F	G	H	I	J	K	L	M
1	2	3	4	**5**	6	7	8	9	10	**11**	12	13
N	O	P	Q	R	S	T	U	V	W	X	Y	Z
14	**15**	16	17	**18**	19	20	21	22	23	24	25	26

이를 통해 [K－O－R－E－A]가 [11－15－18－5－1]로 암호화되는 것을 알 수 있으므로 [S－E－O－U－L]은

S	E	O	U	L
↓	↓	↓	↓	↓
19	5	15	21	12

[19－5－15－21－12]이 된다.

14

| 정답 | ③

| 해설 | 문자, 숫자 등의 혼합 사용이나 자릿수 등 쉽게 이해할 수 있는 부분이 없는 경우로 적절한 패스워드로 볼 수 있다.

| 오답풀이 |

① 키보드상에서 연속한 위치에 있는 문자를 사용했으므로 부적절한 패스워드이다.

② 'Password'와 같이 사전적인 단어로 구성된 부적절한 패스워드이다.

④ 사전적 단어 'number'를 거꾸로 타이핑했으므로 부적절한 패스워드이다.

⑤ 문자 조합에 관계없이 7자리 이하의 패스워드는 회피해야 하므로 적절하지 않다.

15

| 정답 | ②

| 해설 | 문자, 숫자 등의 혼합 사용이나 자릿수 등 쉽게 이해할 수 있는 부분이 없는 경우로 적절한 패스워드로 볼 수 있다.

| 오답풀이 |

① 문자 조합에 관계없이 7자리 이하의 패스워드는 회피해야 하므로 적절하지 않다.

③ 사전적 단어 'university'를 거꾸로 타이핑한 부적절한 패스워드이다.

④ 'ncs', 'cookie' 등의 특정 명칭으로 구성된 부적절한 패스워드이다.

⑤ 키보드상에서 연속한 위치에 있는 문자를 사용했으므로 부적절한 패스워드이다.

4회 언어력

문제 130쪽

01	④	02	③	03	⑤	04	①	05	③
06	③	07	①	08	⑤	09	⑤	10	④
11	②	12	③	13	⑤	14	⑤	15	②

01

| 정답 | ④

| 해설 | 마지막 문단에서 화이트박스 암호도 변조 행위나 역공학에 의한 공격을 받는다면 노출될 가능성이 있다고 명시하고 있다.

02

| 정답 | ③

| 해설 | 제시된 문장에서 쓰인 '따른'은 어떠한 결과가 나타나게 된 원인을 가리키는 말로 개발로 인하여 공해 문제가 심각해졌음을 알 수 있다. 따라서 선택지 중에서 어떠한 현상이나 결과의 원인을 가리키는 의미를 가진 것을 고른다. ③의 '따라'도 마찬가지로 증시가 회복되는 것이 원인이 되어 경제가 서서히 회복될 것으로 보인다는 뜻으로 제시된 문장과 유사한 의미로 쓰였다.

| 오답풀이 |

①, ② 어떤 경우, 사실이나 기준 따위에 의거하다.

④ 앞선 것을 좇아 같은 수준에 이르다.

⑤ 다른 사람이나 동물의 뒤에서 그가 가는 대로 같이 가다.

03

| 정답 | ⑤

| 해설 | 제시된 문장의 '손'은 어떤 일을 하는 데 드는 사람의 힘이나 노력, 기술을 의미한다. ⑤의 '손'도 마찬가지로 마을 사람들의 힘이나 노력, 기술을 의미하므로 제시된 문장의 '손'과 같은 의미로 쓰였다.

| 오답풀이 |

① 손을 떼다 : 하던 일을 중도에 그만두다.

② 손 : 어떤 사람의 영향력이나 권한이 미치는 범위
③ 손에 익다 : 능숙해져서 의욕과 능률이 오르다.
④ 손을 내밀다 : 친해지기 위해 나서다.

04

| 정답 | ①

| 해설 | 제시된 문장의 '씻은'은 아주 깨끗하게라는 뜻으로 지금 하는 모든 걱정들이 전부 사라질 것이라는 의미이다. ②에서도 한동안의 부진함이 아주 깨끗하게 사라진다는 뜻으로 제시된 문장의 '씻은'과 같은 의미로 쓰였다.

| 오답풀이 |

② 물이나 휴지 따위로 때나 더러운 것은 없게 하다.
③, ④ 부정적인 일이나 찜찜한 일에 대하여 관계를 청산하다.
⑤ 이익 따위를 혼자 차지하거나 가로채고서는 시치미를 떼다.

05

| 정답 | ③

| 해설 | '2. 제안 스펙 및 예정 수량'을 보면 통장프린터 기기사양으로 고항자력을 지원할 것을 요구하고 있다. 고항자력은 일반통장보다 자성이 강한 자화테이프가 부착된 통장으로 생활자석(핸드백, 지갑 등에 부착된 자석)에 의해 자화테이프가 쉽게 손상되지 않는 것을 의미한다. 따라서 자력 물질을 전혀 사용하지 않은 통장프린터를 원한다고 볼 수 없다.

06

| 정답 | ③

| 해설 | F 중소기업은 우수한 납품 실적을 갖추고 있으나 I 은행에서 기기사양으로 원하는 외국어를 지원하지 않으므로 자격 조건에 맞지 않는다.

| 오답풀이 |

④ 경쟁 업체에 납품 실적이 있는 것이 제한 사항이 된다는 규정은 없으므로 적격한 업체이다.

07

| 정답 | ①

| 해설 | '시험 안내' 항목에서 면접시험의 평정요소로 의사표현능력과 성실성, 창의력 및 발전가능성의 세 가지가 제시되어 있으나, 각 평정요소별 가중치에 대한 내용은 제시되어 있지 않다.

| 오답풀이 |

② '당일 제출서류' 항목에서 면접 당일 원서접수 시 작성하였던 경력 전부에 대한 증빙자료를 시험장 이동 전 담당자에게 제출해야 한다고 제시되어 있다.
③ '당일 제출서류' 항목에서 원서접수 시 작성하였던 경력 중 폐업회사가 있는 경우 폐업자 정보 사실증명서를 제출해야 한다고 제시되어 있다.
④ '유의사항' 항목에서 면접대기실 및 시험장에 입실하기 위해 필요한 출입증을 발급받기 위해서는 신분증이 필요하다고 제시되어 있다.
⑤ '유의사항' 항목에서 시험장으로 이동하기 전 면접대기실에서 담당자에게 출석을 확인한다고 제시되어 있다.

08

| 정답 | ⑤

| 해설 | '최종 합격자 발표' 항목에서 합격자 명단은 개별 통지 없이 ○○부 홈페이지에 게재된다고 제시되어 있으므로 최종 합격자는 ○○부 홈페이지에서 확인할 수 있음을 알 수 있다.

| 오답풀이 |

① '장소' 항목에서 면접은 ○○부 □□건물이 아닌 △△건물 로비에서 진행된다고 제시되어 있다.
② '당일 제출서류' 항목에서 경력에 대한 증빙자료는 시험장으로 이동하기 전 담당자에게 제출해야 한다고 제시되어 있다.
③ '당일 제출서류' 항목에서 소득금액증명서는 세무서 이외에 무인민원발급기 혹은 인터넷에서도 발급받을 수 있다고 제시되어 있다.
④ '시험 안내' 항목에서 총 세 가지 평정요소에 대해 상·중·하로 평가한다고 제시되어 있다.

09

| 정답 | ⑤

| 해설 | 각 문단의 주제어를 찾아보면 다음과 같으며, 주제어는 각 상품의 특징을 의미한다.

(가) 수출 · 기술 강소 500개 기업 선정, 자금 지원 → 글로벌 경쟁력 갖춘 기업을 위한 상품 개발(IV)

(나) 민간분양 산업단지 입주기업 지원 → 설비투자 활성화를 위한 상품 개발(III)

(다) 창업지원사업 → 창업기업 지원상품 개발(II)

(라) 심각한 청년실업 문제, 일자리 창출, 재창업 희망 중소기업 지원 → 중소기업 일자리 창출 등 사회적 이슈 해결을 위한 상품 개발(I)

따라서 단락을 재배열하면 (라) – (다) – (나) – (가)이다.

10

| 정답 | ④

| 해설 | ①, ②, ③, ⑤는 모두 이미 개발되어 그 효과와 사회에 기여한 바를 설명하고 있으나 (나)에서 산업단지별 분양자금 대출은 아직 예정 상태에 있는 대출 상품임을 확인할 수 있다.

11

| 정답 | ②

| 해설 | 가이드에 따라 시행 주체, 핵심 내용을 포함하였고 불필요한 수식어나 모호한 표현은 사용하지 않았다.

| 오답풀이 |

① 마지막 문단에서 여러 은행들의 '지점 다이어트'가 계속되고 있지만 △△은행은 일반 지점 영업의 효율성을 끌어올릴 계획이라고 하였으므로 옳지 않다.

③ 마지막 문단에서 디지털 금융, 즉 온라인 서비스는 물론 일반 오프라인 지점 영업의 효율성을 끌어올려 고객을 잡겠다는 전략을 펼칠 계획이라고 하였으므로 옳지 않다.

④ 디지털 창구 도입은 고객과 직원 중심의 거래 편의성 제고를 목적으로 한다. 따라서 직원 편의만을 위한 것은 아니다.

⑤ 시행 주체가 포함되지 않았으며 모호하게 작성되었다.

12

| 정답 | ③

| 해설 | 세 번째 문단에서 서명 간소화 기능으로 인한 고객 편의성 향상, 서식 검색과 출력 등 불필요한 업무 감소, 관리비용 절감과 같은 긍정적 효과를 언급하고 있다.

| 오답풀이 |

① 마지막 문단에서 '△△은행은 디지털 금융은 물론 일반 지점 영업의 효율성을 끌어올려 고객을 잡겠다는 전략을 펼칠 계획'이라고 하였으므로 옳지 않다.

② 두 번째 문단에서 현재 50개점에서 시범 운영 중이라고 하였다.

④ 네 번째 문단에서 영업점 창구의 디지털 서비스 강화는 특히 스마트 기기에 익숙하지 않은 중 · 장년층 고객과 영업점 방문을 선호하는 고객에게 높은 수준의 대면 금융상담 서비스를 제공할 수 있다고 하였으며, 청년층에 대한 언급은 없다.

⑤ 세 번째 문단에서 디지털 창구를 통해 각종 서식을 만들거나 고객 장표를 보관하는 데 지출되는 관리비용도 절감할 수 있게 되었다고 언급하였으며, 지속적인 투자에 대한 언급은 없다.

13

| 정답 | ⑤

| 해설 | 주주들이 선호하는 고위험 · 고수익 사업은 저위험 · 저수익 사업에 비해 큰 수익과 큰 손실을 낼 가능성이 상대적으로 크고, 작은 수익과 작은 손실을 낼 가능성이 상대적으로 작다. 이런 사업을 선택할 경우, 결과적으로 회사의 자산 가치와 부채액 사이의 차이가 늘어날 가능성이 커진다. 주주는 부채를 상환하고 남은 회사의 자산에 대한 청구권자이고 유한책임을 지기 때문에 회사의 자산 가치가 부채액보다 클수록 이익이 커진다. 하지만 회사의 자산 가치가 부채액보다 작을 경우에 주주의 손실은 주식을 구입하기 위해 투자한 금액으로 한정되어 주주의 이익은 회사의 자산 가치가 부채액보다 얼마나 작은지와 무관하게 된다. 이러한 비대칭적 이익 구조 때문에 주주들은 회사의 자산 가치와 부채액 사이의 차이가 늘어날 가능성이 큰 고위험 고수익 사업을 선호하는 것이다.

14

| 정답 | ⑤

| 해설 | ㉣은 경제 주체들이 자산 가격의 상승과 같은 낙관적인 투자 상황이 지속될 것이라고 예상하여 채무를 늘림으로써 거품을 키우는 이상 과열 현상이 금융 위기의 현실적 조건을 강화한다고 이해한다. 따라서 이 시각은 저축대부조합이 대량 파산한 〈보기〉의 사례에서 자산 구입을 위해 차입을 늘린 투자자들이나 규제 완화를 틈타 고위험 채권에 투자한 저축대부조합, 규제 완화를 통해 민간 경제 주체들의 투자와 차입을 부추긴 정부 모두가 낙관적인 투자 상황이 지속될 것이라는 예상에 기초하여 이상 과열을 부추겼다고 비판할 것이라고 추론할 수 있다.

| 오답풀이 |

① ㉠은 은행이나 차입자의 상태에 대한 정확한 정보가 경제 주체들 사이에 제대로 공유되지 못해 예금 인출 쇄도 사태나 갑작스런 대출 회수 사태가 발생하는 것을 중시할 것이다.

② ㉡은 주식회사로 전환한 저축대부조합들이 과도한 위험을 추구하여 고위험 채권에 대한 투자를 늘린 점이나 이들이 고위험 채권에 투자할 수 있도록 규제를 완화한 정부의 행동에 주목할 것이다.

③ ㉢은 은행에 대한 지배력을 사적인 이익을 위해 행사한 대주주와 이사들의 행동이나 이들로 하여금 이런 행동을 선택하도록 부추긴 제도적 측면이나 정책에 주목할 것이다.

④ ㉢은 은행가들이 단기적 성과를 노리고 저축대부조합의 고위험 채권 투자를 감행했음에 주목할 것이다.

15

| 정답 | ②

| 해설 | ㉡ 두 번째 문단에서 WLTP가 NEDC보다 조건이 까다롭다고 하였으므로, 허용이 더 수월한 것은 NEDC이다.

㉣ 인증을 받지 못해도 한국은 2018년 9월까지, 유럽은 2019년까지 판매가 허용된다고 나와 있으므로 바로 판매가 중단된다는 추론은 적절하지 않다.

| 오답풀이 |

㉠ 마지막 문단에서 WLTP를 적용하는 국가는 한국과 유럽, 일본이며, 미국은 WLTP를 도입하지 않는다고 하고 있다. 이를 통해 각 나라마다 배기가스를 측정하는 방식이 다르다는 사실을 추론할 수 있다.

㉢ 첫 번째 문단에서 내연기관이 연료 속의 탄소를 연소시킨다고 하였고, 그로 인해 생성되는 기체가 배기가스라고 나와 있다. 또한 두 번째 문단에서 '배기가스 허용 기준은 질소산화물 배출량'이라고 하였으므로 배출되는 기체, 즉 배기가스에 질소산화물이 포함되어 있음을 추론할 수 있다.

4회 수리력

문제 143쪽

01	②	02	④	03	①	04	③	05	①
06	④	07	②	08	⑤	09	③	10	③
11	⑤	12	⑤	13	②	14	②	15	②

01

| 정답 | ②

| 해설 | 가격을 $x\%$ 인상한 후의 관람객 수는 12,000명에서

$\frac{x}{2}\%$, 즉 $\frac{x}{200}$가 감소하므로

$12,000 \times \left(1-\frac{x}{200}\right)=12,000-60x$ (명)이고

인상된 상영료는 $8,000 \times \left(1+\frac{x}{100}\right)=8,000+80x$ (원)

이다.

인상 후 1일 평균 상영료는

$12,000 \times 8,000+6,120,000=102,120,000$(원)이므로,

$(12,000-60x)(8,000+80x)=102,120,000$

$4,800x^2-480,000x+6,120,000=0$

$x^2-100x+1,275=0$

$\therefore\ x=15$ 또는 $x=85$

따라서 상영료를 15% 또는 85% 인상하면 된다.

02

| 정답 | ④

| 해설 | n명을 원형 탁자에 앉히는 경우의 수는 $(n-1)!$가지인데, 회의를 위해 모인 6명 중 A와 B가 서로 이웃하는 경우이므로 이 둘을 한 명으로 묶어서 5명의 자리를 배열해야 한다. 또한 서로 이웃한 A와 B 간의 순서가 2가지 존재하므로 모든 경우의 수는 $(5-1)!\times2=48$(가지)이다.

03

| 정답 | ①

| 해설 | 회사에서 카페까지의 거리를 xm라 하면 카페에서 거래처까지의 거리는 $(3,000-x)$m가 된다. 회사에서 카페까지의 이동 시간은 $\frac{x}{60}$분이고, 카페에서 거래처까지의 이동 시간은 $\frac{3,000-x}{80}$분인데, 거래처에 도착하기까지 총 걸린 시간이 40분이므로 $\frac{x}{60}+\frac{3,000-x}{80}=40$이다. 이를 풀면 다음과 같다.

$4x+3(3,000-x)=40\times240$

$4x-3x=9,600-9,000$

$x=600$

따라서 회사에서 카페까지의 거리는 600m이다.

04

| 정답 | ③

| 해설 | 두 기둥의 물에 잠긴 높이는 동일하므로 이를 기준으로 길이를 비교하면 수면 위로 올라오는 기둥 A의 $\frac{1}{5}$보다 기둥 B의 $\frac{1}{3}$이 더 길다. 따라서 기둥 A가 더 짧다는 것을 알 수 있다. 이를 그림으로 나타내면 다음과 같다.

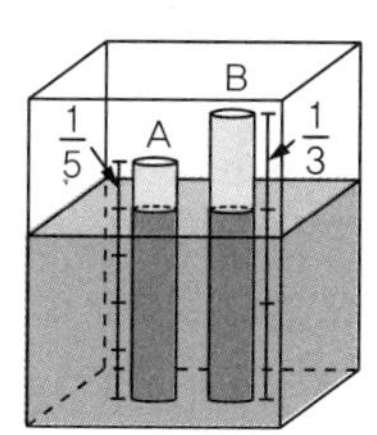

짧은 기둥 A의 길이를 $x$cm, 긴 기둥 B의 길이를 $(x+6)$cm라 하면,

$x\times\frac{4}{5}=(x+6)\times\frac{2}{3}$

$3\times4x=(x+6)\times10$

$12x=10x+60$

$x=30$

따라서 짧은 기둥의 길이는 30cm이다.

05

| 정답 | ①

| 해설 |
- 화요일에 눈이 올 경우 : 월요일에 눈이 내렸으므로 화요일에 눈이 올 확률은 $\frac{2}{5}$이며, 그다음 날인 수요일에도 눈이 내릴 확률은 $\frac{2}{5}\times\frac{2}{5}=\frac{4}{25}$이다.
- 화요일에 눈이 오지 않을 경우 : 화요일에 눈이 오지 않을 확률은 $1-\frac{2}{5}=\frac{3}{5}$이며, 그다음 날인 수요일에 눈이 내릴 확률은 $\frac{3}{5}\times\frac{1}{6}=\frac{1}{10}$이 된다. 따라서 수요일에 눈이 올 확률은 $\frac{4}{25}+\frac{1}{10}=\frac{13}{50}$이다.

06

| 정답 | ④

| 해설 | 작년 A 공장의 컴퓨터 생산량을 x대, B 공장의 컴퓨터 생산량을 y대라 하면 다음 두 식이 성립한다.

$x+y=2,500$ ······ ㉠

$0.1x : 0.2y=1:3\rightarrow y=1.5x$ ······ ㉡

㉡을 ㉠에 대입하여 계산하면

$x=1,000$(대), $y=1,500$(대)임을 알 수 있다.

따라서 작년 A 공장의 컴퓨터 생산량은 1,000대이므로 올해의 생산량은 $1,000\times\frac{110}{100}=1,100$(대)가 된다.

07

| 정답 | ②

| 해설 | 십의 자리의 수를 x, 일의 자리의 수를 y라 하면 다음과 같은 식이 나온다.

$x+y=7$ ……………………………… ㉠

$10y+x=2(10x+y)+2$ ……………………… ㉡

㉠, ㉡을 연립하여 풀면, $x=2$, $y=5$이다.

따라서 처음 수는 10×2+5=25이다.

08

| 정답 | ⑤

| 해설 | 20XX년 1월부터 7월까지 봉급생활자 가계수입전망지수는 89가 최저이지만 자영업자 가계수입전망지수는 67이 최저이므로 평균적으로 봉급생활자가 자영업자보다 가계수입전망을 더 긍정적으로 예측하는 경향을 보였다고 추론할 수 있다. 또한 봉급생활자 소비지출전망지수는 최저 92, 자영업자 소비지출전망지수는 최저 74이므로, 마찬가지로 봉급생활자가 자영업자보다 소비지출전망을 더 긍정적으로 예측하는 경향을 보였다고 추론할 수 있다.

09

| 정답 | ③

| 해설 | ㉠ 각 마을의 경지면적을 계산하면 다음과 같다.

- A 마을 : 244×6.61≒1,613(ha)
- C 마을 : 58×1.95≒113(ha)
- D 마을 : 23×2.61≒60(ha)
- E 마을 : 16×2.75=44(ha)

따라서 B 마을의 경지면적(1,183)은 D 마을과 E 마을의 경지면적의 합(60+44=104)보다 크다.

㉣ 각 마을의 젖소 1마리당 경지면적을 구하면 다음과 같다.

- D 마을 : $\frac{60}{12}=5$(ha)
- E 마을 : $\frac{44}{8}=5.5$(ha)

각 마을의 돼지 1마리당 경지면적을 구하면 다음과 같다.

- D 마을 : $\frac{60}{46}\fallingdotseq 1.30$(ha)
- E 마을 : $\frac{44}{20}=2.2$(ha)

따라서 D 마을이 E 마을보다 모두 좁다.

| 오답풀이 |

㉡ 가구당 주민 수는 주민 수를 가구 수로 나눈 값이다. 각 마을의 가구당 주민 수는 다음과 같다.

- A 마을 : 1,243÷244≒5.09(명)
- B 마을 : 572÷130=4.4(명)
- C 마을 : 248÷58≒4.28(명)
- D 마을 : 111÷23≒4.83(명)
- E 마을 : 60÷16=3.75(명)

가구당 주민 수가 가장 많은 마을은 A 마을(5.09)이며, A 마을의 가구당 돼지 수는 1.68마리이다. 그러나 가구당 돼지 수가 가장 많은 마을은 D 마을로 2.00마리이다.

㉢ A 마을의 젖소 수가 80% 감소한다면 90마리에서 72마리 줄어든 18마리가 된다. 따라서 전체 젖소의 수는 150마리에서 72마리 줄어든 78마리이므로 전체 돼지 수인 769마리의 $\frac{78}{769}\times 100\fallingdotseq 10.1$(%)로 10% 이상이다.

10

| 정답 | ③

| 해설 | 20X9년 상용근로 가구의 근로장려금이 당해 전체 지급액에서 차지하는 비율은 $\frac{3,248}{11,416}\times 100\fallingdotseq 28.5$(%)로, 30% 미만이다.

| 오답풀이 |

① 20X8년 근로장려금을 지원받은 기타 사업소득 가구는 전년 대비 $\frac{492-428}{428}\times 100\fallingdotseq 15.0$(%) 증가하였다.

② 근로장려금을 받는 일용근로 가구의 전년 대비 증가량은 20X8년 74천 가구, 20X9년 75천 가구로, 20X9년의 증가량이 더 많았다.

④ 20X9년에는 근로장려금을 지급받는 일용근로 가구가 509,000가구로 50만 가구를 상회하였다.

⑤ 조사 기간 중 20X8년부터 상용근로와 일용근로를 겸함

에도 불구하고 근로장려금을 받는 가구의 수는 매년 증가하고 있다.

11

| 정답 | ⑤

| 해설 | ㉤ 해외주식의 수익률은 1988 ~ 2016년은 평균 7.7%, 2014 ~ 2016년은 평균 8.6%, 2016년은 평균 10.6%인 것으로 보아, 과거에 비해 상승 추세에 있다고 할 수 있다. 그러나 국내주식에 대한 수익률은 1988 ~ 2016년에는 평균 5.7%, 2014 ~ 2016년에는 평균 0.7%, 2016년은 평균 5.6%로, 2014 ~ 2016년의 평균에 비해 2016년 수익률의 평균은 높지만 앞으로 더 높아질 것으로 전망하기는 어렵다.

12

| 정답 | ⑤

| 해설 | ㄷ. 해외 전 · 출입이 없다면 국내 전출인구는 국내 전입인구와 같으므로 전국의 순이동인구는 항상 0명이 된다.

ㄹ. 조사기간 동안 경상남도의 순이동인구는 매달 음수의 값을 가지므로 전출인구가 전입인구보다 많은 것을 알 수 있다.

ㅁ. 조사기간 동안 세종특별자치시의 순이동인구는 매달 양수의 값을 가지므로 전출인구가 전입인구보다 적은 것을 알 수 있다.

| 오답풀이 |

ㄱ, ㄴ. 제시된 자료를 통해서는 구체적인 전입인구와 전출인구를 알 수 없다.

13

| 정답 | ②

| 해설 | 2018년 이후 쿠웨이트로부터 수입한 석유의 양은 매년 증가하나, 국제 유가를 고려한 석유 수입 가격은 2019년에 오히려 감소하였다.

- 2018년 : 136.5×93.17=12,717.705(백만 달러)
- 2019년 : 141.9×48.66=6,904.854(백만 달러)
- 2020년 : 159.3×43.29=6,896.097(백만 달러)
- 2021년 : 160.4×50.8=8,148.32(백만 달러)

14

| 정답 | ②

| 해설 | ㉠ 20X7년 A사와 C사의 매출액 합계는 3,969+2,603=6,572(백만 달러)이고, 4대 이동통신업자 전체 매출액은 13,582백만 달러이므로 $\frac{6,572}{13,582}\times 100 ≒$ 48.4(%)로 전체 매출액의 50%를 넘지 않는다.

㉣ 20X8년의 전체 인구를 x명이라 하고 주어진 보급률 공식에 따라 식을 세우면 다음과 같다.

$$125.3(\%)=\frac{76,900,000}{x}\times 100$$

$$x ≒ 61,372,706$$

따라서 20X8년의 전체 인구는 대략 6천 1백만여 명임을 알 수 있다.

| 오답풀이 |

㉡ 4대 이동통신사업자의 매출액 순위는 20X6년과 20X7년에 A사>B사>D사>C사 순이었고, 20X8년은 B사>A사>D사>C사 순이었다. 따라서 20X8년 A사와 B사의 매출액 순위가 서로 바뀐 것 외에 나머지 순위는 변하지 않았음을 알 수 있다.

㉢ A사의 20X9년 10 ~ 12월 월평균 매출액이 1 ~ 9월의 월평균 매출액과 동일하다고 가정할 경우, 1 ~ 9월의 월평균 매출액은 2,709÷9=301(백만 달러)이므로, 10 ~ 12월 매출액은 301×3=903(백만 달러)가 된다. 따라서 A사의 20X9년 한 해의 전체 매출액은 2,709+903=3,612(백만 달러)이다.

15

| 정답 | ②

| 해설 | 20X5년 한국 섬유산업 수출액은 전년 대비 15,802−15,696=106(백만 달러) 감소하였다.

| 오답풀이 |

③ 20X8년 한국 섬유산업 수입액은 20X5년 대비 14,305−11,730=2,575(백만 달러) 증가했다.

④ 20X9년 이탈리아의 섬유 수출액은 33,400백만 달러로 한국 섬유 수출액인 13,607백만 달러의 약 2.45배이다. 따라서 한국의 섬유 수출액보다 약 145% 더 많다.

⑤ 20X6년 한국의 섬유 수출액은 16,072백만 달러로 20X9년 프랑스의 섬유 수출액 15,000백만 달러보다 더 많다.

4회 분석력

문제 153쪽

01	②	02	③	03	⑤	04	④	05	④
06	③	07	④	08	④	09	③	10	③
11	①	12	⑤	13	②	14	②	15	①

01

| 정답 | ②

| 해설 | B의 말이 거짓이므로 C는 검사가 아니다. A와 B 둘 중 한 명이 검사인데, 만약 A가 검사라면 A는 진실만 말한다는 문제의 조건과 검사는 거짓말을 한다는 A의 진술이 상충된다. 따라서 검사는 B이고, B가 변호사라고 한 C의 진술은 거짓이다.

판사	검사	변호사
A	B	C
C	B	A

| 오답풀이 |

③ 변호사가 A라면 진실을 말하고 있고 C라면 거짓을 말하고 있다.

④ 모든 경우의 수는 두 가지이다.

⑤ 판사가 A라면 진실을 말하고 있고 C라면 거짓을 말하고 있다.

02

| 정답 | ③

| 해설 | 명제가 참이면 대우도 참이라는 것과 삼단논법을 이용한다.

• 두 번째 명제 : 헤드폰을 쓴다. → 소리가 크게 들린다.

• 세 번째 명제의 대우 : 소리가 크게 들린다. → 안경을 쓰지 않는다.

따라서 '헤드폰을 쓰면 안경을 쓰지 않는다'는 항상 참이 된다.

| 오답풀이 |

① 세 번째 명제와 두 번째 명제의 대우를 통해 '안경을 쓰면 헤드폰을 쓰지 않는다'가 성립하므로 주어진 문장은 틀린 문장이다.

② 두 번째 명제의 역에 해당하므로 반드시 참이라고 할 수는 없다.

④ 첫 번째 명제의 역에 해당하므로 반드시 참이라고 할 수는 없다.

03

| 정답 | ⑤

| 해설 | 명제가 참이면 대우도 참이라는 것과 삼단논법을 이용한다.

• 세 번째 명제 : 음악을 좋아한다. → 창의력이 높다.

• 두 번째 명제 : 창의력이 높다. → 작곡을 잘한다.

따라서 '음악을 좋아하면 작곡을 잘한다'가 성립하므로 이 명제의 대우인 ⑤는 참이다.

| 오답풀이 |

① 제시된 명제가 성립하려면 첫 번째 명제를 이용하여 '창의력이 높으면 음악을 좋아한다'가 성립되어야 하는데, 이는 세 번째 명제의 역에 해당하므로 반드시 참이라고 할 수 없다.

② 세 번째 명제와 두 번째 명제를 통해 '음악을 좋아하면 작곡을 잘한다'가 성립한다. 그러나 ②는 명제의 역에 해당하므로 반드시 참이라고 할 수 없다.

③ 세 번째 명제의 역에 해당하므로 반드시 참이라고 할 수는 없다.

④ 세 번째 명제와 두 번째 명제를 통해 '음악을 좋아하면 작곡을 잘한다'가 성립한다. 그러나 ④는 명제의 이가 되므로 반드시 참이라고 할 수 없다.

04

| 정답 | ④

| 해설 | A, B, E는 서로 상반된 진술을 하고 있으므로 적어도 셋 중 두 명은 거짓을 말한다. 따라서 C와 D는 진실을 말하고 있다. D의 말이 진실이므로 A의 말 또한 진실이 된다. 따라서 거짓을 말하는 사람은 B와 E이다.

05

| 정답 | ④

| 해설 | e는 세 번째 입주자이고 b가 그 바로 다음인 네 번째로 입주하며, c가 b보다 먼저 입주하므로 c는 첫 번째 또는 두 번째 입주자임을 알 수 있다. a와 d 사이에는 두 명의 입주자가 있으므로 a나 d가 두 번째 또는 다섯 번째 입주자가 되어 'a−e−b−d' 또는 'd−e−b−a' 순서로 입주하게 되는데, d와 e가 연달아 입주하지 않으므로 'c−a−e−b−d' 순서대로 입주하게 된다. 따라서 a는 두 번째 입주자이다.

06

| 정답 | ③

| 해설 | C와 E는 다른 팀이어야 하고 A, B 또는 B, F가 반드시 같은 팀이어야 한다.

A, E, F 조합은 'B가 속한 팀에 A 또는 F가 반드시 속해야 한다'는 조건에 상충하므로 적절하지 않은 팀 구성이다.

07

| 정답 | ④

| 해설 | 한 팀에 같은 장르를 2명 이상 포함할 수 없으므로 각각 장르별로 인원 수만큼 팀이 나누어진다. 댄스스포츠를 하는 2명은 2개의 팀에, 한국무용 4명은 4개의 팀에 속하게 되는데 전체 팀은 5개이므로 한국무용 인원이 없는 다른 1팀에 댄스스포츠 인원이 있을 수 있다. 따라서 댄스스포츠가 속한 팀에 한국무용이 속하지 않는 경우가 있다.

08

| 정답 | ④

| 해설 | 제시된 명제를 'p : 안경을 쓴다', 'q : 가방을 든다', 'r : 키가 크다', 's : 스카프를 맨다'로 정리하고 제시된 조건을 기호로 나타내면 다음과 같다.

- p → ~q(q → ~p)
- ~p → ~r(r → p)
- s → q(~q → ~s)

따라서 두 번째 명제의 대우와 첫 번째 명제 그리고 세 번째 명제의 대우에 따라 '키가 큰 사람은 스카프를 매지 않았다'는 항상 참이 된다.

| 오답풀이 |

① 첫 번째 명제의 역에 해당하므로 반드시 참은 아니다.

② 제시된 명제들로는 알 수 없다.

③ 두 번째 명제의 이에 해당하므로 반드시 참은 아니다.

⑤ 세 번째 명제의 역에 해당하므로 반드시 참은 아니다.

09

| 정답 | ③

| 해설 | 먼저, A 시계를 기준으로 하여 A, B, C, D의 도착 간격을 고려한다. 그 다음 B와 D가 진술한 도착시간에 따라 B와 D의 시계를 유추한다. 마지막으로, D의 시계가 12시보다 3분 빨랐다는 정보를 활용하여 실제 시간과 A, B, D의 시계를 비교할 수 있다. 이에 따라 A, B, D의 시계와 실제 시간을 유추해 보면 다음과 같다.

구분	A 시계	B 시계	D 시계	실제 시간 (도착 시간)
A	12:05	11:51	11:53	11:50
B	12:07	11:53	11:55	11:52
C	12:09	11:55	11:57	11:54
D	12:12	11:58	12:00	11:57

따라서 실제 시간과 가장 오차가 적은 것은 1분 빠른 B의 시계이다.

10

| 정답 | ③

| 해설 | 각 역별 역내 상점 지수와 그 산출점수를 구하면 다음과 같다.

- A 역 : $\frac{15}{28} \fallingdotseq 0.54 \rightarrow$ 3점
- B 역 : $\frac{6}{17} \fallingdotseq 0.35 \rightarrow$ 2점
- C 역 : $\frac{2}{11} \fallingdotseq 0.18 \rightarrow$ 2점
- D 역 : $\frac{17}{23} \fallingdotseq 0.74 \rightarrow$ 4점
- E 역 : $\frac{12}{35} \fallingdotseq 0.34 \rightarrow$ 2점

11

| 정답 | ①

| 해설 | 각 기준에 따라 최종점수를 구하기 위해 우선 각 역별 이용객 증가율을 구하면 다음과 같다.

- A 역 : $\frac{8,000-7,500}{7,500} \times 100 \fallingdotseq 6.7(\%)$
- B 역 : $\frac{8,100-7,200}{7,200} \times 100 = 12.5(\%)$
- C 역 : $\frac{6,800-6,500}{6,500} \times 100 \fallingdotseq 4.6(\%)$
- D 역 : $\frac{12,200-9,100}{9,100} \times 100 \fallingdotseq 34.1(\%)$
- E 역 : $\frac{8,600-7,500}{7,500} \times 100 \fallingdotseq 14.7(\%)$

이에 따라 평가항목별 점수와 그 평가등급을 구하면 다음과 같다.

구분	A 역	B 역	C 역	D 역	E 역
지면 광고 매출	3	2	1	4	1
역내 상점 지수	3	2	2	4	2
이용객 증가율	2	3	1	4	3
총점	8	7	4	12	6
평가등급	A 등급	B 등급	D 등급	S 등급	C 등급

따라서 최종 평가등급이 A 등급인 역은 A 역이다.

12

| 정답 | ⑤

| 해설 | 제시된 조건에 따라 업체별 점수를 매기면 다음과 같다.

구분	경영상태		공사기간		비용		후기		A/S기간		점수 총합
	순위	점수	순위	점수	순위	점수	순위	점수	순위	점수	
K 시공	4	2	3	3	2	4	4	2	3	3	14
G 시공	1	5	1	5	5	1	3	3	2	4	18
H 시공	3	3	1	5	4	2	4	2	3	3	15
M 시공	5	1	3	3	1	5	2	4	3	3	16
U 시공	1	5	5	1	3	3	1	5	1	5	19

따라서 지수가 선정할 업체는 점수 총합이 가장 높은 U 시공이다.

13

| 정답 | ②

| 해설 | 상품 A를 단독으로 생산한다고 할 때 각 자원별 가용 예산을 기준으로 자원 1은 $\frac{2,300}{20} = 115$(개), 자원 2는 $\frac{5000}{60} \fallingdotseq 83$(개), 자원 3은 $\frac{5,000}{15} \fallingdotseq 333$(개) 분량만큼 사용할 수 있다. 상품 생산 시 모든 자원이 동일하게 필요하므로 생산할 수 있는 상품 A의 수는 최대 83개이다.

14

| 정답 | ②

| 해설 | 상품 B를 단독으로 생산한다고 할 때 각 자원별 가용 예산을 기준으로 자원 1은 $\frac{2,300}{24} \fallingdotseq 95$(개), 자원 2는 $\frac{5,000}{20} = 250$(개), 자원 3은 $\frac{5,000}{60} \fallingdotseq 83$(개) 분량만큼 사용할 수 있다. 상품 생산 시 모든 자원이 동일하게 필요

하므로 생산할 수 있는 제품 B의 수는 최대 83개, 개당 이익은 600원이므로 최대 이익은 600×83=49,800(원)이다.

15

| 정답 | ①

| 해설 | 상품 A, B를 동일한 수량으로 동시에 생산하고, 상품 A와 B를 각각 1개씩 생산하는 것을 1단위라고 할 때, 상품 1단위 생산에 필요한 자원의 수와 그 개당 이익은 상품 A와 B를 각각 1개씩 생산하는 각각의 자원 사용량 및 개당 이익의 합과 같다.

각 자원별 가용 예산을 기준으로 자원 1은 상품 1단위를 $\frac{2,300}{20+24} \fallingdotseq 52$(개), 자원 2는 $\frac{5,000}{60+20} \fallingdotseq 62$(개), 자원 3은 $\frac{5,000}{15+60} \fallingdotseq 66$(개) 분량을 사용할 수 있다. 따라서 상품 52단위를 생산할 때의 이익은 52×1,800=93,600(원)이다.

4회 지각력

문제 162쪽

01	③	02	②	03	③	04	③	05	①
06	③	07	②	08	③	09	⑤	10	③
11	②	12	④	13	②	14	②	15	①

01

| 정답 | ③

| 해설 |

386 305 085 385 935 853 358 385 386 385 306 396
385 395 378 583 358 396 365 368 380 388 305 355
364 391 382 380 368 349 335 345 385 398 356 385

02

| 정답 | ②

| 해설 |

ڹ ز ش ب ة غ ت ظ م ك ج ظ خ د ف ش ي
ب د ح ك ط ف ح ت ظ م ش غ س ط ص ۋ
ظ ع ؤ ٹ ڽ ڛ م ن ش و ڥ ة خ ڢ ي ض ط

03

| 정답 | ③

| 해설 |

≇ ≪ ∩ ∨ ∆ ∻ ⋙ ⌗ ⌘ ⌧ ⋙
⋦ ⋒ ⋙ ≻ ▿ ⌕ ⌧ ⌥ ⌕ ^ ⋘
⋣ ⋙ ⌧ ⌕ ▿ ⌗ ⌖ ⋓ ∪ ≻ ∻

04

| 정답 | ③

| 해설 |

GOE EHB PLD BIL VMX ODP ANX IEU WSD PSO
TYI QMX OWZ IGO WPB PBI IVZ BNS QPO AOV
BIW PRO SUI BNX ONG QDP GIE ONG WOQ ZLD
OPW BID QNG UOA DIX BXP WSO EVP SIR XNF
ONG VZR PNG EDO XLG WIC QMU ZPI GNO WOP

05

| 정답 | ①

| 해설 |

$x+y+z$　$x+y^2-z$　$x \div y-z$　$x^2 \times y-z$
$x-y^2 \div z$　$x \times y^4 \div z$　$x+y+z^4$　$x \times y \times z$
$x+y^2-z$　$x \div y-z$　$x-y^2-z^3$　$x^5 \div y+z$

06

| 정답 | ③

| 해설 |

♧ ☆ ◐ Σ ∮ ▥ £ ♡ ▣ ▦ £ ¥ ◈
♥ ▧ ℃ ☎ ♣

♤ ◑ ▩ ▶ ⊠ ☸ ◁ ♀ ▨ ▶ ♬ ▤ ♭
◉ ⇛ Ⅷ ⦷ ₡

☍ ✪ ∮ ◱ ⊛ ◭ ☊ ☮ ☈ ◓ ◩ ㉿ ◵
⋑ 〶 ⇔ !? @

07

| 정답 | ②

| 해설 |

dkakfFheieoDcmBngujCdlrieNbwybc
mEfirhdTjfkwkCVpruJUxbghKslloer
mch

08

| 정답 | ③

| 해설 |

콹 숱 휡 챢 겠 툵 댧 봍 궑 젥 홝 즑 뱕 춖
겱 욹 멹 딻 쳅 쿩 쬡 핤 퓹 꺏 땍 쥮 쌞 꿹
빾 퍆 흙 쐛 슭 맭 죾 쓟 껡 랎 볾 듊 캵 꿃

09

| 정답 | ⑤

| 해설 |

끚 끝 끙 끕 끌 끗 끅 끝 끚 끔 끈 끙 끌 끟
끅 끟 끝 끘 끔

끈 끙 끌 끟 끅 끗 끞 끟 끙 끕 끚 끋 끅 끗
끔 끈 끙 끌 끟

끅 끝 끘 끞 끟 끕 끚 끅 끘 끆 끝 끔 끈 끙
끌 끟 끅 끝 끚

끔 끈 끕 끚 끋 끅 끟 끅 끚 끅 끘 끆 끟 끔
끈 끙 끌 끟 끅

끟 끞 끘 끔 끋 끙 끌 끟 끝 끅 끚 끟 끙 끕
끚 끋 끅 끗 끔

10

| 정답 | ③

| 해설 |

▣ ◪ ◫ ▣ ◲ ▥ ▨ ◪ ▧ ◱ ▥ ▨ ◪
◫ ▦ ◱ ◇ ◰ ◪ ▣

▨ ▥ ◩ ◈ ▦ ◱ ◰ ◪ ▦ ◫ ▣ ◈ ◇
◲ ◳ ▣ ◨ ◰ ▩ ▨

◇ ◲ ▣ ▨ ▣ ◨ ▩ ▥ ▣ ▨ ◨ ◰ ▧
◫ ▦ ◨ ◪ ▣ ▧ ▦

11

| 정답 | ②

| 해설 | 일곱 번째 줄 : (A) : 유혹에 빠져서, (B) : 미혹에 빠져서

12

| 정답 | ④

| 해설 | 하지만 기술 혁신을 통한 생산성 향상 시도가 곧바로 수익성 증가로 이어지는 것은 아니다. 기술 혁신 과정에서 비용이 급격히 증가하거나 생각지도 못한 위험이 수반되는 경우가 종종 있기 때문이다. 만약 필킹턴 사 경영진이 플로트 공정의 총개발비를 사전에 알았더라면 기술 혁신을 시도하지 못했을 것이라는 필킹턴 경(卿)의 회고는 이를 잘 보여 준다. 필킹턴 사는 플로트 공정의 즉각적인 활용에도 불구하고 그동안의 엄청난 투자 때문에 무려 12년 동안 손익 분기점에 도달하지 못했다고 한다.

이와 같이 기술 혁신의 과정은 과다한 비용 지출이나 실패의 위험이 도사리고 있는 험난한 길이기도 하다. 그렇지만 그러한 위험을 감수하면서 기술 혁신에 도전했던 기업가와 기술자의 노력 덕분에 산업의 생산성은 지속적으로 향상되

었고, 지금 우리는 그 혜택을 누리고 있다. 우리가 기술 혁신의 역사를 돌아보고 그 의미를 되짚는 이유는, 그러한 위험 요인들을 예측하고 적절히 통제할 수 있는 능력을 갖춘 자만이 앞으로 다가올 기술 혁신을 주도할 수 있으리라는 믿음 때문이다.

13

| 정답 | ②

| 해설 | '미스코리아'를 영어로 바꾸면 'MISSKOREA'로 제시된 암호 'ZVFFXBERN'와 같은 9글자가 되기에 알파벳으로 치환하여 암호를 풀어야 한다.

두 단어를 나열하여 비교하면 다음과 같다. 'MISSKOREA'에는 S가 반복해서 나오고 있음을 확인할 수 있다. 이에 주목하여 S가 무엇에 대응하는지 살펴보면

Z	V	F	F	X	B	E	R	N
		↓	↓			↓	↓	
M	I	S	S	K	O	R	E	A

이를 통해 'MISSKOREA'의 반복되는 알파벳 'S'가 'ZVFFXBERN'의 'F'로 대응하고 있는 것을 알 수 있다.

알파벳을 순서대로 나열하면 다음과 같은데,

A B C D E F G H I J K L M N O P Q R S T U V W X Y Z

이때, 'ZVFFXBERN'에서 'MISSKOREA'로 치환된 표를 통해 문자 'E, F'가 각각 'R, S'로 치환되는 것을 알 수 있다. 또한 'R'은 'E'로 치환되는 것을 알 수 있다. 이를 정리하면 다음과 같다.

E	F	R
↓	↓	↓
R	S	E

즉, A ~ Z 26글자를 13개씩 반으로 나누어 정리하여 서로 치환되는 것을 유추할 수 있고 이를 정리하면 다음과 같다.

A	B	C	D	E	F	G	H	I	J	K	L	M
↕	↕	↕	↕	↕	↕	↕	↕	↕	↕	↕	↕	↕
N	O	P	Q	R	S	T	U	V	W	X	Y	Z

따라서 'ERFBEG'가 나타내는 것은

E	R	F	B	E	G
↓	↓	↓	↓	↓	↓
R	E	S	O	R	T

'리조트'가 된다.

14

| 정답 | ②

| 해설 | 예시에서 비밀번호 'SUPERB7'를 □ 방식으로 변환한 값 544w1v7b7d3o1g를 문자로 치환하면 '7BREPUS'이 된다. 즉 □ 방식은 입력된 비밀번호를 역순으로 바꾼 다음 변환문자로 변환하는 방식임을 유추할 수 있다. 따라서 비밀번호 'IYFR97!'를 □ 방식으로 변환하면 9z54781v6s2w2k가 된다.

15

| 정답 | ①

| 해설 | 예시에서 비밀번호 'ELECTRO'를 ◇ 방식으로 변환한 값 6s9L6s3r3o1g7d를 문자로 치환하면 'FMFDUSP'가 된다. 즉 ◇ 방식은 입력된 문자의 알파벳 순서 다음 순서 글자로 바꾼 다음 변환문자로 변환하는 방식임을 유추할 수 있다. 따라서 비밀번호 'OB37HAB'를 ◇ 방식으로 변환하면 7d8h12692k4w8h가 된다.

파트 2 전공시험 기출유형모의고사

전공 경영학 전공시험

문제 172쪽

01	①	02	②	03	③	04	⑤	05	⑤
06	⑤	07	①	08	⑤	09	④	10	③
11	⑤	12	③	13	④	14	⑤	15	①
16	③	17	③	18	①	19	①	20	④
21	⑤	22	①	23	②	24	②	25	③
26	④	27	④	28	②	29	②	30	①
31	①	32	⑤	33	⑤	34	①	35	①
36	⑤	37	②	38	③	39	③	40	①
41	①	42	⑤	43	⑤	44	③	45	④
46	②	47	⑤	48	④	49	④	50	③

01

| 정답 | ①

| 해설 | ㄱ. 주식회사의 출자자는 모두 유한책임만을 진다. 출자자는 자신의 출자액 한도 내에서만 회사의 자본위험에 대한 책임을 진다.

| 오답풀이 |

ㄴ. 주식회사의 자본금은 소액 단위로 분할되어 양도가능한 유가증권인 주권으로 표현되는데, 이를 자본의 증권화제도라고 한다. 이를 통해 소액자본의 소유자들도 주식회사에 출자가 가능하다.

ㄷ. 주식회사에서는 주식의 분산과 함께 소유와 경영이 분리되어 있는 것이 특징이다.

ㄹ. 주식회사의 대표기관에는 주주총회, 이사회, 감사 등이 있다.

ㅁ, ㅂ. 주식회사는 회사가 필요로 하는 자본을 매매양도가 자유로운 유가증권 형태인 주식으로 균일하게 발행하여 일반 대중으로부터 기업자본을 조달하는 기업 형태이다.

02

| 정답 | ②

| 해설 | 기업환경을 분석하는 기법인 SWOT 분석 중 기회(O)는 외적 환경요인 중 기업에 긍정적으로 작용하는 요소를 의미한다. 기업의 내적 환경요인에서 기업에 긍정적으로 작용하는 요소는 강점(S)이다.

03

| 정답 | ③

| 해설 | 사건, 사실(Fact) 등을 수집 · 정리하여 모아 놓은 것을 데이터(Data)라고 하고, 데이터를 토대로 문제해결과 의사결정에 도움이 될 수 있도록 일정한 패턴으로 정리한 것을 정보(Information)라고 한다.

| 오답풀이 |

① 언어로 표현하기 힘든 주관적 지식은 형식지가 아니라 암묵지이다.

② 암묵지에서 형식지로 지식이 전환되는 과정은 외부화 내지는 표출화 단계라고 한다. 내면화는 형식지가 다시 암묵지로 전환되는 과정이다.

④ 지식경영은 형식지를 기업 구성원들에게 체화시킬 수 있는 암묵지로 전환하여 공유하는 경영방식이라기보다는 지식을 관리하고 전파하는 형태라고 할 수 있다.

⑤ SECI 모델은 암묵지와 형식지라는 두 종류의 지식이 공동화, 표출화, 연결화, 내면화라는 네 가지 변화과정을 거치며 지식이 창출된다는 이론이다.

04

| 정답 | ⑤

| 해설 | 디마케팅(Demarketing)은 자사 상품과 서비스에 대한 구매를 의도적으로 줄이는 기법으로, 이 마케팅의 기본 원리는 고객의 우량도(Loyalty)에 따라서 차별화된 서비스를 제공하는 것이다.

보충 플러스+

수요상태에 따른 기업마케팅 과업

1. 전환 마케팅(Conversional Marketing) : 부정적인 수요를 가진 경우에 필요한 마케팅
2. 자극 마케팅(Stimulational Marketing) : 무수요 상황에서 소비자를 자극하여 수요를 창출하는 마케팅
3. 개발 마케팅(Developmental Marketing) : 휴면상태의 소비자들을 현재적 수요로 바꾸는 마케팅
4. 재마케팅(Re-Marketing) : 소비자의 욕구나 관심을 다시 불러일으켜 감퇴하는 수요를 부활시키는 과업이 필요한 마케팅
5. 유지 마케팅(Maintenance Marketing) : 기업이 원하는 수준 및 시기와 일치하는 완전수요 상황을 지속시키는 마케팅
6. 디마케팅(Demarketing) : 초과수요 상황에서 일시적 혹은 영구적으로 수요를 줄이거나 없애려는 마케팅
7. 대항 마케팅(Counter Marketing) : 불건전한 수요를 줄이거나 완전히 없애 버리려는 마케팅, 즉 건전하지 못한 상품(마약, 청소년 성매매 등)의 소비를 제거하는 것
8. 동시화 마케팅(Synchro Marketing) : 변동이 심하거나 계절성을 띠어 시기적으로 불규칙한 수요의 시기를 기업의 공급패턴과 일치시키려는 마케팅

05

| 정답 | ⑤

| 해설 | 기계, 설비, 사무장비, 건물 등의 자산을 구입하는 활동은 지원 활동(Support Activities)이다.

06

| 정답 | ⑤

| 해설 | 행위가 일어난 횟수를 기준으로 하는 비율법은 행위가 일어난 기간을 기준으로 하는 간격법에 비해 성과와 강화요인 간에 보다 직접적인 연관성을 가져 학습효과가 더 높다.

| 오답풀이 |

① 적극적(긍정적) 강화는 바람직한 행동에 대하여 승진이나 칭찬 등의 보상을 제공함으로써 그 행동의 빈도를 증가시키는 것이다.

② 소극적(부정적) 강화는 벌이나 불편함을 중지하여 불편한 자극을 제거하는 것으로, 혐오자극을 감소시키는 반응을 획득하게 하는 도피학습과 바람직한 행위를 통해 불편한 자극을 회피하는 방법을 학습하게 하는 회피학습으로 나눌 수 있다.

③ 소거란 바람직하지 않은 행동에 대하여 기존에 주어졌던 혜택이나 이익을 제거하는 것이다.

④ 연속적 강화는 바람직한 행동이 나타날 때마다 보상을 제공하는 것이고, 단속적 강화는 간격이나 비율에 의하여 간헐적으로 보상을 제공하는 것이다. 연속적 강화는 최초로 행위가 학습되는 과정에는 단속적 강화에 비해 효과적이라는 강점이 있으나, 보상이 주어지는 시간이 길어질수록 그 효율성이 떨어지고 계속적으로 보상을 제공함에 따른 현실적인 자원의 한계가 존재한다는 약점이 있다.

07

| 정답 | ①

| 해설 | 브룸(Vroom)의 기대이론은 과정이론에 해당한다.

08

| 정답 | ⑤

| 해설 | 해당 기업의 지불능력, 생계비 수준, 노동시장에서의 임금수준은 기업의 임금수준과 임금의 외부 공정성과 관련된 개념이다. 임금의 내부 공정성은 임금체계, 즉 임금의 격차결정방식과 관련된 개념이다.

| 오답풀이 |

① 직무급은 종업원이 맡은 직무의 상대적 가치에 따라 임금을 결정하는 방식으로, 동일노동에 동일임금이 제공되는 임금제도이다.

② 기업이 임금수준을 결정할 때 종업원이 받는 임금수준을 타 기업 종업원의 임금수준과 비교하며 사회 전체의 임금수준과 비교하는 것은 임금의 외부 공정성과 관련이 있다.

③ 해당 기업 내 종업원 간의 임금수준의 격차를 결정하는 것은 임금체계이다. 이러한 임금체계의 결정에는 종업원들 간의 임금의 내부 공정성이 확보되어야 한다. 종업원들이 서로의 임금격차가 공정하다고 인정해야 좋은 임금제도이다.

④ 직능급은 종업원이 보유하고 있는 직무수행능력을 기준으로 임금을 결정하는 방식이다. 직능급을 사용하게 되면 종업원들이 자기개발을 하려고 노력하는 경향이 있다.

09

| 정답 | ④

| 해설 | 직무만족(Job Satisfaction)이 높으면 이직의도는 낮아지고, 직무 관련 스트레스는 줄어든다.

| 오답풀이 |

① 조직몰입(Organizational Commitment)에서 지속적 몰입은 경제적 가치에 기반한 몰입이고, 조직구성원으로서 가져야 할 의무감에 기반한 몰입은 규범적 몰입이다.

② 정적 강화(Positive Reinforcement)에서 강화가 중단될 때, 변동비율법에 의해 강화된 행동이 고정비율법에 의해 강화된 행동보다 오래 지속된다.

③ 감정지능은 감정노동과 감정소진 간의 조절변수 역할을 한다. 즉 감정노동을 많이 하게 되면 감정소진이 증가하게 되고 감정소진이 증가하면 조직몰입도가 낮아진다.

⑤ 조직시민행동은 신사적 행동(Sportsmanship), 예의바른 행동(Courtesy), 이타적 행동(Altruism), 공익적 행동(Civic Virtue), 양심적 행동(Conscientiousness)의 다섯 가지 요소로 구성된다.

10

| 정답 | ③

| 해설 | 페이욜(Fayol)은 경영자를 위한 지침과 방향으로서 그가 수행해야 할 5개 기능과 경영의 14원칙을 개발하였다. 경영의 14원칙으로 분업(division of work), 권한과 책임(authority and responsibility), 규율(discipline), 지휘의 일원화(unity of command), 명령일원화(unity of direction), 전체의 이익을 위한 개인의 복종(subordination of individual to general interest), 보수(remuneration), 집권화(centralization), 계층의 연쇄(scalar chain), 질서(order), 공정성(equity), 직장의 안정성(stability of tenure), 주도권(initiative), 단결심(esprit de corps) 등이 있다.

11

| 정답 | ⑤

| 해설 | 비즈니스 게임(Business Game)은 교육 대상자들에게 특정 경영 상태를 설정한 모의회사를 제시하고 게임을 통해 경영상의 의사결정을 체험하게 하는 방식의 경영교육훈련을 의미한다.

주어진 사례나 문제의 실제 인물을 연기함으로써 문제를 체험하고 이에 대한 해법을 제시하게 하는 교육기법은 역할연기법(Role Playing)에 해당한다.

| 오답풀이 |

② 교육훈련의 방법에는 장소의 제약 없이 온라인에서 교육훈련이 가능한 e-러닝이나 실제 직무장소와 별도의 전문교육기관에서 전문가에 의한 교육훈련을 받는 직장 외 교육훈련(Off-JT Training) 등이 존재하나, 이들 역시 그 교육 내용은 실제 직무 현장과의 유사성을 유지해야 한다.

③ 교육훈련에 있어 집단구축기법(팀 작업)은 구성원들의 아이디어를 공유하고, 집단정체성을 구축하는 것을 교육의 목표로 한다.

12

| 정답 | ③

| 해설 | ABC분석은 기업이 관리하고자 하는 상품의 수가 많아 모든 품목을 동일하게 관리하기가 어려울 때, 상품의 공헌이익 등을 기준으로 품목을 그룹화하고 관리의 수준에 차등을 두는 방법으로, 재고관리나 자재관리뿐만 아니라 원가관리, 품질관리에도 이용할 수 있다.

| 오답풀이 |

① ABC분석의 판단 기준으로 사용되는 공헌이익(Contribution Margin)은 매출액 중에서 고정비를 회수하고 이익을 획득하는 데 공헌한 금액으로, 매출액에서 변동비를 차감한 금액을 의미한다.

13

| 정답 | ④

| 해설 | 브랜드 자산가치 측정방법에는 마케팅적 접근, 재무적 접근, 통합적 접근이 있으며 브랜드 플랫폼 분석을 통

한 측정은 이에 해당되지 않는다.

보충 플러스+

브랜드 자산가치를 측정하는 방법
1. 마케팅적 접근 : 비교를 통한 측정, 컨조인트 분석에 의한 측정, 초과가치 분석을 통한 측정
2. 재무적 접근 : 취득원가에 기초한 측정, 매출액 배수를 이용한 측정, 무형자산의 가치추정을 통한 측정
3. 통합적 접근 : Interbrand의 측정(브랜드 강도에 브랜드 이익을 곱하여 측정)

14

| 정답 | ⑤

| 해설 | 잠재 구매자들이 가격－품질 연상을 강하게 갖고 있는 경우, 가격을 높게 매겨도 경쟁자들이 들어올 가능성이 낮은 경우는 모두 가격을 높게 형성할 유인이 있는 상황으로 고가전략에 해당하는 스키밍가격전략이 이에 적합하다.

| 오답풀이 |

① 사양제품 가격결정은 옵션제품가격전략이라고도 하며, 주제품에 추가하여 제공되는 옵션제품에 부과되는 가격을 의미한다. 보통 옵션가격은 고가격을 채택하는 경우가 많다.

15

| 정답 | ①

| 해설 | ㄴ. 지배원리는 포트폴리오 이론과 관련된 개념이다.

| 오답풀이 |

ㄱ, ㄷ, ㄹ. 정보의 비대칭성으로 인한 대리인 문제를 해결하기 위하여 주주들은 감시비용을 지출하고, 스톡옵션을 부여한다.

ㅁ. 대주주들의 기업지배권이 약해지면 대리인 비용이 발생할 가능성이 높아진다.

16

| 정답 | ③

| 해설 | 시장세분화 시 동일한 세분시장 내에 있는 소비자들은 동질성이 극대화되도록 해야 하며, 세분시장 간의 소비자들은 이질성이 극대화되어야 한다.

17

| 정답 | ③

| 해설 | 상동적 태도(Stereotyping)는 평가자가 평가 대상이 속한 집단의 특성을 평가자의 특성으로 인식하는 선입견으로 평가자를 판단하여 발생하는 인사평가의 오류이다. 이러한 오류는 평가 대상에 대한 자료에서 비롯되는 것보다는 이를 분석하는 평가자의 인식의 문제로, 이러한 오류를 방지하기 위해서는 평가자의 인식을 개선하는 교육훈련을 개시하거나, 사전에 평가 기준을 설정하는 강제할당법을 적용하는 방법 등이 유효하다.

18

| 정답 | ①

| 해설 | 성장－점유율 분석이라고도 하는 BCG 매트릭스는 시장점유율과 성장률을 기준으로 사업을 Star, Cash Cow, Question Mark, Dog의 사분면 내에 표시하여 이를 기준으로 미래의 전략방향과 자원배분방안을 결정하는 분석 방법이다.

19

| 정답 | ①

| 해설 | 포터는 산업구조분석기법에서 경쟁자, 잠재적 진입자, 대체재, 공급자의 교섭력, 구매자의 교섭력이라는 다섯 가지 요소를 언급하였다.

20

| 정답 | ④

| 해설 | 제품별 배치는 미숙련공도 가능한 단순작업으로 작업기술이 복잡하지 않다.

21

| 정답 | ⑤

| 해설 | 서비스 수준은 재고부족이 일어나지 않을 확률을 의미한다. 기업에서 요구되는 서비스 수준이 낮다는 것은 재고부족이 발생해도 허용해주겠다는 것을 의미하므로 낮은 서비스 수준을 달성하는 데 필요한 안전재고 수준은 낮아진다. 반대로 기업에서 요구하는 서비스 수준이 높다면 안전재고 수준도 높아진다.

22

| 정답 | ①

| 해설 | 단위기간당 발생하는 총재고비용을 최소화하는 1회 주문량을 구하는 EOQ 모형에서는 단일 품목을 대상으로 그 수요는 확정적이며 일정하다고 가정한다.

| 오답풀이 |

② EOQ 모형에서 조달기간은 고정되어 있음을 가정한다.

③ EOQ 모형에서 수량할인은 없다고 가정한다.

④ EOQ 모형에서 주문비용은 주문량에 관계없이 일정함을 가정한다.

⑤ EOQ 모형에서 각 품목에 대한 단위기간 중의 수요는 정확하게 예측할 수 있다고 가정한다.

23

| 정답 | ②

| 해설 | ZD(Zero Defect) 프로그램은 품질개선을 위한 동기부여 프로그램으로 통계적 품질관리의 적용을 강조하는 것이 아니라 종업원 각자에게 자율성을 부여하여 불량발생 가능성을 사전에 예방하고자 한다.

24

| 정답 | ②

| 오답풀이 |

㉠ 조기 수용자(Early Adopters) 바로 다음에 신제품을 수용하는 소비자 집단은 조기 다수 수용자(Early Majority)이다.

㉢ 시장규모는 성장기보다 성숙기에서 더 크고, 제품원가는 성장기보다 도입기에서 더 높다.

25

| 정답 | ③

| 해설 | ㉡ 재화를 생산자로부터 소비자에게 사회적으로 유통시켜 인격적으로 이전시키는 인격적 통일 기능으로, 다수 유통기관의 활동과 수집, 구매, 분산과 판매, 매매거래와 소유권 이전 등의 기능에 의해 이루어진다.

㉢ 재화의 생산과 소비 사이의 공간적, 장소적 불일치를 극복하고 사회적 유통을 조성하는 장소적 통일 기능으로, 운송이 그 역할을 담당한다.

| 오답풀이 |

㉠ 생산자와 소비자 간의 정보를 수집하고 전달하여 상호 의사소통을 원활하게 해 주는 시장정보 기능으로, 물류비용을 절감하고 고객서비스를 향상시키는 역할을 한다. 문제에서는 정보의 전달에 관한 내용이 제시되어 있지 않다.

㉣ 생산자가 공급하는 물품과 소비자가 수요하는 물품이 품질적으로 적합하지 않을 때 가공을 통해 이들 사이에 품질적 거리를 조절해 주는 품질적 통일 기능이다. 문제에서는 유통가공에 관한 내용이 제시되어 있지 않다.

26

| 정답 | ④

| 해설 | 멀티브랜드(Multibrand) 전략은 하나의 기업이 한 시장에 다수의 브랜드를 출시하는 것으로, 주로 한 시장 내의 다양한 수요계층에 브랜드 단위로 대응하여 자사의 시장점유율을 올리고 경쟁사의 진입에 대응하기 위해 활용된다. 다만 멀티브랜드 전략은 자사의 브랜드가 한 시장 내에서 충돌하여 자사 제품들 사이의 불필요한 경쟁이 발생할 수 있다는 위험이 있다. 소수의 고객층으로 구성된 특수한 수요에 집중하는 마케팅전략은 니치 마케팅(Niche Marketing)에 해당한다.

27

| 정답 | ④

| 해설 | 카르텔(Cartel, 담합)이란 사업자가 다른 사업자와 공동으로 상품 또는 서비스의 가격, 거래조건, 생산량 등을 결정하거나 제한함으로써 경쟁을 제한하는 행위를 의미한다. 공정거래법상 부당한 공동행위에 해당하는 카르텔은 시장에서 자율적으로 결정되어야 할 가격이나 거래조건을 사업자들이 인위적으로 조절함으로써 시장경제질서를 왜곡하고 소비자들의 후생을 저해한다.

| 오답풀이 |

① 트러스트(Trust)는 시장지배를 목적으로 동일한 생산단계에 속한 기업들이 하나의 자본에 결합되는 것을 의미한다. 일종의 기업합병이라 할 수 있다.

② 콘체른(Konzern)은 하나의 지배적 기업과 하나 혹은 2개 이상의 피지배기업으로 이루어진 기업 집단이다.

③ 콤비나트(Kombinat)는 러시아어로 '결합'이라는 뜻이 전용되었으며, 영어로는 콤비네이션이라고 한다. 이는 서로 관련이 있는 몇 개의 기업을 결합하여 하나의 공업지대를 이루어 생산 능률을 높이는 합리적인 기업결합이다.

⑤ 지주회사(Holding Company)는 지배회사 또는 모회사라고도 하며 산하에 있는 종속회사, 즉 자회사의 주식을 전부 또는 일부 지배가 가능한 한도까지 매수함으로써 기업합병에 의하지 않고 지배하는 회사를 말한다.

28

| 정답 | ②

| 해설 | 브레인스토밍과 고든법 모두 아이디어의 질보다 양을 중시하는 기법으로, 리더가 하나의 주제나 키워드를 제시하면 집단구성원이 각자의 의견을 자유롭게 제시하며 토론한다.

29

| 정답 | ②

| 해설 | 직무평가를 실행해야지만 직무급을 도입할 수 있으므로 직무평가는 직무급 도입을 위한 핵심적인 과정이다.

| 오답풀이 |

① 직무평가의 목적은 직무가 조직에 필요한 것인지의 여부를 평가하고 개선점을 찾아내는 것이 아니라 직무 간의 상대적 난이도를 결정하는 것이다.

③ 직무수행에 필요한 인적 요건에 관한 정보를 구체적으로 기록한 것은 직무명세서이다.

④ 서열법은 직무를 세부요소로 구분하지 않고 전체적으로 평가하여 직무들의 상대적 가치를 판단한다. 직무를 세부요소로 구분하여 평가하는 것은 점수법, 요소비교법이다.

⑤ 사전에 등급이나 기준을 만들고 그에 맞게 직무를 판정하는 방법은 분류법에 해당한다.

30

| 정답 | ①

| 해설 | 사람들이 선호하는 보직의 경우, 내부모집 역시 여러 명의 지원자가 발생하는 과다경쟁이 발생할 수 있고 선발 탈락 시에 조직구성원들 간 마찰이 발생할 수 있다.

31

| 정답 | ①

| 해설 | 공급사슬 내에서 소비자로부터 생산자(혹은 원재료 공급업자) 방향으로 갈수록 수요의 변동폭이 확대되는 것을 채찍효과(Bullwhip Effect)라고 한다. 이러한 채찍효과는 공급사슬 구성원 간의 의사소통이 부족하거나 리드타임의 길이가 길거나 공급사슬의 단계가 길거나 일괄적 주문이나 배치주문의 크기가 크면 더 크게 발생한다.

32

| 정답 | ⑤

| 해설 | CRM이란 신규고객 확보, 기존 고객 유지 및 고객수익성 증대를 위하여 지속적인 커뮤니케이션을 통해 고객행동을 이해하고 영향을 주려고 하는 광범위한 접근이다. 신규고객의 확보도 중요하지만 성장을 위한 기존 고객과의 지속적인 관계 형성에 더욱 중요성을 둔다.

33

| 정답 | ⑤

| 해설 | 편의표본추출법은 조사자의 편의대로 추출하는 비확률표본추출방법으로 모집단을 구성하는 모든 측정치에 동일한 추출기회가 부여되지 않는다. 모집단을 구성하는 모든 측정자들에 동일한 추출기회를 부여하는 것은 확률표본추출방법 중 단순무작위표본추출을 설명하는 것이다.

| 오답풀이 |

① 자료유형 중에서 1차자료(Primary Data)는 조사자가 특정 조사목적을 위해 직접 수집한 자료이므로 목적적 합성이 높다. 반면 2차자료는 기 수집된 자료로 자료수집에 시간과 비용이 절약된다.

② 개방형 질문(Open-ended Question)이란 응답자가 생각하고 있는 답변을 자유롭게 표현하도록 하는 방법으로 단어연상법은 여기에 해당한다.

③ 명목척도(Nominal Scale)는 측정대상이 속한 범주나 종류를 구분하기 위한 척도이고 서열척도는 순서를 나타내기 위한 척도이다. 또한 등간척도는 정도까지 파악할 수 있고 비율척도는 비율값을 계산할 수 있다.

④ 표본조사는 전수조사보다 시간과 비용이 적게 들지만 표본오류가 존재하게 되는 단점도 있다.

34

| 정답 | ①

| 해설 | 선매품은 구매 전에 품질, 가격 등 관련 정보를 충분히 조사한 후 구매하는 제품을 말한다.

35

| 정답 | ①

| 해설 | 서비스란 제품 판매를 위해 제공되거나 판매에 부수적으로 제공되는 행위, 편익, 만족이며 서비스는 소비자가 요구하는 주관적 효용인 만족이나 편익을 제공하는 것을 말한다. 서비스는 소비자가 동시에 소비하는 것이므로 시간을 지체하거나 상황이 변하면 서비스 자체가 제공하려 했던 효용은 사라지고 만다. 따라서 서비스는 컨트롤이 어렵다는 특징이 있다.

36

| 정답 | ⑤

| 해설 | 슈퍼 리더십은 종업원들을 관리하고 통제하는 것이 아니라 리더가 종업원들로 하여금 자기 자신을 리드할 수 있는 역량을 가질 수 있도록 도와주는 리더십이다.

37

| 정답 | ②

| 해설 | 최종소비자에 대한 직 · 간접적인 광고나 홍보활동을 통해 소비자들이 상품에 대해 관심을 갖게 하거나 구매를 희망하게 함으로써 유통업체가 그 상품을 취급하도록 하는 전략은 풀(Pull) 전략이라고 한다. 푸시(Push) 전략은 제조업자 측에서 소매업자에게 전략적인 측면에서 제품을 공급하는 것이다.

38

| 정답 | ③

| 해설 | 사회적 태만(무임승차)은 집단 속에서 함께 일할 때 혼자서 할 때보다 노력을 적게 하는 현상을 말한다. 집단의 크기가 커질수록 집단 속에서 일하는 개인의 업적이 타인에 의해 정확히 관찰될 수 없어 개인의 공헌도 및 집단의 생산성이 더 떨어진다.

보충 플러스+

사회적 태만의 원인

1. 책임의 분산(Diffusion of Responsibility) : 자신이 하지 않아도 남이 할 수 있으면 사회적 태만이 발생한다.
2. 집단의 크기(Size) : 집단의 규모가 커질수록 구성원 개개인의 공헌도에 대한 평가 및 감독이 어려워지기 때문에, 사회적 태만이 발생하게 된다.
3. 개인의 공헌도 측정의 곤란 : 사회적 태만은 개별적 노력을 확인하기 어려울수록 더 많이 나타나며, 성과에 대한 보상이 개인에게 정확히 돌아가지 않을 경우 심해진다.
4. 노력의 무용성 지각 : 사람들은 자신의 노력이 집단의 수행 결과에 큰 영향을 미치지 않는다고 느끼면 노력을 덜 하게 된다.
5. 봉 효과(Sucker Effect) : 집단의 다른 구성원들이 충분한 노력을 하고 있음에도 불구하고 최선의 노력을 기울이지 않고 있다는 생각이 들 때에도 사회적 태만이 발생한다.

6. 집단의 특성 : 집단과의 동일시 및 응집성도 사회적 태만에 영향을 주는 요인으로 확인되었다. 즉, 친구들로 구성된 집단보다 낯선 사람들로 구성된 집단에서 사회적 태만이 더 많이 일어났다.

39

| 정답 | ③

| 해설 | 촉진믹스는 광고, PR, 판매촉진, 인적 판매로 구성된다.

40

| 정답 | ①

| 해설 | 사내공모제는 내부충원의 대표적 형태로 승진의 기회가 생겨 종업원들의 사기진작 효과가 있다.

41

| 정답 | ①

| 해설 | 임프로쉐어 플랜은 단위당 소요되는 표준노동시간과 실제노동시간을 비교하여 절약된 노동시간만큼 시간당 임률을 노사가 50 : 50으로 배분하는 것으로, 개인별 인센티브 제도에 쓰이는 성과측정방법을 집단의 성과측정에 이용한 방식이다.

| 오답풀이 |

② 스캔론 플랜은 생산성 향상에 대한 대가를 지불하는 방식의 성과배분계획모형이다.

③ 럭커 플랜은 기업이 창출한 부가가치에서 인건비가 차지하는 비율을 기준으로 배분액을 결정하는 제도이다. 기본적인 사고는 스캔론 플랜과 유사하지만, 생산성측정의 척도로서 사용되는 기준이 총고용비용에 대한 부가가치의 비율이라는 점에서 중요한 차이가 있다.

④ 메리크식 복률성과급은 테일러의 제자인 메리크가 테일러식 차별성과급의 결함을 보완하여 임금률을 표준생산량의 83% 이하, 83 ~ 100%, 100% 이상의 3단계 기준으로 나누어 상이한 임금률을 적용하는 방식이다.

⑤ 테일러식 차별성과급은 표준작업량을 기준으로 임금률을 고 · 저로 나누는 방식이다.

42

| 정답 | ⑤

| 해설 | 고전적 조건화(Classical Conditioning)는 자극에 지속적으로 노출됨으로 인해 태도가 형성된다는 이론으로, 소비자들이 좋아하는 음악을 상품과 함께 노출시키면서 음악에 대해 좋은 태도를 갖는 것처럼 상품에 대해서도 좋은 태도를 갖게 하는 것을 말한다.

| 오답풀이 |

②, ③ 수단적 조건화(Instrumental Conditioning), 작동적(조작적) 조건화(Operant Conditioning)는 동일한 개념으로 자신에게 유리한 결과가 오면 그 행동을 계속 수행하고, 불리한 결과가 오면 그 행동을 반복하지 않게 되는 것을 말한다.

①, ④ 대리적 학습(Vicarious Learning)은 다른 사람의 행동을 관찰하면서 학습하는 것으로 이를 모델링이라고도 한다.

43

| 정답 | ⑤

| 해설 | 판매원을 이용한 직접 판매를 하게 되면 기업이 지급하는 고정비(판매원의 급여)가 증가하게 되고 변동비(대리점 수수료 등)가 감소하는 효과가 있다.

| 오답풀이 |

① 경로갈등의 유형에는 수평적 경로갈등, 경로형태 간의 갈등, 수직적 경로갈등이 있다. 수평적 경로갈등(Horizontal Conflict)은 유통경로상의 동일한 수준(단계)에 있는 경로구성원들 간의 갈등이고, 경로형태 간의 갈등(Intertype Conflict)은 유통경로 내의 동일한 수준에 있는 서로 다른 형태의 중간상들 간의 경쟁으로 생기는 갈등을 말하며, 수직적 경로갈등(Vertical Conflict)은 유통경로상의 서로 다른 단계(수준)에 있는 구성원들 간의 갈등을 말한다.

② 물적 유통의 목표는 고객만족과 비용절감이다. 고객만족을 극대화할 수 있도록 적절한 상품을 적시적소에 최소비용으로 배달하는 것은 물적 유통의 목표이다.

③ 선택적 유통경로정책은 집중적 유통과 배타적 유통의 중간적 성격으로 소비자들에게 제품의 노출을 선택적으로 제한함으로써 제품의 명성을 어느 정도 유지하면서 적정수준의 판매량을 확보하고자 할 때 사용할 수 있다.

④ 기술수준이 높은 상품의 유통경로 길이는 사후서비스의 편리성 등을 고려하여 짧게 설계해야 한다. 만약 이를 너무 길게 설계할 경우 소비자가 사후서비스를 받을 때 오랜 시간이 소요되어 불편함을 느끼게 된다.

44

| 정답 | ③

| 해설 | 인지부조화는 고관여 제품의 구매 시 많이 발생하며, 소비자는 제품에 관한 정보탐색 등의 활동으로 부조화를 극복하려고 노력한다.

45

| 정답 | ④

| 해설 | 대량생산기술을 적용할 때에는 기계적 조직이 적합하며, 소량주문생산기술을 적용할 때에는 유기적 조직이 적합하다.

46

| 정답 | ②

| 해설 | 주식회사는 자본이 중심이므로 1주 1표의 의결권을 가지지만, 협동조합은 출자액에 관계없이 1인 1표라는 사람 중심의 의결권을 갖는다. 따라서 일반적으로 주식회사의 경우 실제적인 의사결정이 소수의 대주주에 의해 결정되지만 협동조합은 다수에 의한 평등한 지배가 가능하다.

보충 플러스+

협동조합의 조직 · 운영 원칙

1. 사업의 목적이 영리에 있지 않고 조합원 간의 상호부조에 있다.
2. 임의(任意)로 설립되며 조합원의 가입 · 탈퇴가 자유로워야 한다.
3. 조합원은 출자액의 다소에 관계없이 1인 1표의 평등한 의결권을 가진다.
4. 잉여금을 조합원에게 분배함에 있어서는 출자액의 다소에 의하지 않고 조합사업의 이용분량에 따라서 실시한다.

47

| 정답 | ⑤

| 해설 | 베버(Weber)가 주장한 관료제 조직은 의사결정 권한을 관리자의 주관적 판단에 맡길 때 발생할 수 있는 조직의 불안정을 최소화하기 위해 업무수행에 관한 규칙과 절차를 철저하게 공식화한다. 조직계층에 따라 책임과 권한을 구체적으로 규정하여 권한의 남용이나 임의성을 최소화하고 조직관리를 비개인화하여 관리자 개인의 능력에 상관없이 조직의 안정성을 유지하도록 하는 조직이다.

48

| 정답 | ④

| 해설 | Big 5 성격 특성의 요인 중 타인의 관심을 끌려고 하거나 타인을 주도하려고 하는 정도는 외향성(Extraversion)에 대한 설명이다. 친화성(Agreeableness)은 타인과 편안하고 조화로운 관계를 유지하는 정도로, 해당 요인의 점수가 높은 사람은 이타적이고 배려심이 많은 성격으로 평가한다.

49

| 정답 | ④

| 해설 | 기업이 근로자에게 근로의 대가로 지급하는 보상은 노동에 대한 금전적 보상인 경제적 보상과 비금전적 보상인 비경제적 보상으로 구분되며, 경제적 보상은 다시 직접적 보상과 간접적 보상으로 분류된다. 이 중 직접적 보상이란 화폐의 형태로 된 금전적 보상으로 기본임금과 스톡옵션, 상여금 등의 변동임금(인센티브)이 여기에 해당한다. 간접적 보상이란 화폐적 형태로 직접 제공되지는 않으나 금전적 성격을 가지는 보상으로 보험료, 유급휴가, 시설이용 등의 복리후생이 여기에 해당한다.

50

| 정답 | ③

| 해설 | 최초상기(Top of Mind)는 소비자에게 제품군을 제시했을 때 가장 먼저 떠오르는 브랜드로, 제품시장에서 비보조인지도가 가장 높은 브랜드를 의미한다.

보충 플러스+

그레이브야드 모델(Graveyard Model)
브랜드 인지도에 관하여 보조인지도와 비보조인지도의 높고 낮음을 기준으로 브랜드를 다음과 같이 분류할 수 있다.

- 리딩 브랜드(Leading Brand) : 보조인지도와 비보조인지도가 모두 높아 시장을 선도하고 있는 브랜드
- 그레이브야드 브랜드(Graveyard Brand) : 보조인지도는 높으나 비보조인지도는 낮은 브랜드로, 대중적으로는 알려져 있으나 실제 구매에서는 검토되지 않는 브랜드이다. 해당 위치에 있는 브랜드는 장기적으로 사멸하게 된다고 하여 이를 브랜드의 무덤으로 비유한다.
- 니치 브랜드(Niche Brand) : 보조인지도는 낮으나 비보조인지도가 높은 브랜드로, 브랜드를 인지하는 특정 사용자층에게는 높은 충성도를 가지고 있으나 그 외의 사용자층에게는 인지도가 낮은 브랜드이다. 해당 위치에 있는 브랜드는 상품에 따라 대중적인 브랜드보다 높은 가치를 가지기도 한다.

전공 수협법 전공시험

문제 190쪽

01	②	02	⑤	03	③	04	④	05	①
06	②	07	③	08	③	09	④	10	⑤
11	①	12	③	13	⑤	14	④	15	③
16	①	17	⑤	18	①	19	①	20	②
21	⑤	22	③	23	③	24	⑤	25	④
26	②	27	④	28	③	29	⑤	30	⑤
31	①	32	②	33	②	34	②	35	②
36	③	37	⑤	38	③	39	⑤	40	②
41	④	42	①	43	③	44	③	45	⑤
46	②	47	⑤	48	④	49	④	50	⑤

01

| 정답 | ②

| 해설 | 수산업협동조합법은 어업인과 수산물가공업자의 자주적인 협동조합을 바탕으로 어업인과 수산물가공업자의 경제적 · 사회적 · 문화적 지위의 향상과 어업 및 수산물가공업의 경쟁력 강화를 도모함으로써 어업인과 수산물가공업자의 삶의 질을 높이고 국민경제의 균형 있는 발전에 이바지함을 목적으로 한다(「수산업협동조합법」 제1조).

02

| 정답 | ⑤

| 해설 | 국가와 공공단체는 조합등과 중앙회의 사업에 필요한 경비를 보조하거나 융자할 수 있다(「수산업협동조합법」 제9조 제1항).

| 오답풀이 |

① 중앙회는 자기자본을 충실히 하고 적정한 유동성을 유지하는 등 경영의 건전성 및 효율성을 확보하여야 한다(「수산업협동조합법」 제6조 제3항).

② 수산업협동조합중앙회는 회원의 사업과 직접 경합되는 사업을 하여 회원의 사업을 위축시켜서는 아니 된다. 다만, 중앙회가 회원과 공동출자 등의 방식으로 회원 공동의 이익을 위하여 사업을 수행하는 경우에는 회원

의 사업과 직접 경합하는 것으로 보지 아니한다(「수산업협동조합법」 제6조 제2항).

③ 수협은행을 제외한 중앙회와 중앙회가 출자한 법인은 회원 또는 회원의 조합원으로부터 수집하거나 판매위탁을 받은 수산물 및 그 가공품의 유통, 가공, 판매 및 수출을 적극적으로 추진하고, 수산물 가격안정을 위하여 수급조절에 필요한 조치를 하여야 한다(「수산업협동조합법」 제6조 제4항).

④ 중앙회의 업무 및 재산에 대해서는 국가 및 지방자치단체의 조세 외의 부과금을 면제한다. 다만 그 재산이 중앙회의 사업 외의 목적으로 사용되는 경우에는 그러하지 아니하다(「수산업협동조합법」 제8조).

03

| 정답 | ③

| 해설 | ㉠ 조합과 중앙회의 사업에 대해서는 「보험업법」을 적용하지 아니한다(「수산업협동조합법」 제12조 제1항).

㉢ 조합과 중앙회의 보관사업에 대해서는 「수산업협동조합법」에서 정한 것 외에 「상법」 제155조부터 제168조까지의 규정을 준용한다(「수산업협동조합법」 제12조 제2항).

| 오답풀이 |

㉡ 조합과 중앙업의 사업에 대해서는 「화물자동차 운수사업법」 제56조를 적용하지 아니한다(「수산업협동조합법」 제12조 제1항).

㉣ 조합, 조합공동사업법인(이하 '조합등'이라고 한다)이 공공기관에 직접 생산하는 물품을 공급하는 경우에는 조합등을 「중소기업제품 구매촉진 및 판로지원에 관한 법률」 제33조 제1항 각 호 외의 부분에 따른 국가와 수의계약의 방법으로 납품계약을 체결할 수 있는 자로 본다(「수산업협동조합법」 제12조의3).

04

| 정답 | ④

| 해설 | 조합장은 발기인으로부터 사무를 인수하면 정관으로 정하는 기일 이내에 조합원이 되려는 자에게 출자금 전액을 납입하게 하여야 한다(「수산업협동조합법」 제18조 제2항).

| 오답풀이 |

① 지구별수협을 설립하려면 해당 구역의 조합원 자격을 가진 자 20인 이상이 발기인이 되어 정관을 작성하고 창립총회의 의결을 거쳐 해양수산부장관의 인가를 받아야 한다(「수산물협동조합법」 제16조 제1항).

② 지구별수협의 설립인가를 받기 위해서는 조합원 자격이 있는 설립동의자의 출자금납입확약총액이 3억 원 이상일 것을 요구한다(「수산업협동조합법 시행령」 제12조 제1호 다목).

③ 지구별수협은 주된 사무소의 소재지에서 설립등기를 함으로써 성립한다(「수산업협동조합법」 제19조 제1항).

⑤ 지구별수협의 설립무효에 관하여는 「상법」 제328조를 준용한다. 이 경우 '주주'는 '조합원'으로 본다(「수산업협동조합법」 제19조 제2항).

05

| 정답 | ①

| 해설 | ㉤ 수산금융채권은 수산물협동중앙회와 수협은행이 발행하는 채권이므로 지구별수협의 정관에는 이에 관한 내용을 포함하지 않는다. 수산금융채권의 발행에 관한 사항은 중앙회와 수협은행의 정관에 포함되어 있다(「수산업협동조합법」 제123조, 제141조의5).

| 오답풀이 |

㉠ 「수산물협동조합법」 제17조 제2호

㉡ 「수산물협동조합법」 제17조 제4호

㉢ 「수산물협동조합법」 제17조 제6호

㉣ 「수산물협동조합법」 제17조 제17호

06

| 정답 | ②

| 해설 | 사업장 외의 지역에 주소 또는 거소만이 있는 어업인이 그 외의 사업장 소재지를 구역으로 하는 지구별수협의 조합원이 되는 경우에는 주소 또는 거소를 구역으로 하는 지구별수협의 조합원이 될 수 없다(「수산업협동조합법」 제20조 제1항).

| 오답풀이 |

① 조합원은 지구별수협의 구역에 주소 · 거소 또는 사업장이 있는 어업인이어야 한다(「수산업협동조합법」 제20조 제1항).

③ 「농어업경영체 육성 및 지원에 관한 법률」 제16조와 제19조에 따른 영어조합법인과 어업회사법인으로서 그 주된 사무소를 지구별수협의 구역의 두고 어업을 경영하는 법인은 지구별수협의 조합원이 될 수 있다(「수산업협동조합법」 제20조 제2항).

④ 지구별수협의 구역에 주소를 둔 어업인이 구성원이 되거나 출자자가 된 해양수산 관련 단체는 지구별수협의 정관으로 정하는 바에 따라 이를 준조합원으로 할 수 있다(「수산업협동조합법」 제21조 제1항 제1호).

⑤ 지구별수협은 준조합원에 대하여 정관으로 정하는 바에 따라 가입금과 경비를 부담하게 할 수 있고(「수산업협동조합법」 제21조 제2항), 준조합원은 정관으로 정하는 바에 따라 지구별수협의 사업을 이용할 권리 및 탈퇴 시 가입금의 환급을 청구할 권리를 가진다(동조 제3항).

보충 플러스+

영어조합법인과 어업회사법인
협업적 수산업경영을 통하여 생산성을 높이고, 수산물의 출하 · 유통 · 가공 · 수출 및 농어촌 관광휴양사업 등을 공동으로 하는 어업인과, 수산업의 생산력 향상과 수산인의 권익보호를 위한 수산인의 자주적인 조직인 생산자단체는 「농어업경영체 육성 및 지원에 관한 법률」 제16조에 따라 5인 이상을 조합원으로 하는 조합법인을 설립할 수 있는데, 이를 영어조합법인(營漁組合法人) 이라고 한다.
또한 수산업의 경영이나 수산물의 유통 · 가공 · 판매를 기업적으로 하거나 농어촌 관광휴양사업을 하려는 어업인 및 어업생산자단체는 「농어업경영체 육성 및 지원에 관한 법률」 제19조에 따라 「상법」상 회사인 어업회사법인(漁業會社法人)을 설립할 수 있다.

07

| 정답 | ③

| 해설 | 「수산업협동조합법」 제23조에 따라 지구별수협의 조합원은 정관으로 정하는 바에 따라 사업의 이용 실적에 따라 조합원에게 배당할 금액의 전부 또는 일부를 조합원에게 출자하게 할 수 있는데, 이를 회전출자라고 한다.

08

| 정답 | ③

| 해설 | 조합원은 지구별수협에 대한 채권과 출자금 납입을 상계할 수 없다(「수산업협동조합법」 제22조 제5항).

| 오답풀이 |

① 「수산업협동조합법」 제22조 제1항

② 「수산업협동조합법」 제22조 제4항

④ 「수산업협동조합법」 제22조 제3항

⑤ 「수산업협동조합법」 제22조의2, 제147조 제1항

09

| 정답 | ④

| 해설 | 지구별수협의 조합원은 그 조합원의 자격이 없다면 당연히 탈퇴하며, 이에 대한 결정은 이사회의 의결로 한다(「수산업협동조합법」 제31조 제2항 제1호, 동조 제3항).

| 오답풀이 |

① 지구별수협은 조합원의 수를 제한할 수 없다(「수산업협동조합법」 제29조 제3항).

② 지구별수협은 1년 이상 지구별수협의 사업을 이용하지 아니한 조합원에 대해 총회의 의결을 거쳐 제명할 수 있다(「수산업협동조합법」 제32조 제1항 제1호).

③ 조합원의 파산은 당연탈퇴 사유에 해당한다(「수산업협동조합법」 제31조 제2항 제3호).

⑤ 사망으로 인하여 탈퇴하게 된 조합원의 상속인이 조합원의 자격이 있는 경우에는 피상속인의 출자를 승계하여 조합원이 될 수 있다(「수산업협동조합법」 제30조 제1항).

10

| 정답 | ⑤

| 해설 | 조합원의 자격 및 가입에 대한 심사는 지구별수협 이사회의 의결사항에 해당한다(「수산업협동조합법」 제45조 제3항 제1호).

| 오답풀이 |

① 「수산업협동조합법」 제37조 제1항 제3호

② 「수산업협동조합법」 제37조 제1항 제2호

③ 「수산업협동조합법」 제37조 제1항 제1호

④ 「수산업협동조합법」 제37조 제1항 제10호

11

| 정답 | ①

| 해설 | 지구별수협의 조합원은 출자금의 많고 적음과 관계없이 평등한 의결권 및 선거권을 가진다(「수산업협동조합법」 제27조).

| 오답풀이 |

② 「수산업협동조합법」 제38조 제1항

③ 「수산업협동조합법」 제39조 제2항

④ 총회는 이 법에 다른 규정을 있는 경우를 제외하고는 구성원 과반수의 출석으로 개의하고 출석구성원 과반수의 찬성으로 의결한다. 다만 제37조 제1항 제1호부터 제3호까지 및 제11호의 사항은 구성원 과반수의 출석과 출석구성원 3분의 2 이상의 찬성으로 의결한다(「수산업협동조합법」 제40조).

⑤ 조합원은 다른 조합원이나 가족, 법인의 경우 조합원·사원 등 그 구성원을 대리인으로 하여 의결권을 행사할 수 있으며, 이 경우 조합원은 출석한 것으로 본다(「수산업협동조합법」제28조 제1항, 제2항).

12

| 정답 | ③

| 해설 | 지구별수협 대의원회를 구성하는 대의원의 임기는 2년으로 한다(「수산업협동조합법」 제44조 제3항).

| 오답풀이 |

① 「수산업협동조합법」 제44조 제1항

② 「수산업협동조합법」 제44조 제1항, 제2항

④ 「수산업협동조합법」 제44조 제4항

⑤ 대의원회에 대해서는 총회에 관한 규정을 준용한다. 다만, 대의원의 의결권은 대리인이 행사할 수 없다(「수산업협동조합법」 제44조 제5항).

13

| 정답 | ⑤

| 해설 | ㉠ 「수산업협동조합법」 제45조 제3항 제3호

㉡ 「수산업협동조합법」 제45조 제3항 제7호

㉢ 「수산업협동조합법」 제45조 제3항 제2호

㉣ 「수산업협동조합법」 제45조 제3항 제4호

14

| 정답 | ④

| 해설 | 지구별수협 상임이사가 궐위·구금되거나 의료기관에서 60일 이상 계속하여 입원하는 등 부득이한 사유로 직무를 수행할 수 없는 경우 이사회가 정한 순서에 따라 간부직원이 그 직무를 대행하며, 그 궐위기간이 6개월을 초과하는 경우에는 중앙회가 해양부장관의 승인을 받아 관리인을 파견할 수 있으며 관리인은 상임이사가 선출될 때까지 그 직무를 수행한다(「수산업협동조합법」 제47조 제6항).

| 오답풀이 |

① 지구별수협 조합장이 비상임인 경우에는 상임이사나 간부직원인 전무가 그 업무를 집행한다(「수산업협동조합법」 제47조 제1항).

② 지구별수협의 신용사업 및 공제사업은 상임이사가 전담하여 처리하고 그에 대하여 경영책임을 진다(「수산업협동조합법」 제47조 제3항 제1호).

③ 「수산업협동조합의 부실예방 및 구조개선에 관한 법률」 제2조 제3호에 따른 부실조합으로서 같은 법 제4조의2 제1항에 따라 해양수산부장관으로부터 적기시정조치를 받은 지구별수협은 대통령령으로 정하는 바에 따라 상임이사가 그 적기시정조치의 이행을 마칠 때까지 지구별수협의 경제사업에 관한 업무를 전담하여 처리하고 그에 대하여 경영책임을 진다(「수산업협동조합법」 제47조 제4항 제1호).

⑤ 「수산업협동조합법」 제47조 제6항

15

| 정답 | ③

| 해설 | 지구별수협과 조합장을 포함한 이사와 계약을 할 때에는 감사가 지구별수협을 대표한다(「수산업협동조합법」

제49조 제1항).

| 오답풀이 |

① 「수산업협동조합법」 제48조 제1항

② 「수산업협동조합법」 제48조 제2항

④ 「수산업협동조합법」 제49조 제2항

⑤ 「수산업협동조합법」 제50조 제1항

16

| 정답 | ①

| 해설 | 금고 이상의 집행유예를 선고받고 그 유예기간 중에 있는 사람은 지구별수협의 임원이 될 수 없다고 규정하고 있는 한편(「수산업협동조합법」 제51조 제1항 제7호), 범죄의 정도가 경미한 자에 대하여 일정 기간 동안 형의 선고를 유예하는 선고유예를 지구별수협의 임원 결격사유로 하는 것은 과도하다는 이유로 2020. 3. 24. 개정에서 선고유예 중인 사람에 대한 임원 결격사유 규정(「수산업협동조합법」 제51조 제1항 제8호)을 삭제하였다.

| 오답풀이 |

② 「수산업협동조합법」 제51조 제1항 제10호

③ 「수산업협동조합법」 제51조 제1항 제8호의2

④ 「수산업협동조합법」 제51조 제1항 제12호

⑤ 「수산업협동조합법」 제51조 제1항 제13호

보충 플러스+

선고유예

선고유예는 범죄의 정도가 경미한 자에 대해 형의 선고를 유예하였다가 일정한 기간이 경과되면 면소된 것으로 보는 제도로, 집행유예보다는 가벼운 결정이다. 「형법」 제59조에서는 1년 이하의 징역이나 금고, 자격정지 또는 벌금의 형을 선고할 때 뉘우치는 정상이 뚜렷할 경우 선고유예를 할 수 있다고 규정하고 있다.

17

| 정답 | ⑤

| 해설 | 지구별수협은 임원 선거를 공정하게 관리하기 위하여 대통령령으로 정하는 바에 따라 선거관리위원회를 구성 · 운영한다(「수산업협동조합법」 제54조 제1항). 지구별수협의 주된 사무소의 소재지를 관장하는 구 · 시 · 군선거관리위원회에 선거관리를 위탁하는 것은 지구별수협 조합장 선거에 해당한다(「수산업협동조합법」 제54조 제2항).

| 오답풀이 |

① 「수산업협동조합법」 제53조 제1항 제1호 가목

② 「수산업협동조합법」 제53조 제2항

③ 「수산업협동조합법」 제53조 제10항 제2호

④ 「수산업협동조합법」 제53조의3 제2항

18

| 정답 | ①

| 해설 | 지구별수협의 임원 선거 후보자나 후보자가 소속된 기관 · 단체 · 시설이 선거 기간 중 금전 · 물품이나 그 밖의 재산적 이익을 제공하는 '기부행위'에는 직무상의 행위나 의례적 행위는 포함하지 않는다. 이때 선거기간 중 후보자가 소속된 기관 · 단체 · 시설의 자체 사업계획과 예산으로 하는 의례적인 금전 · 물품 제공행위는 직무상의 행위로 인정되어 기부행위로 보지 않는다. 다만 이 경우 화환 · 화분을 제공하는 행위는 예외로 한다(「수산업협동조합법」 제53조의2 제2항 제1호 가목).

| 오답풀이 |

② 직무상의 행위에 해당한다(「수산업협동조합법」 제53조의2 제2항 제1호 다목).

③ 의례적 행위에 해당한다(「수산업협동조합법」 제53조의2 제2항 제2호 라목).

④ 의례적 행위에 해당한다(「수산업협동조합법」 제53조의2 제2항 제2호 마목).

⑤ 의례적 행위에 해당한다(「수산업협동조합법」 제53조의2 제2항 제2호 바목).

19

| 정답 | ①

| 해설 | ㉠ 「수산업협동조합법」 제60조 제1항 제1호 가목

㉡ 「수산업협동조합법」 제60조 제1항 제1호 마목

| 오답풀이 |

㉢ 수산물 유통 조절 및 비축사업은 지구별수협의 경제사업에 해당한다(「수산업협동조합법」 제60조 제1항 제2호 라목).

㉣ 조합원의 예금 및 적금의 수납업무는 지구별수협의 신용사업에 해당한다(「수산업협동조합법」 제60조 제1항 제3호 가목).

20

| 정답 | ②

| 해설 | 지구별수협은 국가로부터 차입한 자금을 해양수산부령으로 정하는 바에 따라 조합원이 아닌 수산업자에게도 대출할 수 있다(「수산업협동조합법」 제60조 제6항).

| 오답풀이 |

① 국가나 공공단체는 지구별수협에게 사업을 위탁하는 경우에는 대통령령으로 정하는 바에 따라 지구별수협과 위탁 계약을 체결하여야 한다(「수산업협동조합법」 제60조 제4항).

③ 지구별조합이 공제사업을 하려면 공제규정을 정하여 해양수산부장관의 인가를 받아야 한다(「수산업협동조합법」 제60조의2 제1항).

④ 「수산업협동조합법」 제61조 제1항

⑤ 지구별수협은 조합원의 공동이익을 위하여 어업 및 그에 부대하는 사업을 경영할 수 있다(「수산업협동조합법」 제64조 제1항).

21

| 정답 | ⑤

| 해설 | 지구별수협의 신용사업 부문과 신용사업 이외의 사업 부문 간의 재무관계와 그에 대한 재무기준은 금융위원회와의 협의를 거쳐 해안수산부장관이 정한다(「수산업협동조합법」 제66조 제4항).

| 오답풀이 |

① 「수산물협동조합법」 제65조

② 「수산물협동조합법」 제66조 제2항

③ 지구별수협의 특별회계는 특정 사업을 운영할 경우나 특정 자금을 보유하여 운영할 경우, 그 밖에 일반회계와 구분할 필요가 있는 경우에 정관으로 정하는 바에 따라 설치한다(「수산물협동조합법」 제66조 제3항).

④ 「수산물협동조합법」 제66조 제4항 제1호

22

| 정답 | ③

| 해설 | 지구별수협은 매 회계연도의 손실 보전을 하고 남을 때에는 자기자본의 3배가 될 때까지 매 사업연도 잉여금의 10분의 1 이상을 법정적립금으로 적립하여야 한다(「수산업협동조합법」 제70조 제1항).

| 오답풀이 |

① 「수산업협동조합법」 제68조 제1항

② 지구별수협은 국채 · 공채 및 대통령령으로 정하는 유가증권의 매입과 중앙회, 수협은행 또는 대통령령으로 정하는 금융기관에 예치하는 방법으로만 업무상의 여유자금을 운용할 수 있다(「수산업협동조합법」 제69조).

④ 지구별수협의 법정적립금과 자본적립금은 지구별수협의 손실금을 보전하거나, 지구별수협의 구역이 다른 조합의 구역이 된 경우 그 재산의 일부를 다른 조합에 양여하는 경우 이외에는 사용하지 못한다(「수산업협동조합법」 제72조).

⑤ 「수산업협동조합법」 제74조 제2항

23

| 정답 | ③

| 해설 | 합병 후 존속하거나 합병으로 설립되는 지구별수협은 소멸되는 지구별수협의 권리의무를 승계한다(「수산업협동조합법」 제81조 제1항).

| 오답풀이 |

① 「수산업협동조합법」 제77조 제1항, 제2항

② 「수산업협동조합법」 제78조 제1항, 제2항

④ 「수산업협동조합법」 제83조

⑤ 지구별수협이 분할할 때에는 분할 후 설립되는 조합이 승계하여야 하는 권리의무의 범위를 총회에서 의결하여야 한다(「수산업협동조합법」 제80조 제1항).

24

| 정답 | ⑤

| 해설 | 청산 사무가 끝나면 청산인은 지체 없이 결산보고서를 작성하고 이를 총회에 제출하여 승인을 받아야 한다(「수산업협동조합법」 제90조).

| 오답풀이 |

① 「수산업협동조합법」 제84조 제4호

② 지구별수협이 해산(파산으로 인한 경우는 제외한다)하였을 때에는 조합장이 청산인이 된다. 다만, 총회에서 다른 사람을 청산인으로 선임하였을 때에는 그러하지 아니하다(「수산업협동조합법」 제86조 제1항).

③ 청산인은 취임 후 지체 없이 재산 상황을 조사하고 재산 목록 및 재무상태표를 작성하여 재산 처분 방법을 정하고 이를 총회에 제출하여 승인을 받아야 한다. 이때 승인을 받기 위해 2회 이상 총회를 소집하여도 총회가 구성되지 않아 승인을 받을 수 없을 때에는 해양수산부장관의 승인으로 총회의 승인을 갈음할 수 있다(「수산물협동조합법」 제87조 제1항, 제2항).

④ 「수산업협동조합법」 제88조

25

| 정답 | ④

| 해설 | ㉠ 「수산업협동조합법」 제92조 제2항 제4호

㉡ 「수산업협동조합법」 제92조 제2항 제3호

㉢ 「수산업협동조합법」 제92조 제2항 제2호

| 오답풀이 |

㉣ 회계연도와 회계에 관한 사항은 설립등기신청서에는 기재되지 않고 지구별수협의 정관에 기재된다.

26

| 정답 | ②

| 해설 | 지구별수협이 합병하였을 때에는 해양수산부장관이 합병인가를 한 날로부터 2주 이내에 합병 후존속하는 지구별수협은 제95조에 따른 ㉠ 변경등기를, 합병으로 소멸하는 지구별수협은 제98조에 따른 ㉡ 해산등기를, 합병으로 설립되는 지구별수협은 제92조에 따른 ㉢ 설립등기를 각각 그 사무소의 소재지에서 하여야 한다(「수산업협동조합법」 제97조 제1항).

27

| 정답 | ④

| 해설 | 업종별수협의 조합원 자격을 가진 자 중 단일 어업을 경영하는 자는 해당 업종별수협에만 가입할 수 있다(「수산업협동조합법」 제106조 제2항).

| 오답풀이 |

① 업종별수협은 어업을 경영하는 조합원의 생산성을 높이고 조합원이 생산한 수산물의 판로 확대 및 유통 원활화를 도모하며, 조합원에게 필요한 자금 · 자재 · 기술 및 정보 등을 제공함으로써 조합원의 경제적 · 사회적 · 문화적 지위 향상을 증대함을 목적으로 한다(「수산업협동조합법」 제104조).

② 「수산업협동조합법」 제105조 제2항

③ 「수산업협동조합법」 제106조 제1항, 동법 시행령 제22조 제1호, 제2호, 제3호

⑤ 「수산업협동조합법」 제105조 제1항

28

| 정답 | ③

| 해설 | ㉠ 「수산업협동조합법」 제107조 제1항 제1호 다목

㉢ 「수산업협동조합법」 제107조 제1항 제2호 라목

㉣ 「수산업협동조합법」 제107조 제1항 제5호

| 오답풀이 |

㉡ 상호금융사업은 중앙회의 사업에 해당한다.

㉤ 어업통신사업은 중앙회와 지구별수협의 사업에 해당한다.

29

| 정답 | ⑤

| 해설 | 조합공동사업법인의 회원은 출자액에 비례하여 의결권을 가진다(「수산업협동조합법」 제113조의4 제3항).

| 오답풀이 |

① 「수산업협동조합법」 제109조

② 「수산업협동조합법」 제111조

③ 「수산업협동조합법」 제113조의2

④ 「수산업협동조합법」 제113조의3 제2항

30

| 정답 | ⑤

| 해설 | ㉠ 「수산업협동조합법」 제113조의6 제1항 제2호
㉡ 「수산업협동조합법」 제113조의6 제1항 제6호
㉢ 「수산업협동조합법」 제113조의6 제1항 제4호
㉣ 「수산업협동조합법」 제113조의6 제1항 제8호

31

| 정답 | ①

| 해설 | 조합은 같은 종류의 조합 간의 공동사업 개발과 그 권익 증진을 도모하기 위하여 각 조합을 회원으로 하는 수산업협동조합협의회를 각각 구성할 수 있다(「수산업협동조합법」 제114조 제1항).

| 오답풀이 |

② 「수산업협동조합법」 제114조 제2항 제1호, 제2호
③ 「수산업협동조합법」 제114조 제3항
④ 국가, 공공단체 또는 중앙회는 조합협의회의 사업에 필요한 자금을 보조하거나 융자할 수 있다(「수산업협동조합법」 제115조 제2항).
⑤ 수산업협동조합협의회는 지구별수협의 경우 특별시 · 광역시 · 도 또는 특별자치도를 단위로 구성하고, 업종별수협 및 수산물가공수협의 경우에는 전국을 단위로 구성할 수 있다(「수산업협동조합법 시행규칙」 제9조의5 제1항).

32

| 정답 | ②

| 해설 | 수협중앙회 회원의 책임은 그 출자액을 한도로 한다(「수산업협동조합법」 제122조).

| 오답풀이 |

① 수협중앙회는 조합을 회원으로 한다(「수산업협동조합법」 제118조).
③ 수협중앙회 회원이 해산하거나 파산한 경우에는 당연히 탈퇴한다(「수산업협동조합법」 제121조).
④ 「수산업협동조합법」 제120조
⑤ 「수산업협동조합법」 제119조 제1호

33

| 정답 | ②

| 해설 | 수협중앙회는 수산금융채권의 발행자로 그 정관에 수산금융채권의 발행에 관한 사항을 포함한다(「수산업협동조합법」 제123조 제11호).

34

| 정답 | ②

| 해설 | 수협중앙회의 경영목표 설정은 수협중앙회 이사회의 의결사항이다(「수산업협동조합법」 제127조 제3항 제1호).

| 오답풀이 |

① 「수산업협동조합법」 제126조 제1항 제1호
③ 「수산업협동조합법」 제126조 제1항 제4호
④ 「수산업협동조합법」 제126조 제1항 제3호
⑤ 「수산업협동조합법」 제126조 제1항 제2호

35

| 정답 | ②

| 해설 | 수산업협동조합 경제사업 평가협의회는 다음 9명의 위원으로 구성한다(「수산업협동조합법」 제139조의3 제4항).

- 수협중앙회장이 위촉하는 수산 관련 단체 대표 1명
- 수협중앙회장이 위촉하는 수산물등 유통 및 어업 관련 전문가 2명
- 수협중앙회장이 소속 임직원 및 조합장 중에서 위촉하는 사람 3명
- 해양수산부장관이 소속 공무원 중에서 지정하는 사람 1명
- 수산업 관련 국가기관, 연구기관, 교육기관 또는 기업에서 종사한 경력이 있는 사람으로서 수협중앙회장이 위촉하는 사람 1명
- 그 밖에 수협중앙회장이 필요하다고 인정하여 위촉하는 사람 1명

| 오답풀이 |

① 「수산업협동조합법」 제139조의2 제1항
③ 중앙회는 회원의 조합원이 생산한 수산물등의 원활한 유통을 지원하기 위하여 유통지원자금을 조성 · 운용할

수 있다(「수산업협동조합법」 139조의4 제1항)

④ 「수산업협동조합법」 제139조의4 제3항

⑤ 「수산업협동조합법」 제139조의4 제4항

36

| 정답 | ③

| 해설 | 수협중앙회 사업전담대표이사는 총회에서 선출하되, 전담사업에 관한 전문지식과 경험이 풍부한 사람으로서 경력 등 대통령령이 정하는 요건을 충족하는 사람 중 인사추천위원회에서 추천한 사람으로 한다(「수산업협동조합법」 제134조 제2항).

| 오답풀이 |

① 수협중앙회의 임원 중 사업전담대표이사, 경제사업을 담당하는 이사, 감사위원장은 상임으로 하며(「수산업협동조합법」 제129조 제2항), 사업전담대표이사는 지도경제사업대표이사로 한다(「수산업협동조합법」 제131조 제1항).

② 「수산업협동조합법」 제131조 제2항 제1호

④ 수협중앙회 이사회는 사업전담대표이사 또는 상임이사의 경영 상태를 평가한 결과 경영 실적이 부실하여 그 직무를 담당하기가 곤란하다고 인정하거나, 이 법이나 이 법에 따른 명령 또는 정관을 위반하는 행위를 한 경우에는 총회에 사업전담대표이사 또는 상임이사의 해임을 요구할 수 있다(「수산업협동조합법」 제135조 제3항).

⑤ 수협중앙회에 사업전담대표이사의 업무를 보좌하기 위하여 집행간부를 두고, 집행간부는 사업전담대표이사가 임면한다(「수산업협동조합법」 제136조 제1항, 제2항).

37

| 정답 | ⑤

| 해설 | ㉠ 「수산업협동조합법」 제138조 제1항 제1호 자목

㉡ 「수산업협동조합법」 제138조 제1항 제2호 나목

㉢ 「수산업협동조합법」 제138조 제1항 제4호 다목

㉣ 「수산업협동조합법」 제138조 제1항 제14호

㉤ 「수산업협동조합법」 제138조 제1항 제12호

38

| 정답 | ③

| 해설 | 수협중앙회 이사회의 의장은 수협중앙회장이 된다(「수산업협동조합법」 제127조 제1항).

| 오답풀이 |

① 수협중앙회장은 총회의 의장이 된다(「수산업협동조합법」 제125조 제3항).

② 「수산업협동조합법」 제125조 제4항

④ 수협중앙회 이사회는 회장 · 사업전담대표이사를 포함한 이사로 구성하되, 이사회 구성원의 2분의 1 이상은 회원인 조합의 조합장(회원조합장)이어야 한다(「수산업협동조합법」 제127조 제2항).

⑤ 수협중앙회장은 이사 3명 이상 또는 감사위원회의 요구가 있을 때에는 지체 없이 이사회를 소집하여야 하고, 회장이 필요하다고 인정할 때에는 직접 이사회를 소집할 수 있다(「수산업협동조합법」 제127조 제4항).

39

| 정답 | ⑤

| 해설 | 수협중앙회는 수협은행의 주식을 취득하기 위하여 출자하는 경우에는 자기자본을 초과하여 출자할 수 있다. 이 경우 사업전담대표이사는 3개월 이내에 출자의 목적 및 금액 등을 총회에 보고해야 한다(「수산업협동조합법」 제141조의3 제4항).

| 오답풀이 |

① 「수산업협동조합법」 제141조 제2항 제1호

② 조합, 중앙회 또는 수협은행으로부터 자금을 차입하는 자가 담보로 제공한 20톤 미만의 어선에 대한 채권 보전을 위해 필요한 절차에 관한 사항은 대통령령으로 정한다(「수산업협동조합법」 제141조 제4항).

③ 수협중앙회는 국가로부터 자금(국가가 관리하는 자금을 포함한다)이나 사업비의 전부 또는 일부를 보조 또는 융자받아 시행한 직전연도 사업에 관련된 자금 사용내용 등 대통령령으로 정하는 정보를 매년 4월 30일까지 공시하여야 한다(「수산업협동조합법」 제141조의2 제1항).

④ 수협중앙회는 사업을 하기 위하여 자기자본의 범위에서 다른 법인에 출자할 수 있다. 다만, 같은 법인에 대한

출자한도는 자기자본의 100분의 20 내에서 정관으로 정한다(「수산업협동조합법」 제141조의3 제1항). 2022년 12월 27일 개정으로 「수산업협동조합법」에서는 신용사업특별회계의 자기자본에 대한 출자 제한은 폐지되었다.

보충 플러스+

2022. 12. 27. 수협법 개정이유 및 주요내용
수협중앙회의 자기자본을 일원화하고, 신용사업특별회계와 신용사업특별회계 외의 사업부문을 구분한 일명 '방화벽' 관련 조항을 폐지하며, 신용사업특별회계의 폐지 수순에 따른 신용사업특별회계의 정의조항 외에 공적자금의 회수를 원활히 하기 위한 규정과 신용사업특별회계의 운용과 관련한 절차 조항을 정비하는 등 공적자금 상환의무와 관련된 규정을 정비하여 수협중앙회가 본래 목적인 수산인에 대한 충분한 지원과 수산업의 경쟁력 강화 및 미래성장 동력 확보에 집중할 수 있도록 함.

40

| 정답 | ②

| 해설 | 제시된 내용은 「수산업협동조합법」 제141조의4 제1항에 명시된 수협은행의 설립의도에 대한 설명이다. 수협중앙회의 신용사업을 분리하여 설립된 법인인 수협은행은 「은행법」 제2조 제1항 제2호에 따른 은행으로 본다(「수산업협동조합법」 제141조의4 제2항).

| 오답풀이 |

① 수협중앙회는 수협은행의 주식을 보유하는 경우 「은행법」 제15조, 제16조, 제16조의2부터 제16조의4까지의 규정을 적용하지 않는다(「수산업협동조합법」 제141조의4 제4항).

③ 수협은행의 설립을 위한 사업의 분리는 「상법」 제530조의12에 따른 회사의 분할로 본다(「수산업협동조합법」 제141조의4 제1항).

④ 수협은행에 대해서는 이 법에 특별한 규정이 없으면 「상법」 중 주식회사에 관한 규정, 「은행법」 및 「금융회사의 지배구조에 관한 법률」을 적용한다(「수산업협동조합법」 제141조의4 제3항).

⑤ 수협은행의 정관을 작성하거나 변경할 때에는 해양수산부장관의 인가를 받아야 한다. 이 경우 해양수산부장관은 미리 금융위원회와 협의하여야 한다(「수산업협동조합법」 제141조의5 제2항).

41

| 정답 | ④

| 해설 | 수협은행 임원의 임기는 3년 이내의 범위에서 정관으로 정한다(「수산업협동조합법」 제141조의7 제4항).

| 오답풀이 |

① 「수산업협동조합법」 제141조의8 제1항

② 「수산업협동조합법」 제141조의8 제2항, 제3항

③ 「수산업협동조합법」 제141조의7 제3항

⑤ 「수산업협동조합법」 제141조의7 제2항

42

| 정답 | ①

| 해설 | 수협은행은 수협중앙회 및 조합의 전산시스템의 위탁운영 및 관리 업무를 수행한다(「수산업협동조합법」 제141조의9 제1항 제7호).

| 오답풀이 |

② 수협은행은 조합 및 수협중앙회의 사업 수행에 필요한 자금이 수산물의 생산 · 유통 · 가공 · 판매를 위하여 어업인이 필요하다고 하는 자금에 해당하는 경우, 우선적으로 자금을 공급할 수 있고, 이 경우 해안수산부령으로 정하는 바에 따라 우대조치를 할 수 있다(「수산업협동조합법」 제141조의9 제4항 제1호, 제5항).

③ 수협은행은 조합 및 수협중앙회의 경제사업 활성화에 필요한 자금에 대해 우선적으로 자금을 공급할 수 있다(「수산업협동조합법」 제141조의9 제4항 제2호).

④ 수협은행에 대하여 금융위원회가 「은행법」 제34조 제2항에 따른 경영지도기준을 정할 때에는 국제결제은행이 권고하는 금융기관의 건전성 감독에 관한 원칙과 수협은행의 사업수행에 따른 특수성을 고려하여야 한다(「수산업협동조합법」 제141조의9 제8항).

⑤ 수협은행이 중앙회가 위탁하는 공제상품의 판매 및 그 부수업무를 수행하는 경우에는 「보험업법」 제4장 모집에 관한 규정을 적용하지 아니한다(「수산업협동조합법」 제141조의9 제2항).

43

| 정답 | ③

| 해설 | 조합감사위원회의 위원장과 위원은 감사 또는 회계 업무에 관한 전문지식과 경험이 풍부한 사람으로서 대통령령으로 정하는 요건을 충족해야 하며(「수산업협동조합법」 제144조 제2항), 회원의 조합장과 조합원은 위원이 될 수 없다(「수산업협동조합법」 제144조 제1항).

| 오답풀이 |

① 「수산업협동조합법」 제143조 제1항

② 「수산업협동조합법」 제144조 제1항

④ 조합감사위원회는 회원의 재산 및 업무 집행 상황에 대하여 2년마다 1회 이상 회원을 감사해야 하며(「수산업협동조합법」 제146조 제1항), 회원의 건전한 발전을 도모하기 위하여 필요하다고 인정되면 회원의 부담으로 「주식회사 등의 외부감사에 관한 법률」 제2조 제7호 및 제9조에 따른 감사인에게 회계감사를 요청할 수 있다(「수산업협동조합법」 제146조 제2항).

⑤ 조합감사위원회는 감사 결과에 따라 해당 회원에게 시정 또는 업무의 정지를, 관련 임원의 경우 개선, 직무의 정지, 견책 또는 변상을, 관련 직원에 대하여는 징계면직, 정직, 감봉, 견책 또는 변상을 할 것을 요구할 수 있다(「수산업협동조합법」 제146조 제3항).

44

| 정답 | ③

| 해설 | 우선출자는 이를 양도할 수 있다. 다만, 우선출자증권 발행 전의 양도는 중앙회에 대하여 효력이 없다(「수산업협동조합법」 제150조 제1항).

| 오답풀이 |

① 「수산업협동조합법」 제147조 제3항

② 잉여금 배당에 우선적 지위를 가지는 우선출자를 한 자는 의결권과 선거권을 가지지 아니한다(「수산업협동조합법」 제147조 제4항).

④ 「수산업협동조합법」 제147조 제5항

⑤ 「수산업협동조합법」 제151조 제1항, 제2항

45

| 정답 | ⑤

| 해설 | 수산금융채권의 소멸시효는 원금은 5년, 이자는 2년으로 한다(「수산업협동조합법」 제160조).

| 오답풀이 |

① 수협은행은 「은행법」 제2조 제1항 제5호에 따른 자기자본의 5배를 초과하여 수산금융채권을 발행할 수 없다(「수산업협동조합법」 제156조 제2항). 다만 수산금융채권의 차환을 위해서는 그 발행 한도를 초과하여 수산금융채권을 발행할 수 있다. 이 경우 발행 후 1개월 이내에 상환 시기가 도래하거나 이에 상당하는 이유가 있는 수산금융채권에 대하여 그 발행 액면금액에 해당하는 수산금융채권을 상환하여야 한다(「수산업협동조합법」 제156조 제3항).

② 수협은행은 수산금융채권을 할인하는 방법으로 발행할 수 있다(「수산업협동조합법」 제156조 제4항).

③ 기명식 수산금융채권의 명의변경은 그 채권 취득자의 성명과 주소를 그 채권 원부에 적고 그 성명을 증권에 적지 아니하면 중앙회, 수협은행 또는 그 밖의 제3자에게 대항하지 못한다(「수산업협동조합법」 제157조).

④ 수산금융채권은 그 원리금 상환을 국가가 전액 보증할 수 있다(「수산업협동조합법」 제159조).

46

| 정답 | ②

| 해설 | 선택지의 내용은 2022년 12월 27일 개정 전 수협중앙회의 자기자본을 신용사업특별회계와 그 외의 사업으로 구분하는 구 「수산업협동조합법」 제164조 제1항의 내용이다. 2022년 12월 27일 개정으로 수협중앙회의 자기자본이 일원화되면서 해당 조항은 삭제되었다.

| 오답풀이 |

① 수협중앙회는 매 회계연도가 지난 후 3개월 이내에 결산보고서를 해양수산부장관에게 제출하여야 한다. 그 결산보고서에는 「주식회사 등의 외부감사에 관한 법률」에 따른 회계법인의 회계감사를 받은 의견서를 첨부해야 한다(「수산업협동조합법」 제163조 제1항, 제2항).

③ 「수산업협동조합법」 제165조 제1항

④ 수협중앙회는 수산업협동조합의 약칭, 문자, 표식 등을 포함한 명칭을 사용하는 영리법인에 대해 그 영업수익 또는 매출액의 1천분의 25 범위에서 정관으로 정하는 기준에 따라 총회에서 정하는 부과율을 곱하여 산정하는 금액의 명칭사용료를 부과할 수 있다(「수산업협동조합법」 제162조의2 제1항). 수협중앙회는 이 명칭사용료의 회계에 있어서 다른 수입과는 구분하여 관리하여야 하며, 그 수입과 지출에는 총회의 승인을 받아야 한다(「수산업협동조합법」 제162조의2 제2항).

⑤ 수협중앙회는 손실을 보전하고 법정적립금 · 임의적립금 및 지도사업이월금을 적립한 후가 아니면 잉여금을 배당하지 못한다(「수산업협동조합법」 제166조 제2항).

47

| 정답 | ⑤

| 해설 | 조합 중 직전 회계연도 말 자산총액이 대통령령으로 정하는 기준액 이상인 조합은 제146조 제1항에 따른 조합감사위원회의 감사를 받지 않은 회계연도에는 「주식회사 등의 외부감사에 관한 법률」 제2조 제7호 및 제9조의 감사인의 감사를 받아야 한다.

다만 최근 5년 이내에 회계부정, 횡령, 배임 등 해양수산부령으로 정하는 중요한 사항이 발생한 조합과 부실조합 및 부실우려조합은 감사인의 감사를 매년 받아야 한다(「수산업협동조합법」 제169조 제7항).

| 오답풀이 |

① 「수산업협동조합법」 제169조 제1항

② 「수산업협동조합법」 제169조 제3항

③ 「수산업협동조합법」 제169조 제4항

④ 「수산업협동조합법」 제169조 제6항

48

| 정답 | ④

| 해설 | 조합등에 대한 감사 또는 경영평가의 결과 경영이 부실하여 자본을 잠식한 조합이, 수협중앙회의 지도 및 감사 또는 해양수산부장관의 경영지도에 따르지 않고, 조합원 또는 제3자에게 중대한 손실을 끼칠 우려가 있는 경우 해양수산부장관은 수협중앙회장의 의견을 들어 설립인가를 취소하거나 합병을 명할 수 있다(「수산업협동조합법」 제173조 제1항 제5호). 이때 해양수산부장관은 설립인가의 취소를 위해서는 청문을 하여야 한다(「수산업협동조합법」 제175조 제2호).

따라서 A 수산업협동조합이 경영지도에 따르지 않는 상황인 것은 아니므로, 설립인가의 취소를 위한 청문회는 부적절하다.

| 오답풀이 |

① 해양수산부장관은 경영지도가 시작된 경우에는 6개월 이내의 범위에서 채무의 지급을 정지하거나 임원의 직무를 정지할 수 있다. 이 경우 수협중앙회장에게 지체 없이 재산실사를 하게 하거나 금융감독원장에게 재산실사를 요청할 수 있다(「수산업협동조합법」 제172조 3항).

② 수협중앙회장 또는 수협중앙회 사업전담대표이사는 정관으로 정하는 바에 따라 경영적자 · 자본잠식 등으로 인하여 경영 상태가 부실한 조합에 대하여 자금 결제 및 지급 보증의 제한이나 중지, 수표 발행 한도의 설정 또는 신규수표의 발행 중지 등 자산 건전성 제고를 위하여 필요한 조치를 할 수 있다(「수산업협동조합법」 제172조 제8항).

③ 수협중앙회장 또는 금융감독원장은 재산실사 결과 위법 · 부당한 행위를 하여 조합에 손실을 끼친 임직원에 대해 재산 조회 및 가압류 신청 등 손실금 보전을 위하여 필요한 조치를 하여야 한다(「수산업협동조합법」 제172조 제4항).

⑤ 해양수산부장관은 재산실사 결과 해당 조합의 경영정상화가 가능한 경우 등 특별한 사유가 있다고 인정되면 경영지도에 따른 채무 지급정지 또는 직무정지의 전부 또는 일부를 철회하여야 한다(「수산업협동조합법」 제172조 제6항).

49

| 정답 | ④

| 해설 | 제53조의3(제108조 또는 제113조에 따라 준용하는 경우를 포함한다)을 위반하여 조합의 경비로 조합의 명의가 아닌 조합장의 성명을 사용하여 축의 · 부의금품을 제공한 자에 대해서는 2년 이하의 징역 또는 2천만 원 이하의 벌금에 처한다(「수산업협동조합법」 제178조 제1항 제4호).

| 오답풀이 |

① 투기의 목적으로 조합등 또는 중앙회의 재산을 처분하거나 이용하는 행위로 손실을 끼쳤을 때에는 10년 이하의 징역 또는 1억 원 이하의 벌금에 처한다(「수산업협동조합법」 제176조 제1항 제2호).

② 제16조 제1항을 위반하여 인가를 받지 않은 경우 3년 이하의 징역 또는 3천만 원 이하의 벌금에 처한다(「수산업협동조합법」 제177조 제2호).

③ 제60조 제1항 제15호를 위반하여 감독기관의 승인을 받지 않은 경우 3년 이하의 징역 또는 3천만 원 이하의 벌금에 처한다(「수산업협동조합법」 제177조 제4호).

⑤ 제7조 제2항을 위반하여 공직선거에 관여한 자는 2년 이하의 징역 또는 2천만 원 이하의 벌금에 처한다(「수산업협동조합법」 제178조 제1항 제1호).

50

| 정답 | ⑤

| 해설 | 수협중앙회의 임원 선거에서 제53조(제168조에서 준용)를 위반하여 선거운동을 대가로 금전 · 물품 · 향응, 그 밖의 재산상의 이익 또는 공사의 직을 제공받거나 받기로 승낙한 자가 자수한 때에는 그 형 또는 과태료를 감경 또는 면제한다(「수산업협동조합법」 제183조 제1항).

| 오답풀이 |

① 수산업협동조합이나 수협중앙회의 임원 선거와 관련하여 당선인이 그 선거에서 선거범죄에 따라 징역형 또는 100만 원 이상의 벌금형을 선고받은 경우 해당 선거의 당선을 무효로 한다(「수산업협동조합법」 제179조 제1항 제1호). 즉 징역형이 확정되었다면 그 형량에 관계없이 당선은 무효가 된다.

② 당선인의 당선무효로 실시사유가 확정된 재선거와, 당선인이 기소 후 확정판결 전에 사직함으로 인하여 실시사유가 확정된 보궐선거에서, 위탁선거범죄로 인하여 당선이 무효가 된 사람은 후보자가 될 수 없다(「수산업협동조합법」 제179조 제2항 제1호).

③ 수산업협동조합은 선거범죄에 대하여 해당 조합 또는 조합선거관리위원회가 인지하기 전에 그 범죄행위를 신고한 사람에게는 정관으로 정하는 바에 따라 포상금을 지급할 수 있다(「수산업협동조합법」 제182조).

④ 수산업협동조합은 과태료에 해당하는 죄를 포함한 선거범죄의 신고자의 보호에 관하여는 「공직선거법」 제262조의2를 준용한다(「수산업협동조합법」 제181조).

고시넷 공기업

공기업 통합전공

핵심이론 + 문제풀이

사무직 필기시험 대비

- 경영학 / 경제학 / 행정학 / 법학
- 주요 공기업 기출문제
- 테마별 이론 + 대표기출유형 학습
- 비전공자를 위한 상세한 해설